S0-BFF-454

믿음이 이긴다

최고의 삶

IT'S YOUR TIME
by Joel Osteen

This Korean edition was published by Positive Life, a Division of Duranno Press in 2010 by arrangement with Free Press, a Division of Simon & Schuster, Inc., New York through KCC(Korea Copyright Center Inc.), Seoul.

믿음이 이긴다 최고의 삶

지은이 | 조엘 오스틴
옮긴이 | 정성묵
초판 발행 | 2010. 1. 4.
13쇄발행 | 2010. 1. 29.
발행처 | 긍정의힘
등록번호 | 제 302-2009-000002호
등록된 곳 | 서울시 용산구 나루터길 35
영업부 | 2078-3333 FAX | 080-749-3705
출판부 | 2078-3444

책값은 뒤표지에 있습니다.
ISBN 978-89-93705-07-2 03230

믿음이 이긴다

최고의 삶

조엘 오스틴 지음 | 정성묵 옮김

긍정의힘

* 이 책에 실린 본문 성구는 「개역개정」을 사용하였습니다.

한국 독자들에게

지난 몇 년간 우리는 한국 독자들에게서 이메일 등을 통해 수많은 감사의 메시지를 받았습니다. 여행중에도 많은 한국 독자들을 만나는 기쁨을 누렸습니다. 저희를 만나러 레이크우드 교회까지 와 주신 분들께도 감사를 드립니다. 이 먼 곳까지 찾아와 주신 분들로 인해 아내와 저는 깊은 감명을 받았습니다.

제가 아는 한국은 충성스러운 국가입니다. 우리 주 예수 그리스도를 통해 하나님과 깊은 관계를 맺기 원하는 분들이 구름처럼 많으며 복음 안에서 찾은 희망을 온 세상과 나누려는 열정도 남다른 줄로 압니다.

사람들에게 우리 주님의 소망과 사랑과 구원을 전하려는 여러분의 열정이 제 눈에 똑똑히 보입니다. 하나님께서도 여러분의 노력을 축복하실 줄 믿습니다.

하나님께서 여러분과 대한민국을 계속해서 축복하시고 은혜를 내려 주실 줄 믿습니다. 하나님이 주신 소명을 온전히 이루기를 간절히 기원합니다.

여러분을 축복하며,
조엘 오스틴

차 례

추천의 글

"벼랑 끝에 서 있는 듯한 절박한 상황,
바로 그때가 최고의 삶을 맛볼 때다!"

조엘 오스틴을 만나는 것은 행운입니다. 그는 상심한 마음에 희망을 줍니다. 우리 안에 숨겨진 내면의 능력을 알게 합니다. 우리를 향한 하나님의 축복이 여전히 유효하다는 것을 깨닫게 합니다. 인생이 멋있다는 생각을 하게 만듭니다. 주저앉아 있지 못하게 합니다. 다시 일어서게 합니다. 다시 한 번 해보자, 할 수 있다는 용기를 줍니다. 독자들이 이 책을 통해 동일한 용기를 얻기 바랍니다.

– 조용기 (여의도순복음교회 원로목사)

사람의 인생은 그가 세상을 보는 관점에 따라 그 모습이 달라집니다. 그래서 같은 상황이라도 부정적으로 보지 않고 긍정적인 마인드로 보는 것이 중요합니다. 바로 지금이 은혜의 때라고 믿으십시오. 성과를 이룰 때라고 믿으십시오. 회복의 때라고 믿으십시오. 하나님을 더 신뢰해야 할 때라고 믿으십시오. 이 책의 메시지대로 해 보십시오. 그리고 인생이 어떻게 달라지는지 보십시오.

– 이어령 (이화여대 석좌교수)

'하나님이 끝이라고 하시기 전까지는 절대 끝이 아닙니다.' 나는 조엘 오스틴의 이 말에 감동을 받았습니다. 그래 좀 실패했으면 어떻습니까? 아직 끝이 아닙니다. 전반전은 끝났지만 후반전은 아직 남아 있습니다. 이러한 생각을 하면 마음에 용기가 생깁니다. 이 책을 통해 많은 사람들이 인생을 새로운 시각으로 보게 되었으면 합니다.

– 김영길 (한동대학교 총장)

포기란 말은 배추포기를 헤아릴 때나 써야 할 말입니다. 하나님은 실패자는 쓰시지만 포기자는 쓰시지 않습니다. 하나님이 마침표를 찍기 전에 결코 마침표를 찍어서는 안 됩니다. 조엘 오스틴이 써내려간 희망의 편지, 그가 전하는 메시지를 통해 동굴을 터널로 뚫어 보십시오. 이제는 내가 그 희망의 편지를 써내려가야 할 차례입니다. 모든 독자들과 함께 이렇게 외치고 싶습니다. "Spero Spera(숨을 쉬는 한 희망은 있다)."

– 송길원 (행복발전소, 하이패밀리 대표)

조엘 오스틴, 그는 희망 전도사입니다. 그는 힘들 때, 희망이 보이지 않을 때가 오히려 은혜와 회복의 때, 하나님의 선하심을 맛보며 최고의 삶을 준비할 수 있는 때라고 주장합니다. 온전한 복을 누리길 원한다면 그가 제시한 길을 따라가 보십시오. 어느덧 희망을 노래하며 최고의 삶을 추구하고 있는 자신을 발견하게 될 것입니다.

– 김성묵 (아버지학교 국제운동본부장)

조엘 오스틴의 책은 나에게 가장 좋은 것을 예비하신 하나님의 신실하심을 되새기게 합니다. 힘든 시기를 겪으며 하나님과 세상에 실망한 사람들은 이 책을 통해 다시 한 번 하나님에 대한 믿음을 회복하고 세상 속에서 희망을 발견할 수 있을 것입니다.

– 원희룡 (국회의원)

지금 조엘 오스틴은 희망 바이러스를 퍼트리고 있는 중입니다. 그에게는 성경이든 일상이든 희망을 주는 메시지로 가득 차 있습니다. 그 놀라운 혜안에 놀라움을 금치 못합니다. 책을 읽는 동안 그의 안목으로 충전되는 느낌입니다. 믿음과 용기가 막 솟아오릅니다. 지금은 이 책을 읽을 때입니다. 그것이 당신의 시간을 가장 현명하게 쓰는 길입니다.

– 한기채 (중앙성결교회 담임목사)

조엘 오스틴은 사람의 마음을 흥분시킬 줄 아는 목회자입니다. 눈에 보이는 상황에 굴복하지 않고 그 너머에 있는 하나님의 축복을 보게 하여 좌절을 딛고 일어나도록 도울 줄 아는 능력이 있습니다. 그는 이 능력으로 당신의 인생에 끼칠 하나님의 복락을 믿게 하여 당신의 마음도 기쁨으로 휩싸이게 할 것입니다.

– 박성민 (CCC 대표)

"많은 사람을 옳은 데로 돌아오게 한 자는 별과 같이 영원토록 비취리라" (단 12:3). 조엘 오스틴 목사님은 나의 멘토입니다. 「긍정의 힘」을 통해 부정적인 생각이 들 때마다 비전이 생겼고, 자신 없던 내 삶이 열정으로 바뀌었습니다. 인생의 패러다임 쉬프트를 경험하고 싶다면, 이 책을 꼭 읽기 바랍니다. 다섯 부로 구성된 이 책의 내용을 각자의 인생에 적용한다면 모두 기적을 체험하게 될 것입니다.

– 서정희 (탤런트, 「서정희의 주님」의 저자)

벼랑 끝에 서 있는 듯한 절박한 상황. 바로 그때가 최고의 삶을 맛볼 당신의 때(It's your time)입니다. 그 자리에서 믿음의 걸음을 한 발짝만 더 내디디면 권능의 손길이 당신에게 날개를 달아 주어 훨훨 날 수 있도록 역사하실 것임을 조엘 오스틴은 생생하게 증언하고 있습니다.

– 조신영 (늘사랑기독학교[ECS] 교장, 「경청」·「쿠션」의 저자)

최고의 삶은 어떤 인생일까요? 누구나 가슴 속 깊은 곳에 간직한 질문일 것입니다. 조엘 오스틴은 인생의 뿌리 깊은 질문에 명쾌히 답하고 있습니다. 당신은 정말 최고의 삶을 원합니까? 업그레이드 된 삶을 원합니까? 그렇다면 이 책을 통해 최고의 삶에 도전해 보기를 권합니다.

– 조정민 (CGNTV 대표이사)

조엘 오스틴의 신간은 참 반가운 소식입니다. 그의 글은 좌절과 낙심의 시대에 새로운 도전과 희망이기 때문입니다. 「긍정의 힘」을 통해 제 인생의 새로운 관점을 갖게 되었듯이, 「최고의 삶」을 보면서 제 삶의 새로운 업그레이드를 꿈꿉니다. 이 책을 읽는 모든 독자들이 진정한 최고의 삶이 어떤 것인지 새로운 통찰력을 얻게 되기를 바랍니다.

– 백지연 (방송인, 전 MBC 앵커)

프롤로그

내 소망은 사람들의 삶에 믿음을 불어넣는 것이다. 낙심한 사람들을 격려하고 하나님이 그들 안에 심어 놓으신 위대함의 씨앗을 이끌어내어 그들이 긍정적인 미래를 살도록 돕고 싶다. 아무쪼록 이 책을 통해 당신이 용기를 얻고 비전을 키우길 바란다. 그래서 모든 장애물을 뚫고 꿈을 이루게 되기를 기도한다.

하나님은 당신을 위해 놀라운 복을 예비해 놓으셨다. 새로운 계절이 오고 있다. 시편 84편 11절은 하나님이 옳은 길을 걷는 자에게 복을 아끼지 않으신다고 말한다. 하나님을 기쁘시게 하며 목적과 열정을 가지고 매일을 살라. 남들을 섬기는 일에도 열심을 다하라. 그러면 하나님이 당신의 잠재력을 온전히 이루도록 도와주실 것이다. 지혜와 창의력, 좋은 사건과 만남, 힘, 기쁨, 성공을 아끼지 않고 공급해 주실 것이다.

힘든 시기를 지나고 있는가? 경기 침체는 나이와 소득 수준을 불문하고 모든 사람에게 악영향을 끼쳤다. 수많은 사람이 일자리를 잃고 수많은 사람이 전 재산을 날렸다. 집을 잃은 사람도 많고 관계도 엉망진창이 되었다. 우리 모두가 시험대 위에 놓여 있다.

하지만 역사를 돌아보면 불경기가 고통만 낳은 것은 아니었다. 더 나은 삶과 더 나은 세상을 위한 발전의 촉매제 역할도 했다. 세계 굴지의 기업들이 이런 파란의 시기에 탄생했다. 닫힌 문이 있는가 하면 열린 문도 있다.

이 책의 목적은 단순히 용기를 주고 동기를 유발하는 것만이 아니다. 당신 인생 속에서 펼쳐지고 있는 하나님의 계획을 볼 수 있기를 바란다. 하나님이 당신과 동행하고 계신다. 당장은 빠져나갈 구멍이 보이지 않겠지만 하나님께는 방법이 있다. 전능하신 하나님을 마음에 모시면 인내하고 승리할 수 있다.

당신에게 힘을 주고 당신의 믿음을 키우기 위해 이 책을 다섯 부로 나누었다. 각 부의 내용은 다른 부의 내용들과 어우러져 시너지 효과를 만들어낸다.

1부는 '최고의 믿음'으로 시작된다. 그것은 힘든 시기에 특히 강한 믿음이 필요하기 때문이다. 힘든 시기는 잠시뿐이며 다가올 복이 현재의 문제보다 훨씬 크다는 사실을 잊지 마라. 고난은 새로운 기회로 바뀌고 궁핍한 계절은 풍요의 계절로 바뀔 것이다. 당신은 하나님의 형상을 따라 지음받은 그분의 자녀다. 하나님이 당신을 사랑하신다.

2부 '최고의 은혜'는 믿음을 강화하기 위한 부분이다. 과감한 기도를 하고 단순한 생존이 아닌 번영을 추구하라. 두려움 대신 믿음을 선택하라. 복을 기대하라. 믿음의 말을 하라.

3부 '최고의 회복'은 용서와 회복을 다루고 있다. 하나님은 시간을 되돌리실 수 있다. 실패를 딛고 다시 일어날 능력이 당신에게 있다. 고난에는 반드시 끝이 있다. 더 나은 삶에 대한 약속을 굳게 부여잡으면 회복이 찾아온다.

4부 '최고의 도약'은 확실한 사실들을 상기시켜 당신의 결단을 다져준다. 모든 것이 합력하여 선을 이루고, 하나님이 당신을 기억하시며, 역경을 통해 힘을 키울 수 있으며, 순적함의 기름부음이 올 것이라는 것이 바로 확실한 사실들이다.

이 책은 5부 '최고의 삶'으로 마무리된다. 우리는 성장하기 위해 모험을 해야 한다. 그래야 힘을 기르고 이전보다 더 큰 성과와 성취에 이를 수 있다. 이 마지막 부를 읽고 당신이 하나님이 정하신 운명 속으로 들어가고 새로운 것에 마음을 열며 복의 장소를 찾고 최고의 해를 맞기를 바란다.

최고의 삶을 추구하며 자신을 준비하라. 왜냐하면 지금은 하나님의 선하심과 은혜와 회복의 때이기 때문이다. 지금은 당신이 하나님의 온전한 복 가운데로 들어갈 때다.

1

최고의 믿음
나는 끝까지 포기하지 않는다

I T ' S Y O U R T I M E

믿음이 이긴다
최고의 삶

Chapter 01

고지가 생각보다 가까이에 있다

동 트기 직전이 가장 캄캄한 법이다.
시련의 강도가 세지는 것은 승리의 날이 가까웠다는 신호다.

콜로라도 주에서 휴가를 보내고 있을 때다. 하루는 아침 일찍 일어나 등산을 하려고 길을 나섰다. 4.5킬로미터가 넘는 등산로는 비버 크리크(Beaver Creek) 산 정상까지 이어져 있었다. 출발 지점에는 정상까지 가는 데 약 3시간이 소요된다는 푯말이 세워져 있었다.

고지를 올려다보니 덜컥 겁부터 났다. 등산로는 가파르기 짝이 없었다. 겨우 몇 계단을 올랐을 뿐인데 벌써부터 숨이 찼다. 나는 단단히 마음을 다잡았다. '할 수 있어! 평소에도 일주일에 몇 번씩 수킬로미터를 달리고 거친 농구도 자주 해왔는데 이까짓 것쯤이야!' 하지만 내 고향 휴스턴의 해발 고도는 50피트에 불과하다. 콜로라도 산과는 비교조차 할 수 없었다. 점점 숨이 차오르자 내가 과연 정상을 밟을 수 있을까 의심스러워지기 시작했다.

처음 15분 정도는 아주 가볍게 느껴졌다. 그런데 이후로 점점 힘이 들기 시작했다. 한 45분쯤 지났을까, 길이 극도로 가팔라졌다. 마치 90도 경사로를 올라가는 기분이었다. 포플러와 소나무가 우거진 길이 꾸불꾸불 하늘로 치솟아 있었다. 그 광경이 무척이나 아름다우면서도 무시무시했다. 달리기와 농구로 다져진 몸이라고 자신했건만 다리가 후들거리고 심장이 사정없이 쿵쾅거렸다. 높은 고개를 오르니 땀이 비 오듯이 흘러내렸다. '이런 식으로 두 시간을 더 걷는다면 분명 쓰러지고 말 거야.'

여기까지 오르는 내내 나 말고 다른 등산객은 아무도 없었다. 그런데 문득 저 앞에서 산을 내려오는 노신사가 보였다. 노인은 티셔츠와 반바지에 등산화를 신고 있었다. 그리고 손에는 지팡이를 들고 있었다. 노인은 활기차고 침착해 보였다.

이 노인이 지나가면서 내게 한마디를 던졌는데 이 말은 내 시각을 완전히 바꿔 놓았다. 노인은 사람 좋은 미소를 지으며 부드러운 목소리로 내게 말했다. "고지가 자네 생각보다 더 가까이에 있다네."

이 말을 듣는 순간 힘이 솟구쳤다. 마치 노인이 내 폐에 새 생명을 불어넣는 것 같았다. 몸 전체에 에너지가 넘치고 다리에 힘이 붙었다. 그때부터 나는 한 발을 내디딜 때마다 노인이 해준 격려의 말을 되풀이했다. "해낼 수 있어! 고지가 생각보다 가까이에 있다잖아."

오르는 길은 힘겹고 근육과 심장이 터질 것만 같았지만 나는 계속해서 되뇌었다. "정상에 거의 다 왔어. 해낼 수 있어!" 아니나 다를까, 커다란 바위 세 개를 넘으니까 눈앞에 아름다운 광경이 펼쳐졌다. 그렇게 나는 노인을 만난 지 불과 10분 만에 정상을 밟았다. 하지만 노인의 격려가 없었다면 2시간 이상 걸어야 한다는 부담감에 정상 등반을 포기했을지도 모른다.

노인을 만나기 전까지 내 시각은 제한적이었다. 내 생각도 마찬가지였다. 내가 아는 사실은 푯말에서 읽은 정보뿐이었다. 반면 노인은 내가 목표 지점까지 겨우 10분 거리에 있다는 사실을 알고 있었다. 그리고 이 사실을 말함으로써 내게 새로운 시각을 불어넣었다. 하나님도 마찬가지시다. 당신 앞에 놓인 길에 관해 훨씬 잘 알고 계신다.

당신의 때가 이르렀다

전 세계가 불경기에 휩싸이면서 많은 사람들이 자신의 꿈을 접거나 미루었다. 당신도 다니고 있던 직장을 잃었는가? 모아 놓은 돈을 다 날렸는가? 심지어 집까지 저당 잡혔는가? 건강이 나빠졌는가? 관계가 깨어지고 있는가? 인생의 목적지가 너무 멀게만 느껴져 좌절감에 빠져 있는가? 예전의 나처럼, 목적지에 아직 반도 이르지 못했다고 생각하는가? 하지만 과연 그것이 사실일까? 의외로 저 앞의 코너만 돌면 목적지가 나타날지도 모른다. 고지가 내 생각보다 더 가까이에 있다. 지금이 바로 당신의 시간이다.

앰버 코슨(Amber Corson)은 어린 세 자녀를 둔 가정주부였다. 그런데 남편이 경기 악화로 플로리다의 건설업에서 해고된 후로 야간 근무를 하며 가족을 부양해야 했다.

늦은 밤까지 힘들게 일한 지 4주가 지난 어느 날이었다. 그날 밤에도 지친 몸을 이끌고 보고픈 자녀를 향해 바삐 집으로 향하는데 문득 앞날에 대한 생각으로 가슴이 답답해졌다. 이렇게 아등바등 사는 것이 하나님의 계획 같지는 않았다. 자신의 가족을 향한 하나님의 더 큰 계획이 있을 거라고 생각했다. 앰버는 차 안에서 하나님께 부르짖었다. "하나님, 어떻게 해야 이 고난을 뚫고 나갈 수 있습니까?"

앰버의 말에 따르면 하나님의 응답은 '순식간에' 찾아왔다.

"내가 너에게 이미 소중한 은사를 주었단다. 정원을 꾸며라. 네 마음이 이끄는 일을 하라."

앰버에게는 한번도 사용하지 않은 원예학 학위가 있었다. 하지만 사실 그녀는 누구보다도 뛰어난 재능을 가진 일류 정원사였다. 그녀는 뭔가를 자라게 만드는 데 남다른 재주가 있었다. 그날 밤 그녀는 남편에게 하나님이 마음에 주신 말씀을 이야기했다. 그러고 나서 틈만 나면 그 문제를 놓고 기도를 드렸다. 그러자 그로부터 몇 주 동안 일이 "오래 전부터 계획된 것처럼 착착 풀려 나갔다."

최고의 삶을 위한 TIP

의외로 저 앞의 코너만 돌면 원하던 목적지가 나타날지도 모른다. 조금만 더 힘을 내라!

앰버가 세운 조경 회사의 이름은 '에덴 파라다이스 가든(Eden Paradise Gardens)'이다. 이 회사는 엠버의 상상을 초월하는 속도로 쾌속 성장하였다. 바야흐로 앰버의 때가 온 것이다.

하나님은 우리의 꿈에 새로운 생명을 불어넣어 주려 하신다. 우리 마음에 새로운 희망을 주길 원하신다. 가정, 골칫덩어리 자녀, 평생의 목표를 막 포기하려고 하는가? 하지만 하나님은 포기하지 말라고 말씀하신다. 고지를 바로 코앞에 둔 사람과 같은 태도로 힘차게 전진하면 놀라운 일을 보게 해주겠다고 말씀하신다.

스가랴 9장 12절은 우리에게 희망의 포로가 되라고 말한다. 포기하기는 쉽다. 낙심하기도 쉽다. 하지만 하나님은 희망과 기대를 가득 품고서 늘 최선을 다하라고 말씀하신다.

뭔가에 포로가 된다는 것은 그것에 묶인다는 것이다. 그것으로부터 벗어날 수 없다는 것이다. 나는 두려움과 근심과 의심의 포로가 되어 버린 사람들을 많이 보았다. "내게 좋은 일이 일어날 리 없어." "상황이 변할 리가 없어. 평생 이렇게 살아왔는 걸." 그들은 늘 이렇게 말한다.

절망과 낙심의 사슬을 어서 끊어 버리라. 대신 희망의 포로가 되라. 불가능하게만 보이는가? 너무 오래 걸릴 것 같은가? 그렇지 않다. 우리는 희망의 태도를 품어야 한다. "정말 기대 돼. 곧 풀릴 거야. 극복할 수 있어. 시간이 좀 걸리더라도 반드시 좋아질 거야. 좀 힘들긴 하지만 힘들다는 것은 고지가 그만큼 가까워졌다는 증거야."

오늘이 그날이다!

플로리다 키스 제도(Florida Keys Is.)에 "오늘이 그날이다"를 모토로 삼은 멜 피셔(Mel Fisher)라는 보물 사냥꾼이 있었다. 1622년에 침몰한 스페인의 보물선을 찾던 그는 16년 동안 하루도 빠짐없이 "오늘이 그날이다"라는 격려의 말과 함께 다이버들을 바닷속으로 내려 보냈다.

하지만 임금을 지급하랴, 빚쟁이들을 피해 다니랴, 사실상 여간 힘든 세월이 아니었다. 피셔의 가족은 오랫동안 바람이 들이치는 배 위에서 살아야 했다. 뿐만 아니라 아들 하나와 며느리는 바다에서 보물을 찾다가 실종되었다.

그래도 피셔는 포기하지 않았다. 주위에서 그 어떤 비판과 의심이 쏟아져도 꿈을 저버리지 않았다. 피셔는 매일같이 '오늘이 그날'일 거라는 희망으로 꿋꿋이 버텨 나갔다. 그러던 중 1985년 7월, 그의 다이버들은 드디어 스페인 돛배의 잔해에서 금은보석의 '원천'을 발견했다. 그로부터 거의 30여 년이 지난 지금까지도 다이버들은 그 장소에서 보물을 길어 올렸다.

오늘이 당신의 목표를 이룰 날일까? 오늘이 당신이 꿈에 그리던 직장을 얻는 날일까? 오늘이 당신의 사랑을 찾는 날일까? 오늘, 당신의 건강이 회복될까? 더 좋은 삶, 더 풍요로운 관계, 더 건강한 몸이라는 고지가 생각보다 가까이에 있다. 하지만 우리가 믿음에 굳게 서기 전까지는 열매가 나타나지 않는다.

"네가 뭔데? 도대체 뭘 믿고 만사가 풀릴 거라고 생각하는 거야? 정말로 네가 성공할 수 있다고 믿는 거야?"

이런 의심의 소리가 들려오거든 이렇게 대응하라. "반드시 성공할 거야. 나는 희망의 포로다. 나는 이 희망으로부터 벗어날 수 없다. 도무지 부정적인 생각이 들지 않아. 불평하려고 해도 불평이 나오질 않아. 희망 때문에 믿음이 더 강해지고 기쁨이 솟아나."

"이해할 수가 없네요. 진단서를 보니까 절망적이던데."

"맞습니다. 하지만 내게는 또 다른 진단서가 있습니다. 그 진단서에는 하나님이 내 건강을 회복시키실 거라고 쓰여 있습니다."

"아이의 성적표를 보니까 앞날이 깜깜하더군요."

"그래요? 하지만 내게는 또 다른 성적표가 있어요. 오직 나와 내 집은 여호와를 섬길 것입니다."

인간적인 눈으로 보면 아무런 변화가 보이지 않는가? 상관없다. 성경은 보이는 것이 아니라 믿음으로 행해야 한다고 말한다. 반드시 봐야 믿을 수 있는 건 아니다. 오히려 정반대다. 믿어야 볼 수 있다.

믿음을 굳게 부여잡으라. 며칠만 더 믿으면 된다. 몇 주만 더 옳은 일을 하면 된다. 몇 달만 더 믿음으로 인내하면 된다. 그러면 약속의 성취를 보게 될 것이다. 상황이 바뀌는 날이 얼마 남지 않았다. 기도가 응답되는 순간이 순식간에 온다. 낙심할 이유가 전혀 없다. 고지를 코앞에 두고 포기하려는가?

히브리서 10장 35절은 큰 보상이 기다리니 믿음을 버리지 말라고 말한다. 삶이 힘들어지고 인생의 무게가 당신을 점점 더 누르고 있는가? 그것은 당신의 시간이 가까워졌다는 신호다. 온갖 거짓말이 당신의 마음을 폭격하고 있는가? 만사를 포기하고 싶은가? 백기를 들고 싶은가? 아니 될 말이다. 지금은 포기할 때가 아니다. 움츠러들 때가 아니다. 오히려 굳게 서야 할 때다. 새로운 태도를 취해야 한다. 고지가 생각보다 가까이에 있다.

마지막 힘을 주라

내가 아는 한 부부의 아들이 못된 친구들과 어울려 탈선하여 약물 중독에 빠졌다. 그들은 아들을 바로잡기 위해 할 수 있는 방법을 다

동원했다. 아들이 마약하는 친구들과 멀어지도록 새 거처도 마련해 주었다. 마약을 끊도록 도와주는 단체도 찾아보고 기도도 전보다 더 열심히 했다. 하지만 결국 부부는 나를 찾아와 한숨을 쉬며 말했다.
"목사님, 우리가 기도하고 노력하고 믿으려고 할수록 아이는 점점 더 나빠지는 것 같아요."

그 부부는 걱정이 태산 같았다. 그때 내가 이 부부에게 해준 말을 당신에게도 해주고 싶다. 인생의 무게가 더 심해지는 것은 승리의 날이 가까웠기 때문이다. 원수가 기승을 부리는 것은 이 부부의 아들이 자신의 손아귀에서 빠져나가는 것을 느꼈기 때문이다.

믿음과 희망을 잃지 않고 끝까지 옳을 일을 하다가 마지막 힘을 주면 상황은 순식간에 반전된다. 약속은 반드시 이루어진다. 이것은 산모들이 아이를 낳는 상황과 흡사하다. 처음 한두 달은 그리 힘들지 않다. 하지만 몇 달이 지나면 남편들은 아내가 시키는 대로 무조건 따라 줘야 한다. 아내의 몸이 점점 더 불편해지기 때문이다. 하지만 양수가 터지고 진통이 시작되면 이제까지의 고통은 아무것도 아니다. 진통중인 산모에게 선택권이 있다면 아마도 이렇게 말하지 않을까 싶다. "더는 못하겠어. 너무 힘들어서 견딜 수가 없어. 포기할래."

하지만 산모에게는 선택권이 없다. 의사와 간호사와 남편은 계속 "힘주세요!"라고 말할 뿐이다. 오래지 않아 아기가 나온다. 그리고 잠시 후 품 안에 안긴 약속의 열매를 본 산모는 모든 고통을 말끔히 잊어버린다.

인생사에도 똑같은 원칙이 흐른다. 꿈이 탄생하기 직전이 가장 고통스러운 법이다. 하나님의 더 큰 은혜를 받기 전에는 온갖 나쁜 일들이 우리를 무너뜨리려고 달려든다. 깨닫고 있을지 모르겠지만 당신은 지금 '진통중'이다. 하나님이 당신 마음에 주신 꿈을 막 탄생시키기 직전이다. 그래서 시련의 불길이 그토록 거센 것이다. 일터에서 누구보다도 열심히 일하고 있는데 승진 대상에서 매번 탈락했는가? 불공평한 일이다. 이 시련은 무엇일까? 바로 해산의 진통이다. 그러니 어서 마지막 힘을 주라.

새로운 사업을 벌이려는데 파트너가 반대하는가? 자금 지원이 여의치 않는가? 이 시련은 무엇일까? 또 다른 해산의 진통이다. 계속해서 힘을 주고, 계속해서 믿고 희망을 품으면 오래지 않아 아기를 품에 안은 산모처럼 약속의 열매를 얻게 될 것이다.

돈이나 건강, 관계 문제에서 인생 최대의 위기가 찾아왔는가? 그럴 때 낙심하거나 신세한탄하지 말고 믿음으로 굳게 서서 이렇게 말하라. "맞아. 내 인생 최대의 위기야. 하지만 그것은 인생 최대의 승리가 얼마 남지 않았다는 증거야."

지금은 약속의 열매를 해산하기 직전이다.

보상의 날은 반드시 온다

일전에 쥐들을 대상으로 태도의 힘을 측정한 실험에 관해 읽은 적이 있다. 연구의 목적은 쥐들의 태도가 삶의 의지에 어떤 영향을 미치는지 확인하는 것이었다. 연구 팀은 쥐 한 마리를 도저히 빠져나갈 수 없는 큰 물통에 넣고 빛을 차단한 뒤 쥐가 헤엄을 포기할 때까지 걸리는 시간을 쟀다. 결과는 3분이 약간 넘었다.

이들은 또 다른 쥐를 같은 물통에 넣되 이번에는 방에 한 줄기 강한 빛을 비추었다. 그러자 쥐는 36시간 이상을 헤엄쳤다. 빛을 보지 못한 쥐보다 무려 700배나 오래 버틴 셈이다.

이유가 뭐였을까? 빛을 보지 못한 쥐에게는 아무런 희망이 없었다. 사방이 온통 어둠뿐이니 계속 헤엄칠 이유가 전혀 없었다. 하나님의 복을 기대하지 못할 때도 똑같은 일이 벌어진다. 하나님이 다스리신다는 사실을 믿지 못해 열정을 잃게 되는 것이다. 따라서 힘든 시기일수록 다음과 같은 사실을 늘 되새겨야 한다. "우리의 창조주께서 내 발걸음을 인도하고 계신다. 그분이 나를 장중에 붙들고 계신다. 비록 지금 좀 힘들기는 하지만 상황이 바뀌는 건 시간문제다. 내 보상의 날이 분명 오고 있다."

최고의 삶을 위한 TIP

희망으로 매일 아침을 깨워라.
"고지가 생각보다 당신 가까이에 와 있다."

지쳐서 꿈을 포기하려고 하던 참인가? 시간이 너무 걸리는 것 같은가? 아무런 변화의 조짐도 보이지 않는가? 그렇더라도 열정의 불씨를 되살려야 한다. 불길을 향해 부채질을 하라. 꿈의 불씨를 되살리라. 시간이 좀 걸릴지 모르지만 하나님께서 반드시 이뤄 주신다.

한번은 아내가 친정어머니한테 받은 반지를 잃어버렸다. 그 반지는 처가 대대로 내려오는 다이아몬드 반지였다. 그것은 귀하기도 했지만 우리에게 특별한 경험을 선사한 반지였기에 더욱 귀했다. 아내는 여행을 떠날 때 가끔 이 반지를 집안 어딘가에 숨겨두곤 했다. 그래서 이번에도 아내가 반지를 어딘가 숨겨놓고 숨긴 장소를 잊어버렸다고 생각했다. 그래서 서랍과 캐비닛이며 소파 밑과 쿠션들 사이까지 이 잡듯이 뒤졌다. 그런 소동 끝에 10년 전에 잃어버린 물건들까지 찾았지만 아내의 반지는 어디에도 없었다.

두어 달 찾고 쉬기를 반복한 끝에 우리는 결국 포기를 했다. 반지는 도무지 나타날 줄 몰랐다. 그런데도 아내의 기도 소리는 그칠 줄 몰랐다. "하나님, 반지를 찾게 해주실 줄 믿고 감사드립니다."

비록 말로 내뱉지는 않았지만 위대한 믿음의 사람이라고 자부하던 내 머릿속에 순간 부정적인 생각이 스치고 지나갔다.

'여보, 시간 낭비요. 그렇게 집 안을 온통 뒤엎었는데도 나타나지 않던 반지가 어떻게 찾아지겠소.'

한번은 장모님이 아내의 손가락에 반지가 없는 것을 보시고 그 연유를 물었는데 아내는 뜻밖의 대답을 했다.

"아, 아주 안전한 곳에 잘 놔두었어요."

이 말에 나는 실소를 금치 못했다.

'너무 안전한 곳에 둬서 찾지도 못할 지경이지.'

그러고 3년이 지난 어느 날, 우리 부부는 휴스턴에서 남쪽으로 2시간 거리에 있는 텍사스 주 빅토리아에서 집으로 돌아오고 있었다. 우리는 매형 짐(Jim)과 누나 타마라(Tamara)를 위한 사역을 마치고 귀가하는 길이었다. 밤 11시쯤 간선도로를 달리고 있는데 아내가 말했다.

"여보, 속도 좀 줄여요. 이러다가 딱지 끊겠어요."

"괜찮아. 겨우 70이야. 제한속도는 65라고."

"그렇지 않아요. 밤에는 60이 제한속도예요."

나는 껄껄 웃으며 말했다. "하나님의 은혜가 나를 따르고 있잖아."

그 순간, 뒷거울을 보니 불빛이 반짝이고 있었다. 나는 아내를 보며 말했다. "이번 딱지는 당신 때문이야."

경찰관은 친절하고 정중한 젊은이였다. "운전면허증 좀 주세요."

나는 군말 없이 운전면허증을 제시했는데 면허증을 살피던 경찰관이 물었다. "목사님이세요? 오늘 밤 페이스 패밀리(Faith Family) 교회에서 설교하지 않으셨나요?"

"맞아요. 사실 내 누나의 교회지요."

"저희 아버지가 그곳에 계세요. 수석 수위로 일하신답니다."

"그래요? 이렇게 반가울 데가. 저에게 정말 잘해 주셨어요."

경찰관은 환한 미소를 지었지만 그것과 상관없이 내 자동차 등록증을 요구했다.

이때부터 아내는 어두컴컴한 조수석 서랍을 뒤지기 시작했는데 자동차 등록증만 빼고 온갖 서류가 다 나왔다.

마침내 아내가 조수석 글러브 박스의 모든 내용물을 꺼내 놓고 마지막으로 최대한 깊은 곳까지 팔을 뻗었다. 그런데 깊은 어둠 속에서 딱딱하고 날카로운 뭔가가 만져졌다. 아내는 팔을 더 깊이 뻗어 그것을 끄집어냈다.

이럴 수가! 그것은 바로 잃어버렸던 아내의 반지였다. 아내는 너무 흥분해서 순간 자신이 자동차 등록증을 찾고 있다는 사실조차 까마득히 잊어버렸다!

그날 밤 나는 다시 운전을 하며 생각했다. '주님, 주님은 참 좋은 분이십니다.'

희망의 포로가 되라

하나님은 믿음에 굳게 서 있는 사람들에게 불가사의하게 역사해 주신다. 우리 교회에 다니는 한 젊은 부부에게서 어렵게 집을 판 사연을 들었다. 처음 몇 주간은 집을 보러 오는 사람이 거의 없었다고 했다. 부동산 시장 경기가 좋지 않았기 때문이다. 중개업자들은 6개월에서 1년, 길게는 2년이 지나야 집이 팔릴 거라고 전망했다. 하지만 이 부부는 믿음의 태도를 지닌 희망의 포로였다. 눈에 보이는 상황은 좋지 않았지만 부부는 계속해서 믿음을 끌어 모았다. "고지가 생각보다 가까이에 있어. 당장 내일이라도 팔릴지 몰라."

어느 날 전에 왔던 한 부부가 두 번째로 연락해서는 집 안을 좀 살펴봐도 되겠냐고 물었다. 주인 부부는 좋다고 말했지만 집 안에 있는 가족사진을 떼야 할지 잠시 고민이 되었다. 사진을 떼야 집이 더 깨끗하게 보일 것 같았기 때문이다. 하지만 그냥 놔두는 게 좋겠다고 판단했다.

이윽고 집을 보러 온 부부가 집안으로 들어가고 주인 부부는 잠시 자리를 피해 주었다. 그리고 몇 시간 후 주인 부부는 부동산 중개업자로부터 상대방이 집을 사고 싶어 한다는 전화를 받았다. 집을 사려는 부부의 말을 들어 보니 이 집과 다른 집 사이에서 고민을 하다가 마지막 방문 때 뭔가를 보고 결심을 굳혔다고 했다.

"당신들과 목사님 사진을 보고 '참, 하나님을 사랑하는 사람들이구나' 하고 생각했어요. 레이크우드 교회에 다니는 성도의 집이라 더 마음이 가더군요."

하나님은 온갖 방법으로 우리의 꿈을 이뤄 주신다. 그러니 희망의

당신 마음속에 있는 모든 꿈, 당신 마음속에 뿌리를 내린 모든 약속은
하나님이 그냥 심심해서 불어넣으신 것이 아니다. 하나님은 그 꿈과
약속을 반드시 이룰 계획이시다.

포로가 되라. 매일 아침 하나님의 복을 기대하며 눈을 뜨라. 부정적인 생각이 몰려오고 인생의 짐이 너무 무거워서 포기하고 싶을 때 오히려 희망을 떠올리라. "고지가 생각보다 가까이에 있어. 지금 우주의 창조주께서 내게 유리한 쪽으로 만사를 조율하고 계셔. 하나님이 적절한 사람과 적절한 쉼, 기회를 내 인생길에 배치하고 계셔."

인생의 황무지를 지나고 있는가? 그래도 현재에 머무르지 말고 새로운 태도를 가지라. 실망스러운 일들은 왔다가 사라지지만 하나님의 은혜는 평생을 가기 때문이다.

바닷물이 다시 들어오고 있다

한 친구에게서 사무실에 특이한 액자를 걸어 놓고 일하는 어느 경영자에 관한 이야기를 들었다. 그 액자에는 해변에 좌초된 커다란 배의 그림이 있다. 두 개의 노는 모래 위에 푹 파묻혀 있고 썰물 때라서 바닷물은 저 멀리서 넘실거리고 있다. 그림은 전혀 아름답지 않다. 용기를 주는 그림도 아니다. 용기는커녕 볼수록 왠지 기분이 나빠지는 그림이다. 대양을 누비며 드높은 파도의 리듬에 맞춰 춤을 춰야 할 배가 하릴없이 모래사장에 갇혀 있다니.

하지만 그림 맨 밑에 적힌 글귀가 그림의 어두운 분위기를 일순간에 바꾸어 준다. "바닷물이 다시 들어오면 좌초되었던 배가 다시 그 목적을 찾게 되리라. 배가 있어야 할 곳으로 돌아가리라."

친구는 이 경영자가 예전에 엄청난 시련을 겪었다고 말해 주었다. 다시는 행복해질 수 없을 것만 같던 그 시절, 그는 조그만 골동품 가게에서 이 그림을 보고 단돈 몇 달러에 그것을 샀다. 그리고 그림을 볼 때마다 자신을 향해 말했다. "바닷물이 다시 들어오고 있어."

이 그림은 그 경영자의 마음에 믿음을 불어넣었다. 당신도 비슷한 상황에 놓여 있는가? 인생길에서 좌초해 있는가? 목적을 잃었는가? 일이 뜻대로 풀리지 않는가? 더 이상 살아갈 의지를 상실했는가? 그렇다면 이 말을 마음에 새기라. "바닷물이 다시 들어오고 있다."

잊지 마라. 하나님이 당신의 꿈에 새로운 생명을 불어넣고 계신다. 당신의 돛에 다시 생명의 바람이 불어오는 것을 느끼게 되리라. 근근이 살아가는 것은 당신의 운명이 아니다. 당신은 파도의 리듬에 맞춰 춤을 춰야 할 존재다.

매일 자신을 향해 선포하라. "바닷물이 다시 들어오고 있다. 오늘이 그날이다! 고지가 생각보다 가까이에 있다!"

하루 중 가장 캄캄할 때는 바로 동이 트기 직전이다. 시련의 강도가 세지는 것은 승리의 날이 가까웠다는 뜻이다. 그러니 꿈을 포기해서는 안 된다. 관계가 조금 삐거덕거린다고 해서 그 관계를 포기해서는 안 된다. 조금 아프다고 해서 건강한 삶을 포기해서는 안 된다.

하나님은 보상의 날을 약속하신다. 희망의 포로가 되어 매일 하나님의 복을 기대하며 눈을 뜨게 된다면, 하나님의 놀라운 역사를 보게 될 것이다.

Chapter 02

이제 당신의 시간이다!

당신의 시간이 오고 있다고 믿는 데서 그치지 말고
바로 지금이 당신의 시간이라고 믿으라. 바야흐로 당신의 시간이 왔다!

미스터 존(Mr. John)으로 불리는 플로리다 작은 마을의 교회 관리인은 40년 넘게 뛰어난 손재주로 남들을 도우며 살아왔다. 교회 서기인 아내 레이번(Laverne)과 그는 그 마을의 선한 사마리아인들이었다. 그들은 비록 가진 것은 없었지만 울타리를 수리해야 할 때나 자동차가 고장났을 때면 언제든지 도움을 요청할 만한 사람들이었다.

그러다 갑자기 상황이 뒤바뀌었다. 미스터 존과 그 부인이 교회 일에서 은퇴한 지 몇 년 후 부부의 낡은 나무집에 불이 나서 그만 집의 절반이 타버렸다. 설상가상으로 잿더미 속에서 남은 재산을 챙기기도 전에 도둑이 들어 구리 수도관부터 시작하여 남은 것을 모두 쓸어가 버렸다.

재기를 위한 보험금도 충분하지 않았다. 미국 전체의 상황이 좋지 않았기 때문이다. 미스터 존과 아내는 괜히 도움을 요청하여 이웃들의 부담을 가중시키고 싶지 않았다.

하지만 그것은 괜한 걱정이었다. 바야흐로 미스터 존 부부의 시간이 왔다! 이 부부가 믿음과 친절과 이타적 삶의 열매를 거둘 때가 온 것이다. 오랫동안 다른 사람들에게 복의 통로가 되었던 그들에게도 드디어 복을 받을 시간이 왔다.

미스터 존 부부는 도움을 요청할 필요도 없었다. 친구와 이웃들이 한두 명씩 찾아와 알아서 돈이며 음식, 가구, 옷가지들을 나눠 주었고 머물 곳을 제시했다.

한번은 그 지방의 건설업자가 찾아왔다. 그의 사업도 다소 주춤하기는 했지만 그래도 그는 고급 주택을 꽤 많이 맡아 건축했다. 이 건설업자는 20년 전의 일을 절대 잊을 수 없었다. 청소년 시절 교회에서 봉사할 때 그에게 기본적인 목공 기술을 가르쳐 준 사람이 바로 친절한 미스터 존이었다.

"은혜를 갚을 날이 오기만을 손꼽아 기다렸어요."

그는 건축가며 지붕 전문가, 배관공, 전기 기술자, 목수 등의 기술자들을 불러 존 부부에게 예전 집보다 두 배나 큰 집을 지어 주었다. 이웃들은 자신들의 시간과 물질을 들여 보험회사에서 처리하지 못하는 부분을 채워 주었다. 미스터 존 부부는 감사하는 마음으로 아름다운 새 집에 들어갔고 그 집을 '사랑이 지은 집'이라 불렀다. 하나님은 길이 없어 보이는 곳에도 길을 내실 수 있다.

희망의 땅에 장막을 치라

하나님은 모든 이의 마음속에 약속을 주셨다. 누구에게나 이루고 싶은 꿈이나 바꾸고 싶은 상황이 있다. 하지만 너무 오래 걸려서, 노력했다가 계속 실패해서, 누군가에게 당해서 꿈을 포기하는 사람이 얼마나 많은지 모른다.

당신 마음속에 있는 모든 꿈, 당신 마음속에 뿌리를 내린 모든 약속, 이것들은 하나님이 그냥 심심해서 당신 마음속에 불어넣으신 것이 아니다. 하나님은 이 꿈과 약속을 반드시 이룰 작정이시다. 그러므로 이런 태도를 품으라. '아직까지는 아무런 변화가 없지만 그럼에도 나는 믿어. 내 시간이 오고 있다는 것을.'

희망이 무엇인가? 그것은 하나님이 주신 약속이 이루어질 것이라고 믿는 것이다. "나는 희망의 땅에 장막을 쳤다." 다윗 왕의 이 고백을 들을 때마다 가슴이 찌릿찌릿하다.

당신은 어디에 장막을 쳤는가? 당신은 매일 무엇을 기대하고 어떤 태도로 살아가는가?

"우리 부서에서 저만 빼고 모두 승진했어요."

"사업을 한번 해보려고 했지만 아무도 도와주질 않아요."

이렇게 말하는 것은 장막을 엉뚱한 곳에 치는 것이다. 우리는 하나님이 주시는 복과 은혜를 믿어야 한다. 하나님이 이루실 반전을 기대해야 한다. 속히 장막을 거두고 짐을 싸서 낙심의 땅을 떠나야 한다.

사회학 교수인 브렌다 어트(Brenda Eheart)는 믿음으로 희망의 땅을 일구어 많은 이들에게 유익을 주었다. 그녀는 부모의 사랑을 받지 못한 고아원 아이들에게 열정을 품었던 사람이다. 그들은 대개 학대나 무시를 당하며 자랐고 어디로 튈지 모르는 말썽쟁이들이었다. 대부분 18세쯤 사회로 나가는데 대개는 부랑자나 마약 중독자, 범죄자로 전락하기 십상이었다. 어트 교수는 이런 고질적인 문제를 그냥 모른 체할 수 없었다.

어트 교수는 고아원 아이들이 사랑 많은 부모들에게 입양되어 온전한 보살핌을 받는 세상을 꿈꾸었다. 이 부모들을 지원하는 치료자들과 심리학자, 자원봉사 노인들도 필요했다.

어트 교수에게는 재력도 영향력도 없었다. 다들 돈이 너무 많이 들고 문제 또한 너무 크다고 말했다. 하지만 그녀는 포기하지 않았다. 그러던 어느 날, 일리노이 주의 집 근처에 있는 낡은 공군 기지가 폐쇄된다는 소식이 들려 왔다. 이 기지 주변은 공군 장교와 그 가족들의 보금자리였다.

어트 교수는 정치에 관해 전혀 몰랐지만, 주 정부를 설득하여 백만 달러를 얻어냈다. 그리고 그 돈으로 낡은 공군 기지와 주변 지역의 땅을 사들였다. 그리고 이 땅을 '희망의 초원'이라고 이름 붙였다.

> **최고의 삶을 위한 TIP**
>
> 실패를 한 번도 경험하지 않은 사람은 없다. 넘어졌으면 이제 다시 일어나면 그만이다.

희망의 초원은 1994년에 문을 연 이후로 약 100명의 고아원 아이들에게 사랑이 가득한 가정을 선사했다. 개중에는 대학에 가서 학위를 딴 아이들도 있다. 대부분 일도 열심히 하고 교회도 열심히 다니는 모범적인 시민이 되었다.

브렌다 어트는 최근 정부의 보조금을 받아 전국 여러 곳에 '희망의 초원' 지부들을 열었다. 한때 불가능하게만 보이던 어트의 꿈은 지금도 계속해서 자라나고 있다.

고난 후에는 두 배의 기쁨이 온다

낙심해 있는가? 부정적인 생각이 스멀스멀 기어 나오는가? 이런 생각은 속히 떨쳐 버리고 믿음의 말을 하라. "아버지, 의인의 길이 점점 더 밝아진다고 하셨죠? 제가 주 안에서 기뻐하면 제 마음의 소원을 이뤄 준다고 하셨죠? 당신께서 제 삶을 다스리심을 믿습니다. 제 시간이 오고 있음을 믿습니다."

불공평한 일을 겪었는가? 불운한 일을 겪었다고 해서 언제까지나 낙심하고만 있을 수는 없다. 30년 전에 당한 일로 아직까지 씩씩거리며 자기 삶을 오염시켜야 되겠는가? 누군가에게 억울한 일을 당했다면 원망하지 말고 오히려 이렇게 말하라. "이것이 내게 유익이다. 두 배로 받을 자격이 생겼으니까. 내 시간이 오고 있음을 믿는다. 이 고난이 지나면 두 배의 기쁨과 평안과 승리가 찾아올 것이다."

연달아 실망스러운 일을 겪었는가? 인생이 불공평하게만 보이는가? 한번 부당한 일을 겪었다고 부정적인 생각을 품는다면 부당한 상황이 계속해서 일어난다. 이 악순환의 고리를 끊어야 한다. 불공평한 일을 겪었어도 하나님이 반드시 억울함을 풀어 주실 테니 거기에 연연할 필요가 없다.

모든 결과는 하나님께 달려 있다. 그리고 하나님은 정의의 하나님이시다. 그분이 모든 불공평한 상황을 보셨다. 당신이 믿음과 희망으로 꿋꿋이 버티면 그분이 반드시 상황을 바로잡으실 것이다. 당신의 억울함을 풀어 주실 것이다.

나쁜 일 때문에 인생의 의미와 목적까지 변질시켜서는 안 된다. 부당한 상황을 겪었는가? 꿈들 중 하나가 부서졌는가? 걱정하지 마라. 하나님은 여전히 당신을 향한 위대한 계획을 갖고 계시다. 하나의 문이 닫히면 언제나 또 다른 문이 열린다. 그러므로 흔들리지 말고 담대히 말해야 한다. "문제가 좀 생기긴 했지만 낙심하지 않겠어. 하나님이 나를 위해 놀라운 복을 예비해 놓고 계셔."

시편 27편 13절에서 다윗은 "내가 산 자들의 땅에서 여호와의 선하심을 보게 될 줄 확실히 믿었도다"라고 고백했다. 어떤 일이 있어도 이 말씀을 마음 깊이 새기라. 하나님의 선하심을 다시 보리라는 믿음이 있어야 한다. 하나님이 회복시켜 주실 줄 믿어야 한다. 하나님이 새로운 문을 열어 주실 줄 굳게 믿어야 한다.

원망은 답이 아니다

희망으로 가득 찬 사람에게는 특별한 뭔가가 있다. 죽을 것만 같을 때 우리는 사는 것에 관해 이야기해야 한다. 포기하고 싶을 때는 전진에 관해 이야기해야 한다. 빠져나갈 길이 보이지 않을 때는 하나님이 만드실 새로운 길에 관해 이야기해야 한다. 원수의 공격이 거셀 때는 하나님이 대단한 선물을 예비해 놓고 계신 줄 믿고 오히려 기뻐해야 한다.

언젠가 토머스(Thomas)에 관한 이야기를 들은 적이 있다. 어느 날

토머스가 배에 혼자 있는데 갑자기 거대한 풍랑이 몰아쳐 배가 뒤집혔다. 토머스는 있는 힘껏 헤엄을 쳐서 어느 섬에 도착했는데 알고 보니 그 섬은 사람이 살지 않는 버려진 섬이었다. 시간이 지날수록 토머스는 낙심하고 좌절했다. 기도하고 또 기도했지만 하늘은 아무 대답이 없었다. 설상가상으로 짚을 엮어 만든 오두막에 불이 붙었다. 토머스는 잿더미로 변해 가는 보금자리를 쳐다보며 하릴없이 눈물만 흘렸다. 마치 상처를 다시 후벼 파는 느낌이었다.

"하나님, 이제 포기하렵니다. 나쁜 일만 연달아 일어나는군요."

토머스는 땅이 꺼져라 한숨을 쉬며 말했다.

그런데 1시간쯤 후 연안 경비대의 구조선이 해변에 도착했다. 토머스는 자기 눈을 믿을 수가 없었다. 이윽고 구조대가 배에서 내리자 토머스는 상기된 얼굴로 물었다.

"세상에, 저를 어떻게 발견했나요?"

"어떻게 발견하기는요. 당신이 연기를 피워서 신호를 보냈잖아요."

이렇듯 불행처럼 보이는 일이 사실은 하나님이 우리를 구하기 위해 벌이신 일일 수도 있다. 오늘 당신의 오두막에 불이 붙어서 좌절하고 있는가? 원망하기보다는 시각을 바꿔보는 게 어떤가? 하나님이 타오르는 불을 오히려 구조 신호로 바꿔 주실 줄 누가 아는가?

당신의 길을 가로막은 사람들의 얼굴을 하나씩 떠올리고 있는 중인가? 그들에게 정말 잘해 줬는데, 그들이 성공하도록 발 벗고 도와주었는데, 정작 당신이 도움을 청할 때 그들은 모두 당신을 외면해 버렸는가?

하지만 개의치 마라. 당신의 인생이 그들과 연결돼 있지 않았을 뿐이다. 누군가가 떠나 버려도 낙심할 필요가 없다. 자신이 성공했다고 당신을 모른 체하는 직장 상사나 사업 파트너나 친구에게 원망을 품어 봐야 아무런 도움이 되지 않는다. 당신의 성공에 그들은 필요하지 않다. 하나님은 언젠가 당신 앞에 나타날 적절한 인물들을 벌써부터 준비해 놓으셨다. 하나님의 계획 속에 당신을 위한 인맥이 있다.

인내하는 자에게 약속의 성취가 있다

믿음으로 인내하면 하나님이 당신을 있어야 할 곳으로 이끄실 것이다. 성경을 보면 하나님은 시므온에게 그리스도를 볼 때까지 죽지 않을 것이라고 말씀하셨다. 어떤 주석들을 보면 시므온은 거의 20년 동안이나 메시아를 기다렸다고 한다. 나이가 들수록 시므온의 확신이 희미해졌을까? 아니다. 시므온은 부정적인 생각이 공격해 올 때마다 고개를 흔들며 단호하게 말했다. "아니야. 내 시간이 오고 있다. 하나님이 주신 이 약속이 성취될 때까지 나는 죽지 않아."

시므온은 매일 아침 희망하고 믿고 기대하면서 눈을 떴다. 신실하신 하나님은 약 20년 후에 시므온에게 하셨던 약속을 이뤄 주셨다.

하나님은 우리 모두에게 시므온처럼 하라고 말씀하신다. 당신 마음 깊은 곳에 당신이 죽기 전에 이뤄지리라고 믿는 꿈이 있을 것이다. 자녀가 옳은 길로 돌아오리라는 약속인가? 하지만 자녀는 여전히 5년, 아니 15년이 다 되도록 악의 길에서 허덕이고 있다.

그렇다면 시므온처럼 하라. "하나님, 저와 저희 집이 여호와만 섬길 것이라는 약속을 주셨죠? 저희 온 가족이 당신을 섬기는 날이 올 때까지 제 눈에 흙이 들어가지 않을 것을 믿습니다."

하나님이 당신에게 결혼의 약속을 주셨는가? 하지만 지금까지 만난 사람들과 모두 좋지 않게 끝났는가? 이제는 나이도 많아서 결혼에 대한 생각은 접어야 할 것 같은가? 아니다. 하나님은 이미 당신의 짝을 정해 놓으셨다. 그리고 당신은 '너무' 늙지 않았다.

하나님이 당신에게 어떤 약속을 주셨는가? 언젠가 책을 쓸 것이라는 약속? 언젠가 경영자가 될 것이라는 약속? 언젠가 건실한 기업을 일구리라는 약속? 언젠가 목회자가 될 것이라는 약속? 하지만 점점 의심의 구름이 피어오르는가? 부정적인 생각이 자꾸만 침입하는가? '나는 너무 늙었어. 인맥도 없잖아. 이미 수많은 실패를 했어.'

20년 동안 한 우물만 파면서 남보다 일찍 출근하고 최선을 다했건만 승진 명단에서 매번 떨어졌는가? 씁쓸해 하지 마라. 부정적인 생각은 금물이다. 우리가 일하는 것은 사람을 위해서가 아니다. 우리는 하나님을 위해서 일한다. 우리가 올바른 태도로 인내하면 승진의 시간이 반드시 온다. 하나님은 우리의 매순간을 빠짐없이 기록하고 계신다. 하나님은 우리가 뿌린 모든 씨앗을 보고 계신다. 그러므로 우리는 뿌린 대로 거둔다.

하나님은 모세에게 이스라엘 백성을 구원할 것이라는 약속을 주셨다. 하지만 모세는 커다란 실수를 저지르고 만다. 사람을 죽이고 도망친 것이다. 그로부터 40년이 흘렀다. 이제 약속 따위는 끝난 것처럼 보였다.

그러나 하나님은 결코 꿈을 죽이지 않으신다. 우리는 꿈을 포기하고 미룰지 모르겠지만 하나님이 우리 안에 뿌려 놓으신 씨앗은 절대 죽지 않는다. 꿈의 불씨를 되살리기 위해 필요한 것은 단 하나, 새로운 믿음뿐이다.

40년 후 하나님은 80세가 된 모세에게 다시 나타나 말씀하셨다. "모세야, 이제 너의 시간이 왔다."

최고의 삶을 위한 TIP

꿈의 불씨를 되살리기 위해 필요한 것은 오직 하나, 새로운 믿음뿐이다.

당신도 모세처럼 큰 실수를 저질렀는가? 절호의 기회들을 다 날려 버렸는가? 당신만 그런 것이 아니니 너무 자책하지 마라. 세상에 실패를 한 번도 경험하지 않은 사람은 없다. 하나님은 우리를 절대 포기하지 않으신다. 우리를 외면하지도 않으신다.

"하지만 목사님, 제가 어떤 죄를 지었는지 몰라서 그래요. 제가 어떤 삶을 살아왔는지 모르시잖아요. 제가 사람들에게 얼마나 몹쓸 짓을 많이 했는데요."

물론 나는 모른다. 하지만 한 가지 사실은 분명히 안다. 세상에 하나님의 자비로 감당할 수 없을 만큼 큰 죄는 없다. 넘어졌으면 이제 일어나면 그만이다. 계속 주저앉아 있어서는 안 된다.

인내로 씨앗을 뿌린 당신, 매일같이 충실하게 살아온 당신, 악한 세상 속에서 선을 행한 당신, 하나님이 그런 당신에게 말씀하고 계신다. "지금이 바로 너의 때다."

지금까지 복을 누리며 살아왔는가? 하지만 이제부터 다가올 복에 비하면 과거의 복은 아무것도 아니다. 인생 최고의 복은 당신의 뒤가 아닌 앞에 있다. 새로운 번영의 계절, 새로운 승진의 계절, 새로운 복의 계절이 오고 있다. 하나님이 억울함을 풀어 주실 때가 오고 있다.

이제 하나님이 인생의 꼬인 매듭들을 풀어 주시리라. 또한 중독과 나쁜 습관, 그릇된 마음가짐의 사슬을 끊을 초자연적인 능력을 주실 시간이 오리라. 포기했던 꿈이 이뤄지리라. 하나님이 새로운 기회의 문을 열어 주시리라. 충성스러운 당신의 인생길에 꼭 필요한 사람들을 보내 주시리라. 이제 곧 희망의 포로로 살아온 당신에게 새로운 승리의 계절이 올 것이다.

믿음의 불씨를 되살리라

56세의 신경과 의사인 시드 나크비(Syed Naqvi) 박사는 러닝머신을 하다가 심장마비로 쓰러졌다. 응급 팀이 도착해 가까스로 목숨은 살렸으나 그는 스스로 숨을 쉴 수 없는 식물인간이 되고 말았다.

그러나 박사의 아내 니나(Nina)는 포기하지 않고 오래 전부터 잘 알고 지내는 다른 신경과 의사에게 도움을 요청했다. 그런데 마침 이 신경과 의사는 신경마비 환자를 위한 새로운 '냉각 치료법'을 개발한 상태였다. 발병 6시간 안에 이 치료법을 시술하면 완전히 회복하게 될 가능성이 매우 높은 방법이었다.

나크비 박사의 뇌파는 거의 일자를 유지했다. 의료 팀은 박사의 몸을 얼음 속에 넣고 24시간 동안 냉각시켰다. 그러자 박사의 체온이 정상에서 8도 아래까지 떨어졌다. 아내를 비롯한 가족들은 기도하며 결과를 기다렸다.

닷새 후, 나크비 박사는 혼수상태에서 돌아왔다. 처음에는 혼란스러워하고 기억이 오락가락했지만 6주 후에는 정신 기능이 완전히 회복되었다. 박사는 오늘내일하는 식물인간 상태에서 돌아와 현재 열심히 환자들을 돌보고 있다!

믿음 위에 굳게 서라. 희망의 포로가 되라. 그러면 하나님이 적절한 사람들을 보내 주실 것이다. 그리하여 우리 마음의 소원까지도 이뤄 주실 것이다. 우리는 나크비 박사의 부인처럼 부정적인 생각을 떨쳐 내고 믿음으로 이렇게 말해야 한다. "그거 알아? 오늘은 나의 시간이야. 믿음으로 내 안에서 먼저 꿈을 이루겠어."

성경은 불길에 부채질을 하라고 말한다. 모세는 나이 80에 자신의 시간을 맞았다. 요셉은 13년 간 당하고 당한 끝에 자신의 시간에 이르렀다. 하나님이 그런 역사를 오늘 당신을 위해 펼치고자 하신다. 믿음의 불씨를 되살리라. 열심히 남을 섬겼는가? 후히 베풀었는가? 당신의 시간을 희생했는가? 잘했다. 그렇게 사는 것이 바로 참된 인생이다.

당신의 시간이 오고 있다고 믿는 데서 그치지 말고 바로 지금이 당신의 시간이라고 믿으라. 당신의 시간이 이미 왔다! 마음 깊이 묻어 두었던 꿈들, 이룰 수 없다고 생각했던 포부들, 이제는 그 모든 꿈과 포부가 이뤄지길 믿어야 할 때다.

주저앉아 신세한탄만 하는 일은 이제 그만하라. 원망과 상처와 시기심도 날려 버리라. 바야흐로 당신의 시간이 왔다!

우리 모두에게는 아직 펼쳐 보지 못한 꿈이 있다. 현재에 안주하지 말고 꿈을 포기하지 마라. 지금 이 순간 하나님이 물밑에서 당신의 꿈이 만개할 상황을 만들어 가고 계신다. 매일 아침 눈을 뜨자마자 믿음으로 선포하라. "내 시간이 오고 있다."

Chapter 03

기회를 붙잡으라

은혜의 순간을 포착하라. 바람소리가 들리거든 메뚜기처럼 비상할 준비를 하라.

하나님은 우리 각 사람이 성공적인 삶을 살도록 창조하셨다. 그분은 창세전에 우리 삶을 위한 정확한 계획을 세워 놓으셨다. 그리고 바로 이 계획 속에 우리를 위한 은혜의 순간들을 배치해 놓으셨다. 이 순간은 우리의 인생이 바뀌는 순간이다. 또한 우리를 성큼 성장시키는 순간이다.

마리 캘렌더(Marie Callender)는 로스앤젤레스의 작은 식당에서 일하는 종업원이었다. 하루는 식당 주인이 마리를 불러 디저트를 찾는 손님이 점점 늘어나니 조금 일찍 출근해서 아침마다 디저트를 만들라고 요구했다. 그 말을 들은 마리는 순간 화부터 났다. '지금 하는 일만 해도 힘들어 죽겠는데 디저트까지 만들라고? 너무하시네.'

하지만 곧 마음을 다잡아먹고 새로운 의무를 일종의 도전으로 받아들였다. 최대한 좋은 디저트를 만들어 보기로 결심한 것이다.

마리의 디저트 파이는 곧 인기를 끌기 시작했다. 손님들의 칭찬이 끊이질 않았다. 마리의 파이 때문에 식당을 찾는 손님도 생겼다. 파이의 인기가 하늘을 찌르자 마리는 직접 파이 회사를 차리기로 했다.

마리가 믿음의 발걸음을 떼자 일은 일사천리로 진행되었다. 마리는 먼저 빵집을 물색했고 그 후에는 필요한 장비를 구입했다. 바야흐로 마리의 시간이 왔다.

오래지 않아 마리의 작은 회사는 번성하기 시작했고 곧 이어 아들도 사업에 합류했다. 지점은 하루가 다르게 늘어났다. 현재 마리의 회사는 백여 개의 레스토랑을 거느리고 있으며 그곳에서 생산되는 모든 냉동 파이와 앙트레(서양 요리의 정찬에서 식단의 중심이 되는 요리)는 여러 마트에서 판매되고 있다.

하나님의 타이밍에 민감하라

현재 상태는 별로 중요하지 않다. 하나님이 우리를 위해서 은혜의 순간을 준비하고 계신다. 그 순간이 언제인지는 몰라도 상관없다. 하나님이 그 순간을 알고 계시니 우리는 그저 그분을 믿기만 하면 된다.

더 큰 비전을 품으라. 당신의 미래에 놀라운 일들이 기다리고 있다. 적절한 인물들이 이미 당신의 인생길에 배치되어 있다. 우주의 창조주께서 당신에게 필요한 기회들을 창세전부터 배열해 놓으셨다.

무엇이 당신을 막을 수 있을까? 그 어떤 사람도, 심지어 원수 마귀도 당신을 막을 수 없다. 당신을 막을 수 있는 존재는 오직 당신 자신뿐이다.

적잖은 불행을 겪었는가? 실패를 경험했는가? 그래서 아무런 희망도 없이 인생의 가장자리에 주저앉아 있는가? 패배자의 정신을 떨쳐버리고 일어나 선포하라. "오늘은 새날이다. 하나님이 예비하신 은혜의 순간이 다가오고 있다!"

하나님은 성장과 복의 시간을 이미 예비해 놓으셨다. 필요한 사람들을 만나게 되고, 직장에서 성공하며, 꿈을 이룰 기회가 반드시 찾아올 것이다. 지금까지 계속 나쁜 일이 일어났는가? 인생의 굴레에 갇혀 지냈는가? 하지만 걱정하지 마라. 하나님이 당신을 위해 계획하신 순간이 반드시 올 것이다.

이 순간을 놓치는 사람들이 너무나 많다. 몇 번 실패를 겪은 후 믿음을 버린 사람들도 많다. 많은 사람이 너무 정신없이 살다 보니 내면에서 작고 고요하게 속삭이는 음성을 듣지 못한다. '지금은 너를 위한 은혜의 순간이야!'

우리는 하나님의 타이밍에 민감해야 한다. 5년 동안 아무런 조짐도 보이질 않다가 갑자기 하나님이 정한 시간이 올 수도 있다. 뜻밖에 우리 인생을 바꿔 줄 사람을 만날 수도 있다. 꿈에 그리던 집을 살 수 있도록 대출 승인이 날 수도 있다. 어느 날 갑자기 승진의 기회가 올 수도 있다. 우리는 한순간에 몇 년 앞으로 성큼 나아갈 수 있다.

내 지난 세월을 돌아보면 내 운명을 바꿨던 순간들, 나를 높이 비상하게 만들었던 순간들이 눈앞에 스쳐간다. 일례로 나는 20대 초반에 시계 건전지를 사려고 어느 보석점에 들어갔다. 그리고 그곳에서 지금의 아내 빅토리아를 만났다.

이것은 단순한 행운이 아니었다. 하나부터 열까지 하나님이 시간과 공간을 조율하신 결과였다. 하나님은 창세전부터 그 순간을 정하셨다. 그러므로 우리는 조금도 걱정할 필요가 없다. 일이 생각만큼 빨리 풀리지 않는다고 해서 좌절할 이유가 전혀 없다. 우리는 그저 하나님이 우리의 발걸음을 인도하시는 줄로 믿고 열심히 살기만 하면 된다. 우리가 믿음을 버리지 않는 한, 은혜의 시간은 반드시 온다.

최고의 삶을 위한 TIP

우리도 메뚜기처럼 바람을 타는 타이밍, 곧 기회의 조짐을 기다려야 한다.

시편 31편 15절에서 다윗이 한 말이 참으로 옳다. "내 하루하루가 주의 손에 달려 있으니." 풀이하자면 이렇다. "하나님, 저를 위해 초자연적인 일들을 계획해 놓으셨다고 믿습니다. 저를 목적지까지 안전하게 인도해 주실 테니 조금도 두렵지 않습니다."

기회는 누구에게나 찾아온다

꿈이 내 시간표대로 이뤄지지 않으면 좌절하기 쉽다. 하지만 인내하며 준비하는 자는 그 열매를 맛볼 수 있다. 기회가 언제 찾아올지 모른다. 그러니 눈과 귀를 크게 열고 있어야 한다.

우리는 매사가 잘 풀리기를 바란다. 하지만 잘 풀리지 않는 기간 역시 기술을 다듬고 지식의 깊이를 더하고 성장을 준비하기 위한 소중한 시간이다. 원하던 만큼 성장이 나타나지 않더라도 퇴보하지 마라. 힘든 시절에도 오히려 좋은 태도를 품고 옳은 일을 하라. 그렇게 할 때 시험을 통과할 수 있다.

하나님은 당신을 위한 은혜의 순간을 미리 정해 놓으셨다. 당신의 미래를 위해 적절한 사람과 적절한 사건, 적절한 기회를 적재적소에 배치해 놓으셨다.

불과 몇 년 전 우리는 새 예배당을 지을 장소를 물색하고 있었다. 그런데 다 잡은 땅을 두 번이나 놓쳤다. 이 불공평한 사건에 우리는 매우 실망했다.

하지만 나는 때로 우리의 믿음이 너무 작아서 하나님이 문을 닫으신다는 사실을 깨달았다. 우리가 달라고 할 때마다 하나님이 주시면 좋을 것 같지만 하나님은 때가 되어 최고의 선물을 주신다. 그러니 하나의 문이 닫혀도 전혀 실망할 필요가 없다.

선한 사람의 발걸음은 철저히 주님이 주장하신다. 그러므로 하나의 문이 닫히는 것은 더 크고 좋은 문을 예비해 놓으셨다는 뜻이다. 우리 앞에서 그 문이 닫힌 지 몇 년 후 우리는 훨씬 더 큰 컴팩 센터가 매물로 나왔다는 소식을 들었다. 지금 우리가 예배당으로 사용하고 있는 곳이다. 하나님은 우리를 위해 더 큰 꿈을 꾸고 계셨던 것이다!

마찬가지로 당신 인생을 향한 하나님의 꿈은 당신 자신의 꿈보다 훨씬 더 크다. 한편, 하나님이 정하신 은혜의 순간이 오면 우리 마음속에는 뭔가가 꿈틀대기 시작한다. 그리고 어느 날 당시를 돌아보며 이렇게 말하게 된다. "그것은 하나님이 주신 기회였어. 내 힘으로는 절대 그런 기회를 만들어낼 수 없었을 거야."

우리 하나님은 더없이 후하신 분이다. 성경은 하나님이 어느 누구도 듣지도 보지도 생각지도 못했던 놀라운 것들을 예비해 놓으셨다고 말한다.

컴팩 센터라는 한 번의 복된 기회가 우리 교회를 순식간에 50년 이상 전진하게 만든 과정을 생각하면 지금도 가슴이 벅차오른다. 이것은 창세전부터 계획된 사건이었다. 일전에 컴팩 센터를 설계했던 엔지니어를 만난 적이 있다. 그는 1960년대에 간선도로의 출입구가 컴팩 센터로 자연스럽게 연결되도록 설계했다고 설명했다. 그는 사람들이 컴팩 센터를 신속하게 출입할 수 있도록 시 당국 인력과 함께 모든 교통신호의 시간까지 쟀다고 했다.

이 엔지니어의 말을 듣자니 하나님의 선하심이 더욱 가슴에 와 닿았다. 40년 전부터 우리를 위해 사람들을 움직이신 하나님!

하나님께는 반드시 해답이 있다

죄를 저지르고 어리석은 선택을 했는가? 그래서 이미 기회를 다 날려 버린 것 같은가? 그렇지 않다. 하나님은 자비로 가득하신 분이다. 그분은 당신이 저지를 실수까지도 미리 아셨으며, 당신을 회복시킬 순간까지 미리 계획해 놓으셨다. 당신의 일거수일투족은 하나님의 손안에 있다.

"저런, 저 녀석이 저런 짓까지 할 줄은 정말 몰랐구나."

하나님이 천국에서 고개를 갸우뚱하며 이렇게 말씀하실까? 천만의 말씀! 하나님은 자비와 회복의 기회까지 다 마련해 놓으셨다. 하나님은 당신이 아직 맞닥뜨리지 않은 문제의 해답까지도 알고 계신다. 하나님은 일의 모든 것을 알고 계신다.

사무엘 헤르슈버거(Samuel Herschberger)는 자신의 열 번째 생일을 사흘 앞두고 농장에서 끔찍한 사고를 당했다. 소년의 셔츠 소매가 트랙터에 붙은 분쇄기로 빨려 들어간 것이다. 사무엘의 아버지 오바(Oba)가 황급하게 아들 쪽으로 뛰어갔지만 아들의 몸이 잘리는 참혹한 광경에 발걸음이 멈춰 버렸다. 오바는 질끈 눈을 감고 아들의 주검을 떠올렸다. 그때 모기 소리만한 애원의 목소리가 들렸다.

"아빠, 도와줘요."

이윽고 11명의 의사들이 만신창이가 된 사무엘을 구하기 위해 18시간 동안 진땀을 흘렸다. 그리하여 다행히 목숨은 구했지만 이번에는 어마어마한 치료비가 문제였다. 교회 식구들이 조금씩 보태기는 했지만 별 도움이 되지 못했다.

하지만 하나님께는 해법이 있었다. 오바 부부는 집에서 치료비를 모으기 위한 시골풍의 만찬회를 열기 시작했다. 그리고 얼마 후 시카고의 한 신문에 이 만찬회에 관한 기사가 실렸다. 그때부터 빠른 속도로 기부금이 쌓이기 시작해서 몇 주 후에는 돈을 그만 보내라고 부탁해야 할 정도가 되었다. "기부금이 어찌나 많이 들어오던지 셀 수도 없을 정도였어요." 오바는 그렇게 말했다.

얼굴도 모르는 사람들이 보낸 수표와 현금은 오바의 집 욕조를 가득 메우고도 넘쳤다. 덕분에 사무엘은 37번의 수술을 무사히 마칠 수 있었다. 현재 사무엘은 부모님과 함께 농장에서 최고 품질의 말들을 기르는 쾌활한 청년으로 자라 있다. 세상의 따뜻함을 경험한 오바 가족은 찾아오는 모든 이에게 시골풍의 음식을 대접하고 있다.

하나님이 예비하신 것은 우리의 상상을 초월한다. 그러니 희망을 가득 안고 전진하라. 과거사야 어쨌든 인생 최고의 날이 다가올 것을 믿어 의심치 마라.

하나님은 당신을 위해 크고 작은 일들을 완벽하게 배치해 놓으셨다. 그러니 걱정할 것이 뭐가 있겠는가? 당신은 하나님의 손안에 있다. 하나님은 당신의 현재를 아시며 당신의 미래도 훤히 꿰뚫고 계신다.

하나님이 우리의 모든 문제에 대해 답을 마련해 놓으셨다는 소식을 들으니 이 얼마나 기쁜가! 성경은 이렇게 말한다. "여호와의 말씀이니라 너희를 향한 나의 생각을 내가 아나니 평안이요 재앙이 아니니라 너희에게 미래와 희망을 주는 것이니라"(렘 29:11).

하나님은 모든 실패에 대해 회복을 예비해 놓으셨다. 각각의 실패마다 하나님의 자비가 마련되어 있다. 부당한 일 하나하나마다 하나님의 해결이 마련되어 있다. 하나님의 눈으로 보면 당신의 미래는 눈이 부실 정도로 밝다.

은혜의 바람을 타라

메뚜기에 관한 놀라운 기사를 읽은 적이 있다. 이 작은 곤충은 잘 날지는 못하지만 자기 키의 이 백 배나 되는 높이까지 점프할 수 있다고 한다. 바람이 불고 나무 끝이 휘청거리면 메뚜기의 본능이 속삭인다. "바로 지금이 점프할 때야."

메뚜기는 산들바람을 타야 날 수 있다. 따라서 타이밍이 관건이다.

메뚜기가 오랫동안 날려면 완벽한 바람의 조건이 될 때까지 기다려야 한다. 메뚜기의 몸은 공기역학상 최상의 구조가 아니다. 몸은 두껍고 날개는 작고 곧다. 따라서 정확한 타이밍을 잡아야 한다.

우리도 메뚜기처럼 바람을 타는 타이밍을 알아야 한다. 메뚜기가 몸을 실을 산들바람을 기다리듯 우리도 눈을 크게 뜨고 기회의 조짐을 기다려야 한다.

우리에겐 믿음의 발걸음을 떼야 할 기회의 창문이 있다. 나는 내 인생의 징조와 패턴을 알아볼 줄 안다. 생각만큼 발전이 없을 때도 나는 변함없이 최선을 다한다. 그러면 몇 년 후 어김없이 온갖 복과 은혜와 좋은 일들이 갑자기 나를 찾아온다.

이유가 뭘까? 내 능력 때문은 아니다. 내 날개는 그렇게 크지 못하다. 그것은 내가 하나님의 은혜라는 바람을 탔기 때문이다. 하나님의 제트 기류에 편승했기 때문이다.

하지만 우리는 자신의 계절을 알아보지 못해 기회를 날려 버릴 때가 너무도 많다. 따라서 우리는 인생의 바람들을 유심히 봐야 한다. 변화의 때는 반드시 온다. 오랫동안 힘겹게 살아왔는가? 하지만 곧 바람이 당신에게 유리한 쪽으로 바뀔 것이다.

하루는 달리기를 하는데 처음 몇 킬로미터 동안은 바람이 내 앞쪽에서 너무 거세게 불었다. 바람의 속도가 아마도 시속 40킬로미터는 족히 됐을 것이다. 평지를 달리는데도 마치 언덕을 오르는 것처럼 몹시 힘에 부쳤다.

하지만 마지막 코스에 진입했을 때 놀랍게도 바람의 방향이 바뀌었다! 바람이 내 얼굴 쪽이 아니라 등 뒤에서 불어왔다. 바람이 나를 앞쪽으로 밀어 주는 것을 분명히 느낄 수 있었다.

당신에게도 이런 일이 일어날 줄 믿는다. 당신을 방해하던 바람이 곧 당신에게 유리한 쪽으로 바뀔 것이다. 하나님이 당신의 등 뒤에서 바람을 불어 주시는 것을 느낄 순간이 올 것이다. 꿈을 이루고 나서 뿌듯한 마음으로 지난날을 되돌아볼 날이 올 것이다.

최고의 삶을 위한 TIP

변화의 때는 반드시 온다. 곧 바람이 당신에게 유리한 쪽으로 바뀔 것이다.

온갖 악재의 거센 풍랑이 당신 삶을 휩쓸고 지나갔는가? 하지만 걱정하지 마라. 이 풍랑은 하나님의 손안에 있다. 하나님이 약간만 손을 쓰시면 결과가 완전히 달라진다. 당신을 무너뜨리려는 바람이라도 하나님이 방향을 살짝만 바꾸시면 오히려 당신을 비상하게 만드는 바람으로 변할 수 있다.

아버지가 돌아가신 후 내게도 나를 무너뜨리려는 바람이 거세게 몰아닥쳤다. 하지만 하나님은 바람의 방향을 바꾸어서 나를 거룩한 인생으로 이끄셨다. 하나님은 원수가 우리를 해하려고 보낸 것을 오히려 우리에게 유익한 것으로 바꾸실 수 있다.

나는 바람의 변화를 영으로 느낄 수 있다. 나는 하나님의 복을 감지할 수 있다. 그런데 바람이 불어오는 소리가 들리는데도 가만히 앉아만 있는 사람이 너무도 많다.

"내게 좋은 일이 일어날 리가 없어."

안 된다. 그런 식으로 은혜의 순간을 놓쳐서는 안 된다. 바람 소리가 들리거든 메뚜기처럼 비상할 준비를 하라. "내 시간이 왔어. 하나님의 은혜의 바람 소리가 들려. 하나님이 나를 창조하신 목적을 온전히 이룰 거야."

너무도 많은 실패를 경험했는가? 하지만 바람의 방향만 바뀌면 꼴찌가 일등이 된다는 사실을 잊지 마라. 시련이 올 때 불평하고 낙심하기보다 매순간 믿음으로 말하라. "아버지, 바람이 제 방향으로 바뀔 줄 믿고 감사드립니다. 이 전투의 전세가 바뀔 줄 믿고 감사드립니다."

풍랑에 관해서가 아니라 풍랑을 향해 말하라. 고통스러운 상황을 향해 믿음으로 선포하라. "너는 나를 무너뜨릴 수 없어. 나를 치려고 만든 그 어떤 무기도 나를 상하게 하지 못해(사 54:17). 내 은혜의 시간이 다가오고 있어. 나는 이 시련의 터널을 빠져나갈 수 있어. 전보다 더 나은 사람이 되어 터널을 빠져나갈 거야."

하나님의 흐름을 타면 상상할 수도 없이 먼 곳까지 날아갈 수 있다. 하나님이 우리의 등 뒤로 바람을 부시면 일이 이상할 정도로 술술 풀린다. 전에는 할 수 없던 일을 하게 된다.

"목사님, 기회가 오면 뭐합니까? 돈이 없는데 무슨 소용이에요? 나는 가방끈도 짧고, 재능도 없어요."

성경은 우리 힘이나 능력으로 이런 일이 생긴다고 말하지 않는다. 오직 전능하신 하나님의 바람이 필요하다.

성경은 성령님이 급하고 강한 바람처럼 오셨다고 말한다. 바로 이 바람, 곧 전능하신 하나님의 권능이 당신 뒤에 있다. 어디를 가든 우주에서 가장 강력한 바람이 당신의 등 뒤에서 불고 있다고 상상하라.

하나님이 우리 뒤에서 바람을 부시면 모든 원수가 패하고 모든 장애물이 쓰러지며 은혜가 드러나고 우리의 꿈이 이루어진다. 급하고 강한 바람이 등 뒤에서 당신을 밀고 있다. 어서 일어나 담대하게 말하라. "바람이 오는 소리가 들려. 어서 그 흐름 속으로 몸을 던져야겠어."

상황이 당신에게 유리한 쪽으로 바뀌고 있다. 당신의 미래는 은혜와 복과 성장의 순간들로 가득하다. 하나님은 당신에게 꼭 필요한 사람들을 창세전부터 예비해 놓으셨다. 그 기회를 상상하라. 희망을 가득 품으라. 은혜의 순간을 놓치지 마라. 하나님이 반드시 역풍을 순풍으로 바꾸어 당신을 더 높은 곳으로 이끄시리라.

하나님이 등 뒤에서 바람을 불어 주실 날을 기대하며 매일을 살아가면 점점 더 높은 곳으로 비상하여 하나님이 예비하신 승리의 삶을 살게 될 것이다.

Chapter
04

플러스의 계절이 이르렀다

누구나 밑바닥으로 떨어진 깊이만큼 아니 그 이상으로 다시 비상할 수 있다. 당신을 위한 새로운 플러스의 계절이 오고 있다.

타일러 페리(Tyler Perry)는 뉴올리언스의 가난한 집안에서 태어나 자신의 말처럼 '학대 받으며 그 상처를 안고' 자랐다. 그는 애틀랜타로 도망쳐 거리의 부랑자로 지내며 힘든 삶을 살았다.

타일러가 이제 새로운 복의 계절을 발견하게 되어서 얼마나 다행인지 모른다. 하지만 지금도 타일러처럼 진흙탕에서 허덕이고 있는 사람이 많다는 사실을 생각하면 안타깝기 그지없다. 그들은 아무것도 기대하지 않는다. 인생의 전진도 전혀 없다. 이런 사람들에겐 부정적인 생각이 침입하기 쉽다.

거짓말에 속지 마라. 하나님은 마이너스가 아닌 플러스의 하나님이다. 그분은 우리가 후퇴하는 것이 아니라 전진하기를 원하신다.

살다보면 성장이 나타나지 않는 시기가 있다. 허리띠를 졸라매고 믿음의 선한 싸움을 싸워야 할 때가 있다. 하지만 때가 되면 플러스의 계절, 새로운 은혜의 시기가 반드시 온다.

현재의 타일러처럼 우리 역시 부당하고 고통스러운 상황이 바뀌고 있다고 믿어야 한다. 타일러는 여태까지 자신을 지켜준 버팀목이 바로 믿음이었다고 말한다. 실패 뒤에는 반드시 회복이 찾아오는 법이다. 하나님은 그냥 회복만 시켜 주시는 분이 아니다. 그분은 전보다 더 좋게 회복시켜 주시는 분이다

타일러의 계절이 바뀌기 시작한 것은 그가 일기를 쓰면서부터였다. 타일러는 자신의 안타까운 경험들을 일기로 써내려 갔다. 그런데 혹여 다른 사람들이 알아 볼까봐 가상의 인물들을 만들었다. 일기를 쓰는 사이에 타일러는 작가이자 연극과 영화, 책 제작자로 성장해 나갔다. 현재 그는 애틀랜타 외곽의 넓고 아름다운 집에서 살고 있다.

"믿음이 없었다면 지금 이 자리에 있지 못했을 겁니다. 지금 이 길을 걷고 있지도 않았을 겁니다." 타일러는 기자에게 그렇게 말했다. 타일러는 누구나 밑바닥으로 떨어진 깊이만큼 아니 그 이상으로 다시 비상할 수 있다고 믿는다.

은혜의 때가 다가오고 있다

하나님은 우리의 원수를 우리의 성공을 위한 발판으로 사용하겠노라고 말씀하셨다. 우리의 앞길을 가로막고 있는 방해물을 도리어 도

약을 향한 디딤돌로 사용하신다는 말이다. 그분은 장애물을 이용하여 오히려 우리를 더 높은 수준으로 이끄실 수 있는 분이다.

누군가가 당신을 넘어뜨리려고 발을 걸었는가? 지금 병마에 시달리고 있는가? 하지만 믿음의 눈으로 보면 당신을 해치고 넘어뜨리는 것들은 결코 당신을 패배시킬 수 없다. 당신을 돕는 힘이 당신을 방해하는 힘보다 훨씬 크다.

이제 당신에게는 건강이라는 새 계절이 오고 있다. 바람의 방향이 바뀌고 있다. 고난이 잠시 당신을 억누를 수는 있어도 영원히 지속되지는 못한다. 결국 당신은 악해지는 게 아니라 오히려 더 강해질 것이다. 당신은 이 장애물을 디딤돌로 삼아 전보다 더 강하고 단호하고 믿음 충만한 사람으로 회복될 것이다.

그러니 회복된 상태에 대한 비전을 품으라. 회복의 씨앗이 당신 안에 뿌리내리게 하라. 건강이라는 새 계절, 관계의 새로운 계절이 곧 올 것이다.

아직도 의심이 생기는가?

"목사님, 최근 극심한 불경기 때문에 사업이 영 엉망입니다."

무슨 걱정인가? 하나님은 불경기 따위에 제한을 받지 않으신다. 하나님은 우리의 무지에 상관없이 역사하실 수 있다. 하나님은 우리가 자라온 환경에 제한을 받지 않으신다.

하나님을 제한할 수 있는 것은 우리의 믿음뿐이다. 그러므로 상황이 우리에게 유리하게 바뀌고 있다고 믿어야 한다.

시편 102편 13절은 하나님이 은혜를 베푸실 정해진 때가 다가오고 있다고 말한다. 하나님의 계획 속에는 초자연적인 문이 열리는 때,

불가능해 보이는 일이 이루어지는 때, 놀라운 복이 쏟아지는 때가 정해져 있다.

은혜의 때는 믿는 자들을 위한 선물이다. 그러므로 우리는 아침마다 이렇게 말해야 한다. "그거 알아? 지금은 내 시간이야. 이 시간을 놓치지 않겠어." 예수님은 이런 말씀을 하셨다.

"주 여호와의 영이 내게 내리셨으니 이는 여호와께서 내게 기름을 부으사 … 여호와의 은혜의 해와 우리 하나님의 보복의 날을 선포하여 모든 슬픈 자를 위로하되"(사 61:1).

사실 이사야가 이렇게 말한 이 시기에는 가뭄과 전쟁과 비판이 이어지고 있었다. 하지만 하나님은 "지금이 너희의 은혜의 계절"이라고 말씀하셨다. 하나님은 지금 우리에게도 똑같은 말씀을 하고 계신다. 하지만 모두가 이 말씀을 받아들이는 것은 아니다. 의심을 품는 사람이 꼭 있게 마련이다. "이렇게 살아온 지 너무 오래됐어. 나아지지 않을 거야. 평생 빚쟁이로 살아야 해. 꿈 따위는 잊은 지 오래야."

이렇게 말하는 사람에게는 은혜의 계절이 오지 않는다. 그러므로 그런 부정적인 말을 입에 담지 마라. 강을 거슬러 올라가는 것처럼 삶이 힘겨운가? 온갖 악조건 속에서 바동대며 겨우겨우 지금껏 살아왔는가? 하지만 이제 희망의 음성이 들리지 않는가?

"상황이 곧 좋아질 것이다."

과거에 불행한 일을 수없이 겪었다 하더라도 이제 곧 하나님이 상황을 바꾸시고 새로운 문을 열어 주실 것이다. 부당한 일을 겪었는가? 직장 동료들이 뒤에서 당신을 무고히 헐뜯고 있는가?

걱정하지 마라. 당신의 모든 억울함이 풀리는 계절이 왔다. 성경은 원수가 우리를 사로잡으려고 설치한 덫에 스스로 걸려들 것이라고 말한다. 우리가 직접 다툴 필요가 없다. 우리는 그저 우리의 할 일을 열심히 하면 된다. 그러면 머지않아 우리를 위한 은혜의 계절이 올 것이다.

"목사님, 아무리 생각해도 내 미래는 암담하기만 해요. 도무지 좋아질 기미가 보이질 않아요."

"평생 달고 산 중독인데 어떻게 끊을 수 있겠어요?"

이런 생각이 드는 것은 인간의 눈으로만 보기 때문이다. 그럴 때마다 우리가 초자연적인 하나님을 섬기고 있음을 기억하라!

영의 소리에 귀를 기울이라

우리가 은혜의 계절을 선포할 때마다 우리 안의 뭔가가 화답한다. "맞아. 지금은 나를 위한 계절이야. 좋은 일이 일어나고 있어."

이 뭔가는 바로 우리의 영이며, 영은 하나님의 말씀을 조금도 의심하지 않는다. 하지만 우리는 자신의 이성으로 이 영의 소리를 억누를 때가 너무나 많다. 우리는 마음 깊은 곳에서 들려오는 영의 소리를 듣고 미래의 복을 미리 보는 법을 배워야 한다.

때로는 미래가 암담해 보일 때가 있다. 좋은 일의 조짐이 전혀 보이지 않는다. 빚에서 어떻게 헤어나올지 답답하기만 하다. 자녀가 올바른 길로 돌아올 기미가 전혀 없다. 하지만 영의 눈으로 보면 희망이 보이기 시작한다.

사업이 휘청거리고 있는가? 영의 눈으로 보라. 사업이 번창하는 것을 보게 될 것이다. 우리의 영은 은혜의 계절이 오고 있음을 감지

할 수 있다. 우리의 영은 우리 인생 최고의 순간이 다가오고 있음을 느낄 수 있다.

우리는 마음의 눈을 열어 먼 미래에 다가올 복을 미리 볼 수 있어야 한다. 보이는 것이 아닌 믿음으로 사는 법을 배워야 한다. 바로 엘리야가 그러했다. 3년 반 동안 가뭄이 계속되어 온 땅이 바짝 말라붙자 그는 아합 왕을 찾아가 이렇게 말했다. “왕이시여, 장대비가 쏟아지는 소리가 들립니다.”

사실 그때 하늘에는 구름 한 점 없었다. 전혀 비가 내릴 날씨가 아니었다. 그러나 엘리야는 믿음의 눈으로 비가 내리는 모습을 보았다. 아합 왕이 엘리야를 보며 무슨 생각을 했을지는 뻔하다. ‘이 녀석이 뭘 잘못 먹었나? 비는커녕 구름 한 점 없잖아.’

엘리야는 육체의 귀가 아닌 영의 귀로 들었다. 그리고 들은 것을 담대하게 선포했다.

자신의 계절이라는 것이 느껴지거든 그것을 담대하게 선포하라. 말에는 창조의 힘이 깃들어 있기 때문이다. 우리가 들은 것을 원수에게도 들려 줘야 한다. 몸이 좋지 않은가? 그렇다면 이렇게 선포하라. “건강이 나를 향해 오고 있어. 나는 죽지 않고 살 거야.”

“너는 그 많은 빚에서 절대 해방될 수 없어.”

이번에도 지체하지 말고 대응하라. “아니야. 풍요의 소리가 들려.”

새로운 플러스의 계절이 정말로 다가올지 아직도 의심되는가? 만약 그렇다면 실패와 패배, 평범함 같은 잘못된 것들에 시선을 두기 때문일 것이다. 부정적인 생각은 부정적인 요소들을 우리 삶 속으로 침범하도록 하는 문과도 같다.

하나님은 풍요의 하나님이다. 하나님은 지금 이렇게 말씀하고 계신다. "지금은 너의 계절이다. 지금은 너를 위해 정해 놓은 은혜의 시간이다."

이 희망의 씨앗이 당신 마음에 뿌리내리도록 해보지 않겠는가?

구원의 때가 이르렀다

나의 고모 메리(Mary)는 한때 간질을 앓았다. 한번 경련이 일어나면 극심한 두통이 찾아왔고, 그로 인해 메리의 인생은 완전히 망가졌다. 한번은 감염 때문에 환각에 시달리기도 했다. 메리의 정신은 정상이 아니었다. 메리는 오랜 세월 병원 신세를 지다가 집으로 돌아와 혼수상태에 빠져들었다. 이제 사람들도 알아보지 못하고 혼자서는 끼니조차 챙길 수 없는 신세가 되어 24시간 간호를 받게 되었다.

그때 우리 아버지는 다른 도시에 살면서 하루가 멀다 하고 여행을 다니는 바람에 누이가 얼마나 아픈지 알지 못했다. 하루는 할머니가 아버지에게 전화를 걸어 메리의 상태에 관해 알려주었다. 아버지는 원래 계획대로라면 한 주 정도 출장을 가야 했는데 이튿날 아침 기도를 하던 중 하나님의 음성을 듣게 되었다. 귀로 들리는 음성이 아니라 마음속에서 들리는 음성이었다.

"메리가 구원받을 시간이 왔다."

기도를 마친 아버지는 하나님의 메시지를 기대하며 성경을 꺼내 아무 페이지나 폈다. 물론 이 방법이 늘 통하는 것은 아니지만 그날은 놀라울 정도로 적절한 구절이 아버지의 눈에 들어왔다. 바로 누가복음 1장 30절이었다. "마리아(Mary)여 무서워하지 말라 네가 하나님께 은혜를 입었느니라."

아버지는 하나님의 뜻을 금세 알아챘다. 메리의 시간이 온 것이다. 그날 아침 아버지는 휴스턴에서 댈러스까지 360킬로미터를 달려갔다. 메리의 방은 커튼이 쳐져 있어 칠흑같이 어두컴컴했다. 메리는 아버지를 알아보지 못했다. 메리의 머리는 정신없이 헝클어지고 눈동자는 공허했다.

순간, 거룩한 분노가 아버지를 감쌌다. 아버지는 창문 커튼을 활짝 열어젖히면서 말했다. "하나님은 빛이시다." 그러고 나서 메리를 쳐다보다 준엄하게 말했다. "하나님이 내 누이에게 이런 병을 주셨을 리 없어. 이 침대에서 나와."

메리는 그 즉시 몸을 일으켰다. 몇 달 동안 한 번도 걸어본 적이 없었지만 메리는 순간적으로 침대를 박차고 일어나 방안 곳곳을 걸어다녔다. 그러고 나서 맑은 정신으로 아버지에게 말을 걸었다.

그날 저녁 메리는 식탁에 앉아서 스스로 식사를 하게 되었다. 약물 치료와 24시간 간호를 받아야 했던 그녀의 필요가 그날로 완전히 사라졌다. 도대체 어떤 일이 일어난 걸까? 하나님이 메리를 위해 상황을 바꾸신 것이다. 하나님이 정하신 구원의 때가 온 것이다.

> **최고의 삶을 위한 TIP**
>
> 고난이 잠시 당신을 억누를 수는 있겠지만 영원히 지속되지는 못한다.

"어떻게 갑자기 침대를 박차고 나온 거야?"

아버지의 물음에 메리가 대답했다. "하나님이 일어나라고 하시는 음성을 들었어."

"아니야. 일어나라고 말한 건 나야."

"아니야, 하나님이 일어나라고 하시는 음성을 들었어. 그 음성을 듣는 순간, 온몸에 기운이 되살아났어."

우리가 믿음으로 굳게 서면 하나님은 반드시 우리에게 꼭 필요한 음성을 주신다. 나중에 메리가 쓴 책을 보면, 오랫동안 정신이 오락가락하는 상태로 살면서도 마음 깊은 곳에서는 회복의 조짐을 느낄 수 있었다고 한다.

칠흑같이 어두운 순간에도 마음 깊은 곳에 귀를 기울이면 하나님이 속삭이시는 음성이 들린다. "좋은 날이 오고 있단다."

불가능한 상황 속에서도 내면에서는 작고 고요한 소리가 울려 퍼진다. 다른 모든 사람은 끝장이라고 말해도 우리 영의 깊은 곳에서는 다른 말씀이 들리고 있다. "너의 새로운 시작이 있단다. 너의 죽은 꿈을 되살릴 수 있단다. 네 인생 최고의 날은 아직 오지 않았다."

나는 하나님이 이 작은 희망과 믿음의 빛줄기를 통해 우리 삶 속에서 위대한 일을 벌이신다고 믿는다. 엄청난 믿음까지도 필요 없다. 모든 신학을 다 이해하고 모든 답을 다 알 필요도 없다. 하나님을 믿고 우리 마음속에 작은 희망의 씨앗을 뿌리기만 하면 된다.

예수님은 "너희에게 겨자씨 한 알만한 믿음만 있었더라면"이라고 말씀하셨다. 겨자씨는 세상에서 가장 작은 씨앗 중 하나다. 그것만 있으면 하나님의 역사가 나타난다.

얼마 전 교통사고로 목이 부러진 여인에게서 편지 한 통을 받았다. 그녀는 여러 번의 수술을 거쳤지만 낫기는커녕 오히려 상황이 더 악

인간의 눈으로는 상황이 나빠 보일지라도 하나님은 우리를 잊지 않으셨다. 장애물이 아무리 많아도 하나님은 당신에게 주신 소명을 절대 거두지 않으신다.

화되었다고 했다. 그로 인해 겪는 고통은 이루 말할 수 없었다. 그녀의 남편은 몇 달이 넘도록 출근도 하지 않고 아내를 간호했다. 하지만 아내는 마음이 편치 않아 결국 남편에게 다시 출근하라고 말했다. 이에 남편은 마지못해 고개를 끄덕였다.

하루는 그녀가 집에 홀로 우두커니 앉아 있는데 절망감이 파도처럼 밀려왔다. 극심한 통증까지 밀려오자 그녀는 결국 모진 생을 마감하기로 결정했다. 걸을 수는 없었기에 소파에서 내려와 사냥광인 남편이 총기를 보관해 두는 선반까지 기어가기로 했다.

하지만 그녀는 소파에서 내려오다가 중심을 잃고 테이블 한쪽 끝에 몸을 부딪친 후 바닥에 떨어졌다. 그 바람에 텔레비전 리모컨이 테이블 아래로 떨어지면서 배터리가 튕겨져 나갔다. 그런데 그 사이에 리모컨이 작동해 텔레비전 채널이 바뀌었다. 그런데 마침 그 채널에서 내 설교가 나오고 있었다.

꼼짝달싹 못한 채 바닥에 누워 있는 그녀의 머릿속으로 한 가지 생각이 스치고 지나갔다. "이렇게 나는 죽는구나. 죽기 전에 저 설교자의 말이나 좀 들어보자."

하나님의 역사는 오묘하기 그지없다. 그날 나는 마침 가장 어두운 순간이 가장 밝은 순간으로 바뀔 수 있다는 설교를 하고 있었다. 나는 믿는 사람에게 불가능은 없다고 말했다. 내 말을 듣던 그녀는 조금씩 전에 없던 평안을 느끼기 시작했다.

"몸을 움직일 수 없고 눈도 뜰 수 없었지만 내 뺨을 타고 기쁨의 눈물이 흘러내렸습니다." 그녀는 그렇게 회상했다. 나중에 남편이 귀가했을 때 그녀는 깊고 깊은 잠에 빠져 있었다. 남편은 아내를 깨워 몸을 살핀 뒤 이렇게 말했다. "무슨 사고를 당한 거요?"

그러자 아내가 싱긋 웃으며 대답했다. "사고가 아니었어요."

그날이 그녀의 전환점이었다. 그날부터 그녀는 낫기 시작했다. 새로운 희망이 그녀의 마음속을 가득 채웠다.

하나님은 당신의 구원의 때를 정해 놓으셨다. 당신을 위한 은혜와 회복의 때가 정해져 있다. 그때가 아직 오지 않았어도 실망하지 마라. 하나님은 당신에게 필요한 사람과 기회와 사건을 이미 완벽하게 배치해 놓으셨다. 하나님의 장중에 당신 인생을 위한 완벽한 계획서가 들려 있다.

평생 이 모양으로 살 수밖에 없다는 부정적인 목소리가 들려오는가? 건강해질 수 없다는 생각, 굴레에서 벗어날 수 없다는 생각이 드는가? 그럴 때는 엘리야처럼 새로운 복의 계절이 오고 있음을 믿음으로 선포하라.

"풍요의 소리가 들려. 건강의 소리가 들려. 회복의 소리가 들려. 성장의 소리가 들려. 육신의 눈으로는 보이지 않지만 상관없어. 내면 깊은 곳에서 느낄 수 있으니까. 나를 위해 정해 놓은 은혜의 때가 오고 있어. 내 구원의 때가 오는 중이야. 과거야 어쨌든 중요한 것은 만사가 잘 풀릴 거라는 확신이 내 안에 있다는 거야."

최고의 삶을 위한 TIP

칠흑같이 어두운 순간에도 마음 깊은 곳에 귀를 기울여라. '좋은 날이 오고 있다!'

구약 성경을 보면 히스기야 왕의 이야기가 나온다. 히스기야는 몹쓸 병에 걸려 몸져누웠다. 당시는 오늘날과 달리 마땅한 치료약이 없어 히스기야의 병세는 급격히 악화되었다. 히스기야는 선지자 이사야를 불러 원인을 물었다. 그러자 이사야가 이렇게 대답했다.

"여호와의 말씀이 너는 집을 정리하라 네가 죽고 살지 못하리라 하셨나이다."

이것은 히스기야가 기대한 말이 전혀 아니었다. 하지만 히스기야는 포기하지 않았다. 패배를 그냥 받아들이지 않았다. 그는 "낯을 벽으로 향하고" 자신이 잘한 일들을 하나님께 모두 아뢰었다. "내가 진실과 전심으로 주 앞에 행하며 주께서 보시기에 선하게 행한 것을 기억하옵소서"(왕하 20:3).

그러자 이사야가 성읍을 채 떠나기도 전에 하나님의 음성이 다시 들려왔다. "너는 히스기야에게 돌아가서 내 마음이 바뀌었다고 말하라. 내가 그에게 일이 년이 아닌 15년을 더해 줄 것이다."

하나님은 마이너스가 아닌 플러스의 하나님이다. 믿음만 있으면 하나님의 마음을 바꿀 수 있다. 생각해 보라. 히스기야는 의사가 아닌 전능하신 하나님에게서 사형선고를 받았다. 그런데 잠시 후 상황이 바뀌었다. 하나님이 마음을 바꾸시면서 순식간에 15년의 삶을 덤으로 얻은 것이다.

언제 그렇게 되었는가? 그가 믿었을 때다. 그가 하나님의 선하심을 기대했을 때다. 왕궁을 거닐며 기쁨의 찬양을 드리는 히스기야의 모습이 눈에 선하다. 하나님은 히스기야에게 1년 정도만 삶을 연장시켜 주실 수도 있었다. 또는 5년만 더해 주실 수도 있었다. 하지만 지극히 후하신 하나님은 15년을 더 연장해 주셨다.

하나님이 상황을 바꾸고 계신다. 당신의 인생 판도가 바뀌고 있다. 인간의 눈으로 볼 때는 변화가 보이지 않을지도 모른다. 말로 설명할 수 없을 수도 있다. 하지만 당신의 깊은 곳에는 그 씨앗이 이미 뿌리를 내렸다.

과거에 거부를 당했는가? 앞으로 환대를 받게 될 것이다. 여태껏 억눌려 살았는가? 곧 당당하게 일어설 것이다. 하나님이 당신의 원수들을 비상할 수 있는 디딤돌로 사용하실 것이다.

수년 동안 고통으로 몸부림쳤는가? 이제 안심하라. 곧 평안의 기쁨 부음이 찾아오리라. 이유가 궁금한가? 지금이 바로 당신의 시간이기 때문이다. 바람의 방향이 이미 바뀌었다.

히스기야처럼 찌푸렸던 얼굴을 펴라. 부정적이고 절망적인 패배자 정신을 벗어 던지고 믿음과 기대, 찬양, 감사의 태도를 입으라. 새로운 계절이 오고 있음에 대해 하루 종일 하나님께 감사하라. 당신을 위해 정해진 은혜의 때가 지금 왔다. 당신을 위한 구원의 때가 왔다.

그럴 때 하나님의 복과 은혜의 바람이 당신의 인생을 향해 새롭게 불어오리라.

Chapter

05

내 안에 믿음 DNA가 있다

우리의 영적 DNA는 하늘 아버지로부터 왔다. 감사하게도 영적 DNA가 언제나 육체적 DNA보다 우선이다.

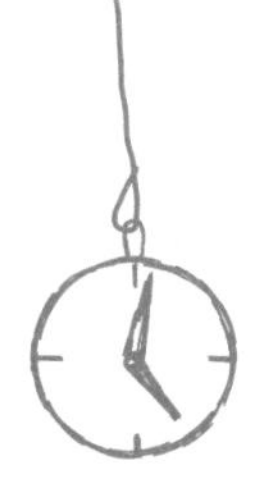

전직 야구 스타 제시 바필드(Jesse Barfield)는 오랫동안 우리 교회에 출석했다. 제시는 토론토 블루제이스(Toronto Blue Jays)의 선수시절 40홈런으로 메이저리그를 호령했다. 그리고 뉴욕 양키스(New York Yankees)에서 뛸 때도 강타자로 그 유명세를 떨쳤다.

나는 제시만큼 재능이 뛰어난 운동선수를 별로 본 적이 없다. 시즌오프일 때 우리는 가끔 만나서 농구를 즐겼다. 농구가 전공이 아님에도 제시는 열에 아홉은 나를 이겼다.

제시 부부에게는 여러 명의 자녀가 있다. 나는 그 아이들이 자라나는 모습을 계속 지켜보았는데 장남 조시(Josh)는 고등학교 야구계의 스타플레이어였고 대학에 가서도 뛰어난 실력을 보였다. 그는 마이너리그에서 두각을 드러낸 후 메이저리그로 발탁되어 현재 최고의 경기력을 뽐내고 있다. 제시의 다른 아들 제레미(Jeremy)도 빅 리그에서 뛰었다.

통계에 따르면 백만 명의 아이들 중 단 한 명만 빅 리그에 입성한다고 한다. 하지만 제시의 아들 중에는 두 명이나 메이저리그 스타가 탄생했다. 하지만 제시를 아는 나로서는 별로 놀랍지 않다. 제시의 근력과 스피드, 타격감을 직접 목격했기에 두 아들의 빅 리그 입성이 전혀 놀랍지 않다.

그 아버지에 그 아들이라는 말을 들어봤을 것이다. 조시와 제레미의 DNA 안에는 야구의 재능이 들어 있다. 그들은 아버지의 운동 재능을 그대로 물려받았다.

우리 안에 하나님의 DNA가 있다

나는 당신의 아버지도 안다. 내가 당신에게 무한한 능력이 있다고 믿는 이유가 여기에 있다. 당신이 극복하지 못할 장애물이란 세상에 없다. 당신 아버지의 성과들을 내가 이미 봤기 때문이다. 당신이 감당할 수 없는 고난도 없다. 당신의 아버지는 늘 성공하셨기 때문이다. 그 어떤 재정적 어려움이나 부족함도 당신을 무너뜨릴 수 없다. 당신의 아버지는 여호와 이레의 하나님이기 때문이다. 만물이 그분의 소유다. 그분은 당신의 공급자다.

성경은 우리가 전능하신 하나님의 형상을 따라 지음을 받았다고 말한다. 우리 안에 전능하신 하나님의 DNA가 들어 있다. 하나님이 우리의 하늘 아버지시다. 우리의 유전자 안에는 하나님의 은혜와 지혜, 힘, 재능, 능력이 들어 있다. 우리의 육체적 DNA가 부모에게서 왔다면 영적 DNA는 하늘 아버지로부터 왔다. 감사한 것은 영적 DNA가 언제나 육체적 DNA보다 우선이라는 것이다. 하나님의 DNA는 모든 부정적 DNA를 덮고도 남는다.

알다시피 우리는 조부모와 부모로부터 독특한 특성들을 물려받는다. 우리 아들 조나단(Jonathan)의 경우 보는 사람마다 눈이 엄마를 쏙 빼닮았다고 말한다. 그런가 하면 우리 딸 알렉산드라(Alexandra)는 나를 닮은 면이 많다. 예를 들어 알렉산드라는 잠자리에 들기 전에 꼭 다음날 입을 옷을 준비해 놓고 휴대폰도 충전기에 꽂아 놓는다. 그리고 바쁜 아침을 위해서 숙제는 반드시 문 옆에 둔다. 이것은 내가 어머니에게서 물려받은 특성이다. 우리 어머니는 꼼꼼하기 짝이 없다. 우리 어머니에게 이 품성을 물려준 분은 우리 할아버지다. 물론 할아버지도 윗대에서 그 품성을 물려받았다.

어떻게 이런 일이 가능한가? 그것은 우리의 DNA 안에 특성들이 들어 있기 때문이다. 우리 세대의 특성들은 DNA를 타고 다음 세대로 이어진다. 우리의 DNA는 육체적 특성뿐 아니라 성격과 태도까지도 전달한다. 우리의 유전자 암호는 우리의 현재 상태를 결정한다. 윗대에서 내려온 유전자가 오랫동안 잠을 자다가 때가 되어 깨어나는 것을 보면 참으로 신비롭다.

성경은 우리가 이 지구에 나타나기 전에 하나님이 우리를 아셨다고 말한다. 우리는 우리 부모가 우연히 만나 어쩌다가 생겨난 존재들이 아니다. 하나님은 우리 부모나 조부모가 서로를 알기 훨씬 전부터 우리를 위한 계획을 갖고 계셨다.

우리는 자신에게 꼭 맞는 재능과 품성과 키를 가지고 있다. 우리에게는 살아가는 데 꼭 필요한 용기와 힘과 능력도 있다. 하지만 이 영적 유전자들은 깨어나기만을 기다리며 잠을 자고 있다.

깨어나기를 기다리는 잠재력

역시 위대한 운동선수인 마이클 조던(Michael Jordan)은 처음에 대학 농구 팀에 지원했다가 고배를 마셨다. 대학교 1학년 때 조던의 키는 175센티미터를 간신히 넘겼다. 당연히 조던보다 20센티미터나 더 큰 다른 학생이 뽑혔다.

당시 마이클 조던의 운동 능력은 그리 뛰어나지 않았다. 하지만 그의 DNA 안에는 풀려나기만을 기다리는 유전자가 있었다. 이 유전자 안에는 20센티미터의 키와 놀라운 점프 능력이 잠자고 있었다.

조던은 거절을 당한 후에도 여러 번 더 좌절을 겪었지만 남들이 자신의 운명을 결정할 수 없다는 것을 깨달았다. 남들은 하나님이 그의 안에 넣으신 것을 알지 못했다. 하지만 그는 계속해서 최선을 다하며 전진했다. 그러자 어느 날 그 유전자가 발현되었다. 그는 농구 역사상 가장 위대한 인물 중 한 명이 되었다.

우리 모두의 내면 안에는 깨어나기를 기다리는 잠재력이 있다. 35년 동안 나는 내 안에 목사의 유전자가 있을 거라곤 전혀 상상조차 못했다. 내가 목회를 하게 될 줄은 정말 꿈에도 몰랐다. 나는 천성이 조용하고 내성적이어서 무대 뒤에서 일하는 것을 좋아했다. 하지만 1999년 아버지가 주님의 부름을 받아 가셨을 때 내 안에 하나님이 창세전에 넣어 두신 유전자들 중 하나가 느닷없이 활동을 시작했다. 내 안의 깊은 곳에서 목회가 내 천직이라는 확신이 솟아났다. 지금 와서 생각해 보면 하나님은 이미 다 알고 계셨다.

"나는 대중 앞에서 말을 잘 못하는 사람이오."

내가 이렇게 말할 때마다 아내는 매번 내게 용기를 주었다. "아니에요. 당신은 할 수 있어요. 언젠가 교회를 이끌게 될 거예요."

이제는 하나님이 내게 주신 DNA 안에 목회의 재능이 있다는 것을 안다. 이 유전자는 때가 되지 않아 잠자고 있었을 뿐이다. 때가 되자 내 안에서 목회자의 열정이 일어났다.

나는 믿음의 발걸음을 떼었다. 그러자 그때부터 내 안의 목회 유전자가 움직이기 시작했다. 비로소 나는 하나님이 주신 운명을 향해 나아가기 시작했다. 지금 나는 소명대로 살고 있다고 확신한다.

하나님이 당신 안에 프로그램을 해놓으신 유전자들이 막 꿈틀대기 시작했다. 나처럼 당신도 생각지 못했던 일들을 하게 될 것이다. 새로운 재능과 능력, 지혜, 통찰력이 느껴질 것이다. 이 복과 지혜, 힘, 능력의 유전자들을 풀어놓기로 결단하라.

"내 안에는 전능하신 하나님의 DNA가 있어. 하나님이 내 안에 그분의 생명을 불어넣으셨어. 낙심과 열등감 따위에 휘둘리지 않겠어. 내 안에 필요한 모든 능력이 들어 있어. 나는 그리스도 안에서 뭐든 할 수 있어. 하나님이 주신 내 운명을 이루고야 말 거야."

당신 안에 거인이 잠자고 있다. 부정적인 생각에 사로잡히지 마라. 우주의 창조주께서 당신 안에 필요한 모든 것을 넣어 두셨다. 당신이 패배자가 아닌 승자가 되도록 창세전에 프로그램하셨다.

내 주위에는 건강하지 못한 환경에서 자란 사람이 적지 않다. 하지만 정말 중요한 것은 육신의 부모가 아니다. 우리에게는 하늘 아버지가 계신다. "좋은 계획이 있었는데 네 부모 때문에 망쳤구나." "첫 남편이 너를 떠나는 바람에 모든 일이 뒤틀려져 버렸어." 하나님이 이렇게 말씀하실까? 전혀 아니다.

> **최고의 삶을 위한 TIP**
>
> 어깨를 당당히 펴라. 머리를 높이 들어라. 당신 안에는 챔피언의 피가 흐르고 있다!

하나님은 우리가 겪을 일과 만날 사람들을 미리 알고 계셨다. 우리가 넘어야 할 장애물도 다 알고 계셨다. 그래서 우리의 상황에 맞는 유전자들을 우리 안에 넣어 두셨다. 그 유전자들이 이미 우리의 영적 DNA 안에 들어 있다. 우리가 부정적인 태도와 패배감을 벗고 믿음으로 인내하면 반드시 좋은 일이 일어난다. 새로운 복과 은혜의 계절이 기필코 온다. 그때 뒤를 돌아보며 흐뭇한 미소를 짓게 될 것이다.

하나님의 복이 모든 저주를 상쇄한다

내가 전국을 돌며 집회를 할 때 만났던 찰리(Charlie)는 자신이 몹시 나쁜 환경에서 자랐다고 했다. 찰리의 가정은 바람 잘 날이 없었다. 찰리는 땅이 꺼져라 한숨을 쉬며 내게 말했다. "목사님, 다른 사람들 때문에 제 미래는 저주를 받았어요."

하지만 찰리, 그리고 찰리와 비슷한 상황에 놓인 모든 사람을 위한 복된 소식이 있다. 혹시 우리에게 저주가 임했다 하더라도 하나님의 복이 반드시 그보다 먼저 임했다. 다시 말해, 우리가 이 땅에 태어나기도 전에, 아니 우리가 어머니의 자궁에서 형성되기도 전에 하나님은 우리 안에 복과 은혜, 힘, 능력의 DNA를 집어넣으셨다. 하나님은 우리를 완전무장한 상태로 이 세상에 내보내셨다.

당신은 강하다. 재능이 넘치고 창의력도 풍부하다. 절제력도 있다. 당신은 부르심을 입었다. 당신에게는 능력이 충분하다. 당신은 선택을 받았다. 이 사실을 마음 깊이 되새기라. 상처받은 일과 가지지 못한 것, 풀리지 않은 일만 생각하며 한탄해 봐야 무슨 소용이 있겠는가! 하나님의 DNA만 있으면 그 어떤 부정적인 DNA도 극복할 수 있다.

로버트 J. 밥 브라운은 인종차별이 극심한 남부 지방의 가난한 집안에서 태어났다. 하지만 그는 두 가지 점에서 남다른 복을 받았다. 할아버지 할머니에 덕분에 교회에서 자랐다는 점과 전능하신 하나님 아버지의 DNA를 물려받았다는 점이다.

밥은 법 집행 분야에서 잠시 일하다가 노스캐롤라이나 주의 작은 마을에서 한 광고 회사를 창업했다. 그때부터 그는 전국의 대기업들과 거래를 했고, 1960년대에는 대기업 고객들과 공민권 운동 리더들 사이의 가교 역할을 했다.

이 노예의 후손은 나중에 미국 대통령의 특별 보좌관으로 뽑혀 백악관에서 4년을 재직했다. 현재 그는 매년 남아공의 가난한 어린이들에게 수백만 권의 책을 보내는 자선단체를 운영하고 있다.

밥 브라운은 아버지를 본 적이 없다. 어머니 또한 어린 그를 할아버지 할머니의 손에 맡기고 어디론가 떠나버렸다. 하지만 그는 성공하도록 미리 프로그램이 되어 있었다. 그의 안에는 전능하신 하나님의 DNA가 들어 있었다.

당신도 마찬가지다. 자신을 향해 이렇게 말하라. "나는 성공하도록 미리 프로그램이 되어 있어. 미래를 걱정할 필요가 없어. 내 안에는 최고의 유전자들이 들어 있어. 누가 나더러 재능이 없다고 하는가? 누가 나에게 능력이 없다고 하는가? 나는 반드시 성공할 거야."

모든 삶에는 목적이 있다

연구 결과들을 보면 남자 아이들은 대개 아버지에게서 정체성을 얻는다고 한다. 당신은 좋은 아버지 밑에서 자라지 못했는가? 아니면 이 집 저 집 전전긍긍하며 구박을 받고 살아왔는가? 하지만 그 무엇도 당신의 앞길을 막을 수 없다.

잊지 마라. 당신에게는 하늘 아버지가 계신다. 당신 안에는 챔피언의 DNA가 들어 있다. 주눅 들지 마라. 당신 안에는 최고의 유전자들이 들어 있다.

당신은 우연의 산물이 아니다. 당신은 하나님 안에서 챔피언이 될 운명을 지닌 사람이다. 당신 안에는 아직 표출되지 않은 재능이 꿈틀대고 있다. 당신에게는 아직 이용되지 않은 잠재력이 있다. 열등감이나 낮은 자아상은 당신과 어울리지 않는다. 어깨를 당당히 펴라. 머리를 높이 들라. 당신은 지극히 높으신 하나님의 자녀다.

다른 사람들의 어떤 말이나 행동도 당신이 하나님 안에서 챔피언이 될 운명을 막을 수 없다. 남들이 당신에 관해 뭐라고 말하건 하나님이 당신 안에 넣어 두신 DNA는 변하지 않는다. 당신의 인생은 남들이 준 것이 아니다. 그것은 전능하신 하나님이 주신 것이다.

믿음으로 굳게 서라. 그러면 그 어떤 고난이 오더라도 때가 되면 당신 안에 있는 위대함의 씨앗이 싹을 틔우고 뿌리를 내려 당신의 인생을 이룰 것이다.

내 친구 중에 아주 불우한 가정에서 자란 친구가 있다. 그의 아버지는 그가 네 살 때 세상을 떠났고, 엄마는 몸을 팔아 생활비를 마련했다. 그가 열한 살 때 엄마는 아들을 어느 대도시 거리의 모퉁이에 세워둔 채 곧 돌아올 거라는 말만 남기고 가버렸다. 그는 사흘 내내 그 모퉁이에 서서 하염없이 엄마를 기다렸다. 그는 배도 고프고 무서웠으며 어찌해야 할지 혼란스러웠다.

그때 근처에 사는 한 남자가 소년을 보고는 차를 세웠다. 그리고 그의 사연을 듣고 나서 그를 데리고 갔다. 인간의 눈으로만 보면 이 소년에게는 미래가 전혀 없어 보인다. 하지만 남자가 소년에게 믿음을 전해 주자 모든 것이 바뀌었다. "네 안에는 위대함의 씨앗이 있어. 우주의 창조주께서는 너를 근근이 살아갈 존재가 아니라 세상을 바꿀 존재로 프로그램하셨어."

당시 소년은 깨닫지 못했지만 그의 안에는 아직 발현되지 않은 유전자들이 있었다. 이 유전자들은 활동하기에 적합한 환경이 오기만을 기다리고 있었다.

7-8년 후 십대가 된 소년은 과거의 자신처럼 상처받고 곤고한 사람들을 돕겠다는 결심을 했다. 거리의 한 모퉁이에 버려졌던 소년은 지금 목회자가 되어 수많은 사람들을 돕고 있다.

누구에게나 목적이 있다. 당신에게도 운명이 있다. 더 좋은 소식은 하늘 아버지께서 당신에게 이 운명을 이루는 데 필요한 모든 능력을 이미 주셨다는 것이다. 과거에 어떤 일을 겪었든 앞으로 어떤 일을 겪든 하나님이 우리 안에 넣어 두신 DNA는 변하지 않는다. 우리는 우리의 진면목을 몰라서 뒷걸음칠 때가 너무도 많다. 우리가 누구인가? 바로 지극히 높으신 하나님의 자녀다.

우리는 단순히 우리 부모의 산물이 아니다. 우리를 처음으로 프로그램하신 분은 바로 우주의 창조주시다.

우리가 어머니의 자궁으로 들어가기도 전에 하나님은 우리를 위한 목적을 갖고 계셨다. 하나님은 우리 각자에게 최적의 DNA와 유전자들을 미리 주셨다. 엄밀하게 말해 우리는 어머니로부터 나온 존재가 아니다. 어머니를 통해서 나온 것뿐이다.

부모의 잘못된 행동이 우리의 행보를 막을 수 없다. 기껏해야 그 걸음을 조금 늦추게 할 뿐이다. 부모의 부적절한 양육으로 인해 우리의 인생길이 조금 힘들어질 수는 있지만 그래봐야 잠시뿐이다. 하나님의 DNA는 모든 부정적인 DNA를 뒤덮고도 남는다.

최고의 삶을 위한 TIP

부모의 운명을 숙명으로 받아들이기 전에 먼저 우리가 진정 누구인가를 떠올려야 한다.

통계에 따르면 아버지가 알코올중독이면 아들도 알코올중독자가 될 가능성이 무척 높다고 한다. 아버지가 다혈질이면 아들도 다혈질일 확률이 매우 높다. 마찬가지로, 아버지가 가난에 허덕였으면 아들도 빈곤하게 살 확률이 매우 높다. 하지만 우리는 부모의 운명을 우리의 숙명으로 받아들이기 전에 먼저 우리가 진정으로 누구인가를 떠올려야 한다. 우리에게 그 모든 저주들이 임하기 전에 하나님은 우리를 축복하셨다. 우리가 부정적인 유전자를 받기 전에 이미 우리를 복과 은혜, 재능, 창의력으로 완전무장시키셨다. 우리는 그 어떠한 장애물도 극복할 수 있다.

당신 안의 영적 유전자를 깨우라

영적 유전자가 깨어나려면 믿음이 필요하다. 그리고 좋은 환경, 곧 우리를 믿어 주는 사람들이 있는 곳으로 가야 한다. 평소에 내가 사람들을 격려하기 좋아하는 이유가 여기에 있다. 격려는 깊은 곳에 숨어 있는 씨앗들을 불러낸다. 격려는 우주의 창조주께서 미리 프로그램해서 넣으신 유전자들을 깨어나게 하는 음성이다.

믿음과 승리의 말을 들으면 우리 안에서 뭔가가 맞장구를 친다. "바로 이거야. 이것이 나의 진짜 모습이야. 이것이 내가 창조된 목적이야." 격려는 우리 안의 영을 깨운다.

그러므로 위대함의 씨앗을 자극해 주는 사람들과 어울리는 것이 지극히 중요하다. 부정적인 말만 늘어놓는 사람들은 가까이하지 말아야 한다. 부정적인 사람, 비판적인 사람, 회의적인 사람, 정죄하는 사람, 속 좁은 사람, 질투심이 많은 사람, 이런 사람들과 어울리기에는 인생이 너무 짧다.

위대한 꿈을 꾸는 사람, 상대방을 키워 주는 사람, 상대방의 승리를 축하해 줄 수 있는 사람, 이런 사람들을 찾으라. 상대방의 성공에 배 아파하는 사람은 철저히 멀리하라.

아내의 격려가 없었다면 오늘날의 나는 없었을 것이다. 이제 나는 하나님이 당신 안에 넣어 두신 유전자들을 향해 깨어나라고 말하고 싶다. 오늘이 새로운 시작이 될 수 있다. 당신의 꿈이 회복되고 있다. 새로운 비전이 이뤄져 가고 있다. 새로운 희망이 솟아나고 있다.

인생 최고의 날은 벌써 뒤로 지나간 것이 아니라 내 앞에 있다. 안타까운 일을 겪었는가? 과거의 어리석은 실수 때문에 당신의 미래가 저주 받은 것만 같은가? 그런 부정적인 생각은 벗어 버리고 좋은 소식을 들어 보라. 당신에게 그 어떤 저주도 임하기 전에 하나님은 당신을 축복하셨으며, 그 축복은 모든 저주를 뒤덮고도 남는다.

하나님의 생각을 품으라. 하나님이 당신 안에 넣어 두신 좋은 것들이 하나도 빠짐없이 이루어질 거라고 나는 확신한다. 당신의 모든 재능, 모든 꿈, 모든 포부가 이뤄질 것이다. 당신은 반드시 목적을 이루게 될 것이다. 하나님이 주신 운명을 이루고 그분이 주신 잠재력을 온전히 이룰 것이다. 모든 장애물을 극복할 것이다. 과거의 견고한 진이 지금 파괴되고 있다. 당신의 가문을 타고 내려온 부정적인 요소들이 당신을 붙들지 못하고 그 손아귀를 풀 것이다.

복과 성공과 성장의 씨앗들이 새로운 뿌리를 내리고 있다. 전능하신 하나님의 DNA가 당신 삶 속에서 크게 놀라운 열매로 나타날 것이다. 새로운 성장과 복과 은혜의 계절을 보게 되리라.

2

최고의 은혜

나는 구하는 대로 받는다

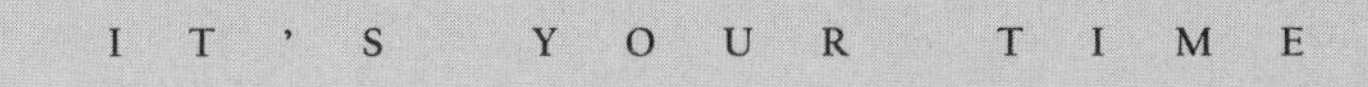
I T ' S   Y O U R   T I M E

믿음이 이긴다
최고의 삶

Chapter 01

더 과감하게 구하라

우리가 섬기는 하나님께는 불가능이나 한계가 없다.
그분의 은혜 한 번이면 세상이 뒤바뀐다!

내 주위에는 창의력이 뛰어난 친구들이 즐비해 있다. 그런데 그중 한 명은 하마터면 놀라운 창의력을 발휘할 기회를 얻지 못할 뻔했다. 그의 어머니는 17세 때 미혼인 상태에서 그를 임신했다. 그녀는 백인이었고 그의 아버지는 흑인이었다. 1971년 아이오와 주의 작은 마을에서 이 둘의 사랑이 곱게 이루어질 리가 없었다.

여자의 부모는 아이를 지우라는 최후통첩을 내렸다. 아이를 지우지 않을 거면 집을 나가라고 한 것이다! 결국 여자는 부모 대신 아이를 선택했다. 한때 전도유망한 피아니스트였던 여자는 임신 8개월이 지난 배를 홀로 움켜쥔 채 샌디에이고로 도망가 마약에 빠져들었다.

어느 날 여자는 거리에서 하나님의 사랑과 용서에 관한 메시지를 듣고 그리스도를 영접했다. 그리고 그때 얻은 성경책을 뒤적이다가 이스라엘이란 이름에 시선이 꽂혔다. '아이를 낳으면 이름을 이스라엘이라고 지어야겠어.' 여자는 하나님도 잘 모르고 기도하는 법도 몰랐지만 담대하게 선포했다. "하나님, 제 아기를 당신께 드립니다. 이 아이를 통해 위대한 일을 이루어 주십시오."

십대 미혼모의 음악적 재능은 아기에게 고스란히 전해졌다. 아니나 다를까, 아이는 자랄수록 놀라운 음악적 재능을 보였다. 다루지 못하는 악기가 거의 없을 정도였다. 작곡과 작사 실력도 남달랐다. 아이는 점점 자라면서 하나님의 선하심을 선포하는 찬양을 작곡하기 시작했다.

오늘날 미국에서 이스라엘 휴튼(Israel Houghton)을 모르는 사람은 거의 없다. 그는 우리 시대 가장 위대한 찬양 리더이자 작곡가 중 한 명이다. 이스라엘이 이끄는 뉴 브리드(New Breed) 밴드는 그래미상도 받았으며 전 세계를 돌며 영광의 찬양을 드리고 있다.

기도의 크기를 키우라

지금은 은혜의 때다. 하나님은 당신에게 복 주기 원하신다. 하나님은 당신의 지경을 넓히기 원하신다. 하나님께 매일 더 큰 영향력을 얻게 해 달라고 과감히 기도할 수 있겠는가? 하나님께 더 큰 복을 달라고 기도하라. 이것은 이기적인 기도가 아니다. 성경은 우리가 구하지 않아서 받지 못한다고 말한다.

하나님이 예비하신 복을 온전히 다 받으려면 과감한 기도를 드릴 수 있어야 한다. 대다수의 사람들이 너무 많은 것을 요구하는 기도는 옳지 않다고 생각한다. 사실, 탐욕스럽거나 이기적으로 보이고 싶은 사람이 어디에 있겠는가? 그들은 내게 이렇게 말한다. "하나님께서 마음이 동하시면 알아서 복을 주시겠죠. 내가 요구한다고 더 주시겠어요?"

그런가 하면 요청은 하되 너무 '작은' 기도를 드리는 사람도 있다.

"하나님, 아내와 헤어지지만 않게 해주세요." "하나님, 이번 달에 굶지만 않게 해주세요." "하나님, 우리 아이가 학교에서 퇴학당하지만 않게 해주세요."

우리는 보다 과감한 기도를 드려야 한다. "하나님, 제 필요만 채워주지 마시고 남에게도 나눠줄 수 있게 차고 넘치도록 부어 주세요."

"하나님, 우리 부부가 이혼하지 않는 정도가 아니라 세상에서 제일 행복한 부부가 되게 해주세요."

"하나님, 우리 아이가 리더가 되고 하나님이 주신 소명을 온전히 이루도록 해주세요."

예수님은 "너희 믿음대로 되리라"라고 말씀하셨다. 이것은 우리가 작게 기도하면 작게 받는다는 뜻이다. 반대로, 과감한 기도를 드리면 크게 받는다. 큰 기도를 드리고 많이 기대하면 하나님이 큰 역사를 이뤄주신다.

하나님은 큰 것을 구하라고 말씀하신다. 하나님께 마음 깊이 숨겨진 꿈을 아뢰라. 인간의 눈으로는 불가능해 보이는 일을 위해 기도하라. 가족이나 친구와의 깨진 관계를 다시 이어 달라고 기도하라. 병마에서 자유케 해 달라고 요청하라. 재능을 온전히 발휘하게 해 달라고 기도하라.

시편 2편 8절은 이렇게 말한다. "내게 구하라 내가 이방 나라를 네 유업으로 주리니 네 소유가 땅끝까지 이르리로다."

특별한 믿음엔 특별한 응답을

제이미(Jamie)는 7세 때 농장을 경영하는 아버지에게 자신만의 송아지를 갖고 싶다고 말했다. 마침 암소 한 마리가 막 새끼를 낳기 직전이었지만 제이미의 아버지는 이미 농장 경영을 서서히 정리하기로 결심한 터라 곧 태어날 이 새끼를 포함해서 모든 송아지를 팔 생각이었다. 하지만 제이미는 날이면 날마다 아버지를 졸라댔다. "제발 아빠, 이 송아지를 저한테 주세요."

몇 주 후 아버지는 결국 딸에게 항복하고 말았다. "좋다. 대신 나와 내기를 하자꾸나. 태어날 송아지가 검정색이면 네가 갖고, 다른 소들처럼 점이 있거나 갈색이면 팔자꾸나."

제이미는 그러마고 약속한 뒤 검은 송아지가 태어나게 해 달라고 매일같이 하나님께 기도했다. "하나님, 새까만 송아지가 나올 줄 믿고 미리 감사드려요. 제 송아지가 될 줄 무조건 믿어요."

이 얼마나 보기 드문 믿음인가! 우리 어른들은 웬만해선 이런 기도를 드리지 못한다. 우리는 이것이 너무 극단적인 기도라고 생각한다.

하지만 나는 극단적인 믿음이 극단적인 결과를 낳는다는 것을 깨달았다. 몇 주 후 송아지가 태어났다. 무슨 색이었을까? 당연히 까만색이었다. 게다가 두 눈 사이에 'J' 모양의 커다란 반점이 박혀 있었다.

마치 하나님이 제이미의 송아지라는 표시로 송아지의 두 눈 사이에 'J'라고 '쾅' 도장을 찍은 것 같았다.

우리가 특별한 믿음을 보이면 하나님도 특별한 일을 행해 주신다. 많은 사람들이 다른 사람들을 위해서는 빼놓지 않고 기도하면서 정작 하나님이 자기 마음에 주신 꿈에 대해서는 구하지 않는다. 그래서는 안 된다. 하나님과 단둘이 있는 조용한 시간에 당신 마음 깊은 곳에 있는 원대한 소망과 꿈을 그분께 아뢰라.

불가능한 꿈이라고 생각되거든 솔직하게 아뢰라. "하나님, 제 눈에는 불가능해 보입니다. 그래도 대학에 가서 학업의 꿈을 다시 이루고 싶습니다." "늦은 나이지만 회사를 세우고 싶습니다." "남들은 다 늦었다고 말하지만 어떻게든 결혼해서 가정을 이루고 싶습니다."

하나님께 과감히 거창한 꿈과 포부를 아뢰라. 시시한 꿈에 만족하지 마라. 작가의 꿈, 중독의 사슬을 끊는 꿈, 다른 나라의 가난한 자들을 섬기는 꿈이 있지만 엄두가 나지 않아서 그냥 마음 깊은 곳에 묻어 두었는가? 그래서 열정을 잃고 '생존을 위한 기도'만을 드리고 있는가?

"하나님, 오늘 하루만 잘 버티게 해주세요."

"주님, 회사에서 쫓겨나지만 않게 해주세요."

"하나님, 더 이상은 신호위반 딱지를 끊지 않게 해주세요."

이런 기도가 잘못된 것은 아니다. 하지만 이것은 세계 최고의 의사를 찾아가 부러진 다리에 밴드 하나만 붙여 달라고 부탁하는 것이나 다름없다.

꿈의 열정을 다시 불태우라. 포기했던 거대한 꿈과 포부를 하나님께 아뢰라. 하나님은 죽은 꿈까지도 다시 살려 내실 수 있는 분이다. 명심하라. 하나님께 구하는 것은 믿음의 행위다. 에베소서를 보면 하나님은 우리가 요청하거나 생각한 것보다 훨씬 더 많은 일을 해주실 수 있다.

내 친구 톰(Tom)의 딸 샤리(Shari)는 3세 때 날카로운 것에 베어 손가락 두 개의 끝이 떨어져나갔다. 가족들은 샤리를 업고 응급실로 달려갔다.

출혈이 멈추자 의사가 샤리의 손가락을 검사한 후 톰에게 말했다. "죄송합니다만 따님의 손가락을 완전히 정상으로 만들기는 힘들겠어요. 두 손가락은 다른 손가락들보다 약간 짧고 손톱도 나지 않을 거예요."

의사는 뼈가 절단되었기 때문에 기껏해야 흉터를 줄이기 위해 피부를 이식하는 것밖에 달리 방법이 없다고 말했다.

그러자 톰은 무례하지는 않되 단호하게 말했다. "하나님이 우리 딸의 손가락을 완전히 고쳐 주실 겁니다."

최고의 삶을 위한 TIP

작은 기도는 세계 최고의 의사에게 부러진 다리에 밴드 하나만 붙여 달라는 것과 같다.

다른 나라에서 무신론자로 살아온 의사는 다시 이렇게 말했다. "좋을 대로 생각하세요. 하지만 뼈는 분명히 절단되었습니다."

하지만 톰의 믿음은 요지부동이었다. 의사는 계획대로 피부 이식을 했다. 그로부터 6주 후 가족은 검사를 위해 샤리를 데리고 다시 병원을 찾았다. 그런데 손가락의 붕대를 풀자마자 의사의 입에서 외마디 탄성이 터져 나왔다. "이럴 수가!"

놀란 톰이 물었다. "뭐가 잘못됐나요?"

"손가락이 다시 자랐어요. 게다가 손가락의 길이도 정상이에요."

그것이 벌써 20년 전의 일이다. 샤리의 두 손가락은 지금까지도 완전히 정상이다. 샤리의 이야기를 떠올릴 때마다 우리가 하나님께 기적을 요청해야 한다는 생각이 든다. 그렇다고 의학 전문가들을 무시하는 것은 아니다. 그러나 그들과는 비교할 수 없을 정도로 대단한 의학 전문가가 계신다. 그분은 우리 모두에게 생명 자체를 불어넣으신 분이다. 우리 몸은 바로 하나님이 지으신 것이다.

믿음의 한계는 없다

많은 사람이 이렇게 말한다. "하나님을 귀찮게 하면 못써. 큰일을 하느라 바쁜 분을 내 작은 문제로 귀찮게 해서야 쓰겠어?"

놀라지 마라. 하나님께는 당신의 문제가 가장 크고 중요하다. 당신은 그분의 눈동자다. 당신은 그분이 가장 소중하게 여기시는 보물이다. 그분은 당신을 지극히 아끼신다.

그러니 큰 믿음을 가지고 과감한 기도를 드리라. 우리 스스로 이룰 수 있는 꿈이라면 굳이 하나님의 도움을 요청할 필요가 없다. 그래서는 믿음이 성장하지 않는다. 우리는 하나님의 은혜로만 실현 가능한 거대한 복을 요청해야 한다. 그래야 믿음이 자라난다.

하나님의 전능하신 손길을 필요로 할 만큼 크고 놀라운 복을 구하라. "하나님, 제 주택 대출금을 다 갚을 뿐 아니라 어머니에게도 집을 사 드리게 해주세요."

불가능하다고 생각하는가? "목사님, 제가 얼마나 비참한 곳에서 사는지 아세요?"라고 따지고 싶은가?

하지만 믿는 자에게 불가능은 없다. 우리가 섬기는 하나님은 한계를 모르시는 분이다. 그분의 은혜 한 번이면 세상이 뒤바뀐다!

하나님은 우리에게 큰 복을 주기 원하신다. 하지만 우리가 그 복을 받으려면 그에 걸맞은 과감한 요청을 해야 한다. 나 자신만 생각 하는 이기적인 사람이 되라는 말이 아니다. 자신의 복만 구하는 기도는 균형을 잃은 기도다. 하지만 소극적인 기도도 옳지 않다.

"굶지 않고 살면 됐어. 어떻게 염치없이 더 많은 복을 구해? 나와 내 가족 문제로 하나님을 귀찮게 할 수는 없어."

그렇지 않다. 자신의 복을 구하는 것이 반드시 이기적인 기도는 아니다. 우리는 입에 풀칠만 하며 살아갈 존재가 아니다. 고아를 돌보고 가난한 자를 위해 무료 병원을 세우고 거리의 싱글 맘을 도울 수 있을 만큼 충분한 복을 구하는 게 어떤가?

내 친구 디켐베 무톰보(Dikembe Mutombo)는 한때 자이르라고 알려졌다가 지금은 콩고 민주공화국으로 불리는 아프리카 국가에서 자랐다. 열 명의 자녀 중 일곱째로 태어난 무톰보의 집에는 그의 식구뿐 아니라 사촌에다가 다른 친척들까지 함께 살았다. 그의 아버지는 네 명에 한 명이 빈민자인 수도의 학교 시스템 책임자였다.

한때 의사를 꿈꾸었던 무톰보는 자라면서 자기 나라에 의료 시설이 부족해서 죽어가는 사람이 많다는 사실을 알게 되었다. 최신 의료 기술만 있으면 쉽게 고칠 수 있는 질병인데 그 때문에 목숨을 잃는 아동과 성인이 많았다.

다행히 이 똑똑하고 운동 신경이 좋은 소년에게는 뭔가 특별한 게 있었다. 그것은 바로 과감한 기도를 두려워하지 않는 태도였다. "하나님, 제가 동포들을 돕게 해주십시오. 이 꿈을 이룰 수 있는 길을 열어 주십시오."

전능하신 하나님은 특별한 방법으로 어린 무톰보의 소원을 들어주셨다. 무톰보가 똑똑했기 때문에 하나님이 그를 의사로 만들어 주셨을까?

아니다. 대신 하나님은 무톰보를 하루가 다르게 쑥쑥 자라게 해주셨다. 아침에 눈만 뜨면 키가 자라 있었다. 매일 키가 쑥쑥 자라자 아버지는 아들에게 축구 대신 농구를 해보라고 권했다. 하지만 처음에는 큰 키에 비해 근력이 부족해서 어려움이 많았다. 그래서 2미터가 넘는 키에도 불구하고 그는 운동 장학생이 아니라 성적만으로 조지타운 대학에 갔다. 그런데 이것이 오히려 전화위복이었다.

무톰보는 의학을 공부한 뒤 고국으로 돌아가 동포들을 도울 생각이었다. 하지만 2학년 때 농구 코치 존 톰슨(John Thompson)의 눈에 띄어 농구 팀 오디션에 합격했을 뿐 아니라 결국 스타플레이어가 되었다. 그리고 나중에는 드래프트 1라운드에 NBA 덴버 너겟츠(Denver Nuggets)에 입단했다. 나중에 휴스턴 로키츠(Houston Rockets)로 이적한 그는 NBA 역사상 가장 뛰어난 수비수 중 한 명이다.

비록 의사는 되지 못했지만 그는 과감한 꿈을 포기하지 않았다. 1997년 어머니가 암으로 세상을 뜨자 고국의 열악한 의료 현실이 다시금 무톰보의 마음을 뒤흔들었다. 그로부터 10년 후 무톰보는 고향에 연구와 교육을 병행하는 병원을 설립하고 150만 달러를 기부했다. 게다가 그가 모금한 돈까지 합치면 그 액수는 수백만 달러에 달한다. 그는 병원의 명칭을, 항상 큰 꿈을 꾸라고 가르치셨던 어머니의 이름을 따서 지었다.

복에 복을 더하소서

구약 성경에 나오는 야베스는 그 이름의 뜻이 고통과 고난, 시련, 상심이었다(대상 4:9–10). 고대에는 사람의 이름이 지금보다 훨씬 더 중요했다. 사람들이 자기 이름대로 사는 경우가 많았다. 예를 들어, 야곱은 '사기꾼'을 뜻한다. 실제로 성경을 보면 야곱은 사람들을 속이고 기만했다.

반면 여호수아라는 이름은 '구원자'를 뜻한다. 여호수아가 하나님의 백성을 구원했던 것은 필시 그가 자기 이름의 뜻을 날마다 곱씹었기 때문일 것이다.

이제 야베스의 처지가 상상이 가는가? 친구들이 그 이름을 부를 때마다 야베스는 고통과 고난, 시련, 상심을 떠올려야 했다. 야베스가 학교에서 겪었을 고충이 짐작이 가고도 남는다. 이름 때문에 얼마나 많은 놀림을 받았겠는가?

> **최고의 삶을 위한 TIP**
>
> 당신은 하나님이 가장 소중하게 여기시는 보물이다. 그러니 과감하게 기도하라.

"야, 저기 고통이가 있다. 저기 상심이가 온다."

야베스는 이름에 발목이 잡힐 수도 있었다. 이름 때문에 자아상이 깨져 열등감과 불안감에 휩싸일 수도 있었다. 하지만 성경은 야베스가 가족 중에서 가장 많은 존경을 받았다고 말한다. 그런데 그에 관한 내용은 짧은 기도 한 토막이 전부다.

"하나님, 제게 복에 복을 더하여 주세요."

이 기도가 얼마나 용기 있는 기도인지 생각해 보라. 여기서 키워드는 "복에 복을 더하사"라는 말이다. 기도 속에 깃든 야베스의 과감함이 보이는가? 그는 무슨 배짱으로 그런 기도를 드렸을까? 이름대로라면 그는 고통스럽고 슬픈 인생을 살아야 마땅했다. 패배자로 살아야 정상이었다. 그러나 그는 패배자 정신을 떨쳐 버리고 승자처럼 말했다. "내 이름이 무엇이든 상관없다. 겉모습은 중요하지 않다. 나는 나의 참 모습을 안다. 나는 지극히 높으신 하나님의 자녀며 내 미래는 하나님께 복을 받았다."

야베스는 여기서 그치지 않고 나아가 "제 영역을 넓혀 주세요"라고 기도했다. 풀이하자면 이렇다. "하나님, 제 한계를 넘게 해주세요. 평균을 뛰어넘는 복을 주세요."

야베스에 관한 내용은 10절에서 끝이 난다. "야베스야, 그만 좀 귀찮게 하렴. 네 이름 뜻을 잘 알지 않느냐? 네 부모가 지어준 이름처럼 네 운명은 고통과 상심이야." 하나님이 이렇게 말씀하셨을까? 아니다. 10절에 기록된 말씀처럼 아주 단순명료하다. "하나님이 그가 구하는 것을 허락하셨더라."

우리가 섬기는 하나님은 이렇게 멋진 분이다. 우리가 과감한 기도를 드리면 하나님은 과감한 역사로 응답해 주신다.

인생의 출발이 영 좋지 않았는가? 불공평한 대우를 받았는가? 많은 실패를 경험했는가? 야베스가 지금 당신 앞에 있다면 이렇게 충고할 것이 분명하다. "현재에 안주하지 마세요. 하나님께 과감하게 구하면 복에 복을 받을 수 있습니다."

실수를 저질렀는가? 어리석은 선택을 했는가? 인생이 끝난 것만 같은가? 하루하루 죽지 못해 살아가고 있는가? 관계가 깨지는 바람에 마음에 깊은 상처를 입었는가? 사랑에 된통 속았는가? 그래서 행복한 가정에 대한 꿈일랑 완전히 접어 버렸는가?

그렇다면 야베스처럼 하나님께 과감하게 구하자. "하나님, 제 눈에는 끝난 것처럼 보입니다. 좋은 시절은 다 간 것만 같습니다. 하지만 당신은 한계를 초월하는 분인 줄 내가 믿습니다. 그래서 과감히 요청합니다. 제게 완벽한 짝을 보내 주십시오."

아무리 어려운 상황이라도 과감한 기도를 드리면 남은 생이 지난 삶보다 훨씬 좋아질 수 있다. 매일 눈을 뜨자마자 이렇게 기도하라. "하나님, 당신이 저를 사랑하시는 줄 압니다. 저를 위해 복을 쌓아두셨다고 믿습니다. 그래서 오늘 제 삶을 향한 당신의 넘치는 복과 은혜를 구합니다."

이것은 이기적인 기도가 아니다. 이것은 하나님을 의지한다고 고백하는 믿음의 기도다. 우리는 그냥 복만 구하지 말고 복에 복을 구해야 한다. 더 큰 비전을 품어야 한다.

꿈이 하루아침에 이루어지지는 않겠지만 그래도 믿음을 유지하라. 성경은 구하고 또 구하라고 말한다. 두드리고 또 두드리라. 필요하다면 이삼십 년이라도 계속해서 구하고 믿고 기대해야 한다.

Chapter

02

생존을 넘어 번영으로 나아가라

하나님은 사막 한가운데서도 우리를 번영케 하실 수 있다.
하나님을 제한하는 것은 오직 우리의 생각뿐이다.

GE, 휴렛팩커드(HP), IBM, 마이크로소프트(Microsoft), 이 회사들의 공통점이 뭔지 아는가?

이 혁신적인 미국 기업들은 모두 극심한 불경기 속에서 태어났다. 시련은 인류 역사 곳곳에서 창의력과 혁신과 성취의 촉매제 역할을 해 왔다. 하지만 상황이 힘들어지고 일이 뜻대로 풀리지 않을 때는 주저앉기 쉬운 것도 사실이다. 고난중에는 성장과 전진에 관해 생각하기가 쉽지 않다.

대개 사람들은 경제가 악화되고 있다는 뉴스를 듣거나 일신상의 문제가 생기면 부정적인 생각에 빠지기 쉽다. 이런 태도는 우리가 정신을 바짝 차리지 않으면 어느새 우리 마음에 뿌리를 내린다. 믿음이 퇴색되고 더 높이 오를 수 있다는 자신감이 사라지게 된다. 그래서 현재 상태를 유지하는 데만 급급하게 된다. 생존이 목표가 되는 것이다.

하지만 우리는 겨우 생존만 할 존재가 아니다. 우리는 새로운 지경으로 나아가도록 창조된 사람들이다. 관계나 사업 등에서 어려움을 하도 많이 겪어서 어느새 생존만 해도 감지덕지라고 생각하는 사람들을 나는 수없이 많이 보아 왔다. 그들은 상황이 좋아져도 스스로를 생존자 이상으로 생각하지 못한다. 예전에 한 남자가 "허리케인 카트리나 속에서 목숨을 건졌다"라고 적힌 티셔츠를 입은 것을 보았다. 역사상 보기 드문 재난 속에서 살아남은 것은 감사할 일이지만 생존자 정신에 머무는 것은 바람직하지 않다. 우리는 그리스도 안에서 세상을 정복한 정복자들이다.

살다보면 힘든 시절이 있기 마련이다. 매번 추수의 계절일 수는 없다. 때로는 상황이 점점 더 나빠지는 시기가 오기도 한다. 문제는 우리가 패배자나 단순히 생존한 사람들에 관한 이야기를 너무 많이 들었다는 것이다. 하지만 어떤 상황에서든 단순한 생존을 넘어선 정복자들이 있다. 허리케인 카트리나 재난 때도 영웅들이 있었다.

고등학교 교장 엘머 멀린스(Elmer Mullins)와 군보안관의 직속 지휘관 윈디 스웨트먼(Windy Swetman Jr.)은 카트리나 당시 한 대피소를 운영했다. 당시 3백 명에 가까운 사람들이 미시시피 주 빌럭시 근처의 이 고등학교로 대피해 왔다. 사람들은 대피소가 범람원(수위가 높을 때 물에 잠기는 지역-역주) 위에 있다고 하여 이곳을 '최후의 대피소'라고 불렀다. 다시 말해, 아무 데도 갈 곳이 없는 사람들만 오는 대피소였다.

어떤 이들은 헤엄을 쳐서 이곳으로 왔고 어떤 이들은 도중에 목숨을 잃기도 했다. 한번은 교장과 군보안관이 학교 버스를 타고 폭풍 한가운데로 들어가 물에 빠진 세 명의 의원과 경찰견 두 마리를 구해오기도 했다. 그들은 주저앉아 있지 않았다. 대피소 안을 어슬렁거리고만 있지 않았다. 단순히 살아남은 게 아니라 그들은 밖으로 나가 허리케인을 정복했다.

우리의 근원은 하나님이다

예레미야는 하나님을 믿고 신뢰하면 사막에서도 번영할 수 있다고 말한다. 하나님은 고난 속에서도 우리에게 번영을 주신다. 남들이 다 추락해도 우리는 비상할 수 있다는 뜻이다.

다른 사람들이 고객을 잃고 적자를 낼 때도 하나님은 우리에게 새로운 고객을 보내 주신다. 기업들이 무자비한 해고를 감행할 때도 하나님은 우리에게 초자연적인 문을 열어 주신다. 그러므로 모두 다 걱정과 근심으로 움츠러들 때 우리는 오히려 복을 믿고 기대하며 과감히 전진해야 한다.

한마디로 우리는 번영의 태도를 품어야 한다. 그것은 우리가 사막에 있을 때도, 이를테면 가정 경제가 흔들리고 부정적인 진단을 받았을 때도 여전히 하나님이 다스리고 있다는 것을 알기 때문이다. 직장은 우리의 근원이 아니다. 세계 경제도 우리의 근원이 아니다. 우리의 근원은 오직 하나님뿐이다.

어떤 의미에서 정말 중요한 것은 주식시장의 강세나 약세가 아니다. 기름 값이 얼마나 비싼지도 크게 상관없다. 최종 결정권은 언제나 하나님께 있다. 상황이 아무리 힘들어도 하나님이 복을 받는다고 말씀하시면 반드시 복을 받는다.

"의인이 버림받거나 그 자녀들이 구걸하는 것을 본 일이 없습니다." 다윗이 시편에서 한 말이다. 그런가 하면 마태복음 6장 33절에서는 하나님의 나라와 그의 의를 먼저 구하면 꼭 필요한 모든 것이 더해질 것이라고 약속한다. 이런 약속에도 불구하고 우리는 부정적인 말에 속아 생존자처럼 굴 때가 많다.

단순한 생존이 아닌 번영에 관해 이야기해 보는 게 어떤가? 하나님이 주신 이성을 잘 사용해야 하지만 너무 이성적으로만 굴어서도 곤란하다. 이성적으로만 판단해서 상황에 움츠러들거나 꿈을 포기해서는 안 된다.

상황이 어려운가? 도무지 빠져나갈 구멍이 보이지 않는가? 명심하라. 주님은 떡 다섯 개와 물고기 두 마리로 5천 명이나 되는 사람들을 먹이셨다.

> **최고의 삶을 위한 TIP**
>
> 하나님을 제한하는 것은 오직 우리의 생각뿐이다. 생존자의 태도를 벗어 던져라.

하나님은 우리의 시간을 불려 더 많은 일을 해내도록 하실 수 있다. 그분은 우리의 지혜도 불려 더 현명한 결정을 내리도록 하실 수 있다. 그분은 우리의 재정을 불려 남들을 돕도록 만드실 수 있다. 만사가 온전히 하나님의 손안에 있다.

힘든 일이 닥쳐도 움츠러들지 마라. '큰일 났어. 어떻게든 살아남아야겠어.' 그러지 말고 어깨를 당당히 펴고 말하라. "단순한 생존은 싫어. 상황이 아무리 힘들어도 나는 번창할 수 있어."

하나님의 창고는 풍성하다

생존자의 태도는 우리가 하나님의 최선을 이루지 못하도록 방해한다. 그러므로 생존자의 태도를 버리고 하나님의 도우심을 구하라.

나쁜 소식이 날아들 수도 있다. 경기가 곤두박질할 수도 있다. 건강이 나빠지고 관계가 흔들릴 수도 있다. 하지만 좋은 소식이 있다. 만사가 여전히 하나님의 손안에 있다는 것이다! 천국에는 경기 후퇴가 없다. 유가가 고공행진을 해도 하나님 사전에 예산 삭감은 없다. 하나님의 창고에는 음식과 물이 떨어지는 법이 없다.

우리의 근원되시는 분이 이토록 든든하니 걱정할 게 무엇인가? 우리는 포도나무에 딱 붙어 있기만 하면 된다. 하나님을 삶의 중심에 모시고 그분의 복을 믿고 기대하면 그분의 가지인 우리는 반드시 단순한 생존을 뛰어넘어 번영을 하게 된다.

우리는 믿음의 끈을 단단히 부여잡고 있어야 한다. 부정적인 목소리들이 무섭게 달려들어 우리의 꿈을 빼앗거나 우리를 현실에 안주하도록 만들기 때문이다. 이런 목소리들이 우리 마음에 뿌리를 내리면 생존자의 태도로 열매를 맺는다.

적게 기대하면 적게 받기 마련이다. 하나님이 당신의 삶에 더 크게 역사하시기를 기대하라. 올해가 인생 최고의 해가 되기를 기대하라. 경기가 좋아서 다들 걱정 없이 살 때는 당신이 복을 받고 승진하는 것이 큰 이슈가 되지 못한다. 하지만 연일 암울한 뉴스만 발표되는 때 남다른 복을 받는다면 그것은 우리 하나님의 선하심과 신실하심에 대한 결정적인 증거가 된다.

아버지 친구 중에 플로리다 주에서 오렌지 농사로 크게 성공한 분이 있다. 드넓은 과수원이 모두 그분의 소유였다. 그런데 한 해 겨울, 유례없이 혹독한 추위가 들이닥칠 거라는 일기 예보가 나왔다. 다른 과수원 주인들은 혹한으로 오렌지 나무가 죽거나 한 해 농사를 망치게 되지는 않을까 두려움에 떨었다.

하지만 그분은 놀라운 믿음의 소유자였다. 그는 한파가 닥치기 직전 오렌지 나무 주위를 돌며 큰소리로 기도를 드렸다. “하나님, 제 나무들이 얼지 않도록 보호해 주세요.”

무서운 한파는 24시간 이상 지속되었다. 다른 과수원 주인들은 농작물이 죽을까봐 전전긍긍했지만 아버지의 친구는 자신의 농사를 보호해 주실 하나님께 끊임없이 감사를 드렸다.

한파가 물러갔을 때 주변의 과수원들은 모두 폐허가 되었다. 그러나 그분이 운영하는 과수원은 조금의 피해도 입지 않았다. 나무에 크고 먹음직한 오렌지가 여전히 주렁주렁 달려 있었다. 마치 하나님이 그의 과수원에 거대한 담요를 씌워 놓으신 것 같았다.

다른 과수원 주인들은 어리둥절했다. 아버지의 친구가 과수원에서 기도할 때마다 놀리던 그들이 이제는 오히려 기도를 부탁했다. “다음에는 우리 과수원을 위해서도 기도해 주게!”

하나님의 품 안에 있는 우리는 지극히 안전하다. 우리가 담대히 믿기만 한다면 하나님은 사막 한가운데서도 우리를 번영케 하실 수 있다. 성경은 “너를 치려고 제조된 모든 연장이 쓸모가 없을 것이라”(사

54:17)라고 말한다. 사고와 실패가 닥쳐와도 우리는 단순한 생존만을 추구하지 말아야 한다. 하나님이 초자연적으로 우리를 보호하실 줄 굳게 믿어야 한다. 하나님이 세상에 다시없을 복을 주시리라 기대해야 한다.

하나님의 능력을 제한하지 마라

사업이 휘청거리고 있는가? 아니, 시장 전체가 흔들리고 있는가? 새로운 고객, 새로운 기회를 주실 하나님께 감사드리는 게 어떤가? 하나님께 초자연적인 문을 열어 달라고 기도하라.

"저런, 경기가 곤두박질하고 있어. 이러다가 우리 회사도 덩달아 추락하겠어!"

그렇지 않다. 오히려 최고의 수익을 거두게 해주실 하나님께 감사하라. 승진, 뜻밖의 인맥, 초자연적인 행운, 인생 최고의 해를 준비하며 감사의 기도를 드리라. 단순한 생존이 아닌 번영으로 나아가라. 나쁜 경기도 하나님의 능력을 제한할 수 없다. 주변 상황도 하나님의 역사를 방해할 수 없다. 하나님을 제한하는 것은 오직 우리의 생각뿐이다.

"내 회사는 더 커질 수 없어. 경기가 너무 안 좋아."

"다른 집들도 팔리지 않고 있는데 우리 집만 팔릴 리가 없어."

"많은 동료들이 해고를 당하는데 내가 어떻게 승진할 수 있겠어?"

우리는 이런 생존자의 태도를 벗어 던져야 한다. 하나님은 힘든 시기에 역사하길 좋아하신다. 하나님은 더 큰 영광이 돌아오기 때문에 평범하지 않은 역사를 자주 행하신다. 우리가 말로 하나님의 선하심을 자랑하는 것보다 놀라운 경험으로 그것을 증명해 보이는 것은 훨씬 더 효과적이다.

근근이 살아갈 것이라고 믿으면 정말로 근근이 살아가게 된다. 힘든 한 해가 될 거라고 믿으면 그 믿음이 실제로 시련을 끌어들인다. 그러므로 우리는 복을 받았다고 믿어야 한다. 복을 받을 거라고 믿지 말고 복을 이미 받았다고 믿어야 한다. 하나님의 은혜가 자신을 온통 감싸고 있다고 믿어야 한다.

"하지만 목사님, 제 눈에는 그 복이 전혀 보이지 않아요. 은혜가 느껴지지 않아요. 내 평생에 좋은 일이라고는 없었어요."

그래서 믿음이 필요한 것이다. 우리는 보기 전에 먼저 믿어야 한다. 이미 복을 받은 것처럼 행동하고 말하고 생각해야 한다. 이것이 진짜 믿음이다. 진정으로 믿는 자에게는 하나님의 복과 은혜가 찾아온다.

"집값이 하룻밤 새 만 달러나 떨어졌어." "우리 회사가 규모를 축소하고 있어." "식료품 가격이 천정부지로 뛰었어."

이렇게 문제만 골똘히 생각하면 문제투성이 인생이 된다. 입이 가난하면 삶도 가난해진다. 일자리가 생기지 않아도 포도나무에 붙어 있는 우리의 삶은 걱정이 없다. 관계가 깨졌어도 상관없다. 하나님이 여전히 다스리고 계신다. 돈이 없어서 살아갈 길이 보이지 않아도 만물의 주인이신 하나님이 계시니 걱정이 없다. 믿음으로 굳게 서라.

최고의 삶을 위한 TIP

문제가 아닌 답에 집중하면 기분이 좋아지고 목표를 이룰 능력이 강해진다.

소위 '희망 이론'을 연구하는 심리학자와 연구가들은 문제가 아닌 답에 집중하면 기분이 좋아지고 목표를 이룰 능력이 강해진다는 사실을 발견했다.

하나님의 시각을 품으라. 뒤가 아닌 앞을 보며 말하라. "회복의 시간이 왔다. 우리 하나님은 회복의 하나님이다. 내 은혜의 때가 왔다. 지금 내가 비록 사막 한가운데 있지만 하나님은 이곳에서도 나를 번영하게 하실 수 있다. 하나님이 내 편이신데 누가 감히 내게 대적하겠는가!"

우리는 아브라함의 복을 받은 사람들이다

옛날 옛적 아브라함과 조카 롯은 온 가족과 가축들을 이끌고 새로운 땅에 이르렀다. 그런데 막상 그곳에 도착해 보니 두 집안이 먹고 살 만큼 넓지 않았다. 그래서 도량이 넓은 아브라함이 조카 롯에게 말했다. "네가 먼저 어디서 살지 선택하려무나. 그러면 나는 다른 곳으로 가마."

그러자 롯은 그 땅에서 가장 좋은 지역을 골랐다. 울창하고 푸르른 초장과 아름다운 연못, 적당한 언덕이 있는 그곳은 엽서에나 등장할 법한 낙원이었다. 반면에 아브라함은 불모의 사막으로 떠났다. 바위와 모래만 깔려 있는 메마르고 황량한 땅으로.

아브라함의 머릿속을 처음 스치고 지나간 생각이 무엇이었을지 짐작이 간다. '여기서 생존할 수 있을지 모르겠군. 하나님, 어떻게 살아남죠? 물도 음식도 부족한데 어떻게 버티죠?'

하지만 잠시 후 아브라함은 중요한 원칙을 떠올렸을 것이다. 최선

꿈의 불씨를 되살리라. 열정을 되살리라. 당신의 꿈이 죽은 것처럼
보여도 그 꿈은 묻히지 않았다. 심겨져 있을 뿐이다.
때가 되면 다시 살아난다.

을 다해 하나님께 영광을 돌리며 살면 어디를 가든 하나님의 복이 따라다닌다는 것을. 심지어 만물이 죽어가는 사막 한가운데서도 우리는 번영을 누릴 수 있다.

오래지 않아 아브라함 주변의 사막은 오아시스로 변했다. 성경은 아브라함의 농작물과 가축이 넘치도록 늘어났다고 말한다. 아브라함은 명실상부 중동 최고의 갑부가 되었다.

이 이야기가 주는 교훈은 남들이 간계와 술수로 우리의 승진을 빼앗더라도 걱정하지 말라는 것이다. 우리가 있는 곳이 바로 복이 나타나는 곳이다. 우리는 머나먼 무인도에 상륙해서도 복을 받을 수 있다. 왜냐하면 우리가 어디를 가든 복이 따라다니기 때문이다.

성경의 요셉이 그랬다. 형들은 그를 구덩이에 빠뜨렸다가 노예 상인에게 팔아넘기기까지 했다. 하지만 요셉은 바로의 호위대장 보디발의 노예가 되어 결국 그 집안의 모든 살림을 맡아 보는 위치까지 오르게 된다. 나중에 모함을 받아 감옥에 들어가지만 이번에도 간수들이 그에게 감옥 전체를 맡기게 된다. 그리고 결국 아무도 풀지 못한 바로의 꿈을 해석해 준 후 나라 전체를 맡는 총리의 자리에 앉게 되었다.

선한 사람은 무너지지 않는다. 뛰어나고 진실한 삶으로 하나님께 영광을 돌리면 반드시 하나님의 복이 임한다. 우리는 어디를 가든 꼬리가 아닌 머리가 될 수 있다. 따라서 우리는 고개를 높이 들고 살아야 한다. 교만하게 굴라는 말이 아니라 자신감을 품으라는 말이다. 일터나 상점, 야구장, 그 어디를 가든 자신을 향해 말하라. "이곳에 복이 임할 거야."

아브라함처럼 지금 당신도 별로 좋지 않은 땅에 있는가? 맘에 썩 들지 않는 아내와 이웃, 직장을 갖고 있는가? 하지만 복의 크기는 장소와 상관없다. 그리고 결정권은 오직 하나님께만 있다. 곰곰이 돌이켜보면 당신이 가는 곳마다 복이 따라다녔다. 느껴지지 않는가? "나는 복을 받았어. 하나님의 선하심과 긍휼하심이 지금도 나를 따라다니고 있어. 하나님의 은혜가 방패처럼 나를 감싸고 있어."

아주 오랫동안 생존자의 태도로 버티며 살아왔는가? 지금 하나님의 시각을 받아들이면 오랜 생존의 계절이 끝나고 새로운 번영의 계절이 시작될 것이다. 하나님이 당신의 미래를 위해 놀라운 복을 예비해 놓으셨다. 믿음으로 전진하라.

당연히 불평해야 할 때 감사하며 웃는 사람들, 고난의 한복판에서 찬양을 부르는 사람들, 그들은 어떤 이유로 그럴 수 있는 걸까? 어디를 가든 하나님의 복이 따라다닌다는 것을 알기 때문이다. 이제 결단을 내리자. "다시는 뒷걸음치지 않겠다. 움츠러들지 않겠다. 겨우겨우 생존만 하는 삶은 이제 그만두겠다. 지금은 내가 번영할 때다."

이렇게 과감하게 선포할 때 하나님이 놀라운 복을 주실 것이다. 늘 행복의 꽃을 활짝 피우는 사람이 될 것이다.

Chapter 03

두려움 대신 믿음을 택하라

걱정하기를 멈추고 믿는 일에 에너지를 사용하라. 우리의 인생은 하나님의 손안에 있다. 패배 대신 승리를, 추락 대신 비상을 기대하라.

우리 아들 조나단이 겨우 몇 개월밖에 되지 않았을 때 아이를 데리고 식당에 간 적이 있다. 나는 조나단을 안고 조용히 식사를 하고 있었다. 그런데 사람 좋아 보이는 부부가 다가와 나와 아내에게 정말 착한 아이를 두었다고 칭찬했다. 그때부터 즐거운 대화가 이어지다가 그 남편이 불쑥 이런 말을 꺼냈다. “두 살만 돼 봐요. 완전히 변할 거예요. 지금은 예쁘지만 ‘미운 두 살(terrible twos)’이 되면 아마 감당하기 힘들 걸요.”

나는 아내에게 이 낯선 부부의 말을 받아들이지 않겠다고 말했다. “그 말을 내 마음에 두지 않겠어. 우리 조나단은 미운 두 살이 되지 않을 거야.”

실제로 우리 조나단은 두 살이 돼서도 아무런 문제를 일으키지 않았다. 조나단이 열 살쯤 되자 부정적인 소리들이 다시 들리기 시작했다. "십대가 되면 골치 좀 썩을 걸."

지금 조나단은 십대가 된 지 2년이 지났지만 아직 심각한 말썽을 피운 적이 없다. 반항은커녕 너무나 친절하고 순종적이다. 우리는 우리 아이들이 문제를 일으킬 거라고 기대하지 않는다. 오히려 그들이 두각을 나타내고 위대한 삶을 살리라고 기대한다. 우리의 자녀는 우리가 기대하는 대로 자라난다. 문제아를 기대하면 문제아가 되고, 평범한 사람을 기대하면 평범한 사람이 된다.

우리는 매일, 매순간 선택을 하며 살아간다. 하나님이 만사를 다스리신다고 믿을 수도 있고, 최악을 기대하며 걱정 속에서 살아갈 수도 있다. 하나님이 우리를 돌보시고 우리를 위해 놀라운 복을 예비하셨다고 믿을 수도 있고, 불행한 상황을 기대할 수도 있다.

두려움과 믿음은 정반대처럼 보이지만 사실은 공통점이 꽤 많다. 둘 다 보이지 않는 것을 믿기 때문이다. 두려움은 부정적인 것을 믿으라고 말한다. "옆구리가 아프지? 너희 할머니가 그 병 때문에 죽었어. 네 인생도 그렇게 끝날 거야."

반면 믿음은 긍정적인 것을 믿으라고 말한다.

"그 병은 영원하지 않아. 잠시뿐이야."

믿음이든 두려움이든 우리가 골똘히 생각하는 것이 뿌리를 내린다. 하루 종일 두려운 상황을 곱씹으면 오래지 않아 그 상상이 현실이 된다. 마치 두려움이 들어올 길을 열어 주는 것과 같다. 두려움을 뿌리치고 믿음으로 선포하라. "아버지, 당신의 은혜가 평생을 간다고 말씀하셨죠? 선하심과 인자하심이 평생 나를 따를 줄 믿습니다."

믿는 일에 에너지를 쓰라

요즘에는 걱정할 일이 정말 많다. 경제 걱정, 건강 걱정, 자녀 걱정, 온통 걱정투성이다. 하지만 하나님은 걱정하는 데 쓸 에너지를 오히려 믿는 데 쓰라고 말씀하신다. 걱정하는 데 드는 에너지가 믿는 데 드는 에너지와 똑같다는 사실을 아는가? 걱정과 믿음은 그야말로 말 한마디 차이다.

"나는 오래오래 장수할 거야." "나는 오래 살지 못할 것 같아."

이 두 가지 말을 하는 데 드는 에너지는 똑같다.

경제가 불안정할 때 해고될 걱정을 하는 것은 충분히 이해할 만하다. 하지만 말끝마다 해고라는 말을 해서는 안 된다. 해고에 관해 골똘히 생각해서도 곤란하다. 최악을 기대하면 최악의 결과를 얻기 때문이다.

두려운 일에 관해 골똘히 생각하지 말고 믿는 일에 에너지를 사용하라. 걱정하기를 멈추고 하나님 앞으로 나가 말하라. "하나님, 제 인생은 당신의 장중에 있습니다. 당신이 제 발걸음 하나하나를 인도하고 계신 줄 믿습니다. 그러므로 패배와 실패를 기대하지 않겠습니다. 대신 복의 계절을 기대하겠습니다. 추락이 아닌 비상을 기대하겠습니다."

"에이, 기도한 대로 이루어지지 않으면 어떻게 해?"

반대로, 기도한 대로 이루어지면 어떻게 하려는가? 설령 해고가 되더라도 낙심은 금물이다.

“내 이럴 줄 알았어.” 그렇게 말하지 말고 믿음으로 굳게 서라. 하나의 문이 닫히면 하나님은 반드시 또 다른 문을 열어 주신다. 우리가 올바른 태도를 유지하면 하나님이 더 좋은 직장을 주신다.

당신은 믿는 데 에너지를 쓰고 있는가? 아니면 걱정하는 데 에너지를 낭비하고 있는가? 하나님의 복을 기대하고 있는가? 아니면 근근이 살아가는 삶을 기대하고 있는가?

마태복음 9장 29절에서 예수님은 우리가 기대한 대로 받는다고 말씀하셨다. 이런 말씀을 보고도 우리는 최선을 믿는 대신 최악을 기대할 때가 너무나 많다.

한번은 내 친구가 매일 괴한이 집 주변을 기웃거린다고 생각하는 자기 아내에 관해 이야기해 주었다. 그의 아내는 최소한 일주일에 한 번은 남편을 깨워 아래층에 강도가 든 것 같다고 우겼다. 아내는 남편이 아래층으로 내려가 확인을 하고 올라올 때까지 끊임없이 징징거렸다. 이런 일은 몇 년이나 계속되었는데 그러던 어느 날 밤이었다. 또다시 아내가 남편을 깨워댔다.

“여보, 어서 일어나 봐요. 아래층에 누가 있어요.”

참을성 많은 내 친구는 수도 없이 반복해 온 행동을 다시 반복했다. 하지만 이번에는 계단 끝에서 진짜 강도를 만났다. 강도가 친구의 두 눈 사이에 총을 겨누고 음산한 목소리로 말했다. “조용히 가서 귀금속을 가져와.”

친구는 강도가 시키는 대로 보석과 현금을 가져와 건넸다. 강도가 그것들을 받아 막 떠나려 하자 친구가 그를 멈춰 세웠다. “이봐요, 잠깐만요. 그냥 가면 안 돼요. 위층에 가서 내 아내를 만나고 가야 해요. 아내가 30년이나 당신이 오기만 고대했거든요."

위대한 기대는 위대한 삶을 낳는다. 내 친구의 아내처럼 하지 말고 하나님의 복을 기대하라. 내 주위에는 부정적인 말에 속아 불행에 빠진 사람들이 적지 않다. 그들은 오랫동안 나쁜 소식에 귀를 기울이다가 자신도 모르게 파산을 맞게 되었다. 이런 부정적 태도를 긍정적으로 바꾸지 않으면 하나님의 복을 받을 수 없다.

"나는 내 인생 최고의 날을 기대해. 하나님이 사막에서조차 나를 번영시켜 주실 것을 믿어. 나쁜 상황들이 모두 바뀔 거라고 확신해!" 라고 오늘부터 선포하라.

감정은 전염된다

두려움은 전염성이 강하다. 따라서 믿음을 잃지 않으려면 무엇을 읽고 들을지, 누구와 대화할지 최대한 조심해야 한다. 근심과 부정적인 태도 역시 전염성이 강하다. 입에 불평을 달고 사는 사람들, 낙심한 사람들, 상심한 사람들과 어울리면 그들의 부정적인 태도에 금세 전염된다.

심리학자들이 사람들을 대상으로 약한 전기 충격을 가하는 실험을 한 적이 있다. 충격을 가할 거라는 말을 들은 직후부터 충격이 끝나는 순간까지 사람들의 뇌파가 측정되었다. 흥미로운 것은 다른 방에서 실험을 지켜보던 사람들의 반응이었다. 그들의 뇌파도 측정했는데, 그들은 전기 충격을 받지 않았음에도 충격을 받은 사람들과 똑같은 공포를 느꼈다.

심리학자들은 이 실험을 통해 다른 사람들의 두려움을 보기만 해도 그와 동일한 두려움을 느낄 수 있다는 결론을 내렸다. 하버드 대학에서 진행한 비슷한 실험에서는 우리가 서로의 좋은 감정이나 나쁜 감정에 동화될 수 있다는 사실이 밝혀졌다. 연구 결과는 5천 명에 가까운 사람들의 인생을 20년 이상 추적했다. 이 연구에 따르면, 행복한 감정은 심지어 모르는 사람에게까지 전해진다고 한다. 우리가 누군가에게 느낀 좋은 감정은 길게는 1년까지도 지속된다.

같은 연구에서 불행한 감정 또한 전염된다는 사실이 밝혀졌다. 하지만 이런 '감염'은 행복 바이러스보다 훨씬 약했다. 과학자들은 친구의 행복한 얼굴이 우리에게 5천 달러 봉급 인상보다 더 좋은 영향을 끼친다고 말한다. 요컨대 경제가 어려울 때라도 행복한 친구와 가족을 만나 어울리면 행복한 감정을 유지할 수 있다.

그러므로 끊임없이 불평만 하는 친구라면 더는 만나지 않는 게 좋다. 행복한 새 친구를 찾으라. 나쁜 소식을 전해 주는 친구와 계속 어울리면 그의 근심과 두려움과 절망에 전염되기 쉽다.

최고의 삶을 위한 TIP

승리와 기쁨의 바이러스는 독감 바이러스보다도 빨리 퍼진다. 긍정적인 사람들과 어울리라.

그렇다고 해서 야멸치게 관계를 끊으라는 말은 아니다. "조엘 목사님이 너랑 어울리면 나쁜 감정에 감염된다고 했어. 그래서 너 같은 사람과는 그만 만나래." 이렇게 말하면 곤란하다.

지혜롭게 관계를 정리하라. 그 친구를 계속해서 친절하게 대하되 그와 어울리는 시간을 조금씩 줄여 가라. 만날 때마다 질질 짜거나 불경기에 관해 푸념하는 사람이라면 되도록 만남을 피해야 한다. 물론 침울한 사람들을 모두 피할 수는 없다. 부정적인 사람이 동료라면 싫어도 어울릴 수밖에 없다. 배우자가 늘 울상일 수도 있다. 그럴 경우에는 하나님이 극복할 수 있는 은혜를 주실 것이다.

행복한 마음을 유지하라. 감정이 건강에 영향을 미친다는 사실을 아는가? 내 친구 제프(Jeff)는 이 사실을 힘겹게 깨달았다. 하루는 동료들이 제프를 놀리기로 작당을 했다. 이윽고 제프가 출근을 했다. 그는 더없이 행복한 기분으로 경비원에게 인사를 건넸다.

"제프, 몸은 괜찮은 거죠?"

"예, 아주 좋아요. 그런데 왜 그런 질문을 하는 거죠?"

"그냥 좀 이상해서요. 얼굴이 창백해 보여요."

제프는 경비원의 말을 깊이 받아들이지 않은 채 자기 사무실로 들어갔다. 그런데 10분 후 다른 동료가 들어와 말했다. "피곤한 거 아냐? 오늘 컨디션이 너무 안 좋아 보여."

"아냐. 괜찮아."

하지만 몇 분 후 다시 생각해 보니 조금 피곤한 것도 같았다. 얼마 후 또 다른 동료가 들어와 잠시 대화를 나누다가 갑자기 물었다. "혹시 열이 있는 거 아냐? 얼굴이 빨개 보여."

제프는 이마에 손을 댔다가 넥타이를 느슨하게 풀었다. "정말 그러네. 열이 좀 있는 거 같아."

결국 제프는 아침 10시에 조퇴를 해서 한 주 내내 결근을 했다! 이것이 암시의 위력이다. 조심하라. 절망적인 말을 자꾸 들으면 절망적인 삶을 살게 된다. 깊은 절망에 빠지게 되는 경로는 이렇다. 아침에 일어나서 텔레비전을 켜고 세상의 온갖 불행한 소식들을 들으라. 그 다음에는 라디오를 통해 더욱 더 암울한 뉴스들을 들으면서 출근하라. 그 다음에는 불평쟁이 동료들만 엄선해서 함께 점심을 먹으라. 이 경로를 따라가면 인생의 무게에 짓눌려 반드시 패배자의 삶을 살게 된다.

느닷없이 몸이 아파진 제프의 경우처럼, 부정적인 말을 하는 친구가 문제지 우리 자신은 사실 아무런 문제가 없을 때가 많다. 부정적인 뉴스가 반드시 우리의 현실은 아니다. 가끔은 전문가의 말이 틀릴 때도 있다. 부정적인 소리에 굴복하지 마라.

부정적인 뉴스를 차단하라

나쁜 소식은 언제나 있기 마련이다. 하지만 우리에게는 더 좋은 소식이 있다. 우리는 복을 받았고 번영할 것이다. 우리는 재능이 넘치며 창조적이다. 우리는 하나님이 시키시는 일이라면 뭐든 할 수 있다.

나는 세상 돌아가는 것에 관심이 많아 뉴스를 자주 본다. 단, 내게 필요한 정보는 받아들이지만 다시 들을 필요가 없는 음울한 뉴스는 한 귀로 듣고 한 귀로 흘려보낸다. 오늘날에는 케이블 TV와 인터넷, 위성 라디오 등을 통해 암울한 뉴스들이 24시간 반복되어 흘러나온다. 새로운 헤드라인인가 싶어 보면 아까 보았던 뉴스를 새롭게 포장한 것에 불과할 때가 많다.

부정적인 뉴스를 끄라. 대신 승리의 생각으로 마음을 가득 채우라. 다행히 믿음의 전염성은 두려움의 전염성보다 훨씬 더 강하다. 승리와 기쁨의 바이러스는 독감 바이러스보다도 빨리 퍼진다. 그래서 믿음과 긍정의 사람들과 자주 어울리는 것이 정말 중요하다.

정말 좋은 소식은 치유의 바이러스가 당신을 감싸고 있다는 것이다. 패배의 바이러스가 아닌 승리의 바이러스가 당신 주위를 맴돌고 있다. 절망의 바이러스가 아닌 희망의 바이러스가 당신을 향해 돌격하고 있다. 더 큰 비전, 하나님의 더 큰 은혜가 당신을 휘감고 있다. 자부심을 가지라. 우리의 전염성은 실로 강하다!

알든 모르든 우리는 더 강해지고 있다. 우리는 더 기쁘고 평안해지고 있다. 우리의 믿음이 강해지고 있다. 복과 행복, 번영, 믿음으로 충만한 다른 사람들과 어울리면 우리는 날마다 더 좋아진다.

가끔 한 주를 너무 힘들게 보내 교회에 나가기 싫을 때가 있을 것이다. 그럴 땐 텔레비전을 켜고 방송 예배라도 드려야지만 그것도 싫을 때가 있다. 하지만 그럴수록 믿음을 키워 줄 메시지를 들어야 한다. 다른 신자들과 어울려 힘을 얻어야 한다. 교회에서 내 양 옆에 앉은 사람들을 다 알지 못해도 그의 믿음과 기쁨, 평안, 승리의 태도가 우리에게 전해진다.

두려움은 마치 안개와 같아서 우리의 시각을 흐리게 만든다. 그래서 상황이 실제보다 더 나빠 보이도록 만든다. 하지만 그것은 대개 환상일 뿐이다.

도시를 뒤덮고 있는 수십 미터에 달하는 짙은 안개를 겨우 물 컵 하나에 다 담을 수 있다는 사실을 아는가? 안개는 거대하고 위압적으로 보인다. 하지만 실체는 그다지 대단하지 않다. 작은 컵에 다 담을 수 있는 증기 덩어리에 지나지 않는다. 부정적인 생각이 자욱한 안개처럼 스멀스멀 피어오를 때마다 이 사실을 기억하라.

나는 정말 무시무시해 보이는 안개를 본 적이 있다. 당시 우리는 캐나다 캘거리에서 비행기를 타고 돌아올 예정이었다. 하지만 짙은 안개 때문에 1시간가량 이륙이 연기되었다. 그런데 결국 이륙하고 아래를 내려다보니 기껏해야 반경 3킬로미터 정도나 뒤덮을 만큼 작은 규모의 안개였다. 하지만 공항으로 차를 몰고 갈 때, 심지어 비행기에 오를 때만 해도 도시 전체가 안개에 휩싸여 있다고 생각했다. 하지만 그 안개의 실체는 정말로 별 볼일 없었다.

두려움도 마찬가지다. 두려움은 언제나 현실을 부풀린다. "너는 절대 건강해질 수 없어." "네 아이는 절대 바뀌지 않아." "너는 반드시 빈털터리가 될 거야." 두려움의 소리는 이렇게 우리를 흔든다.

따라서 우리는 두려움을 향해 담대하게 선포해야 한다. "아무리 위압적이고 대단해 보이려고 노력해도 소용없어. 나는 네 실체를 알아. 너는 빈껍데기야. 짖는 소리만 컸지 네 턱과 이빨은 보잘것없어. 너는 영원해 보이지만 일시적인 망령에 불과해. 지금 내 인생이 다소 어둡고 칙칙해 보이긴 해도 나는 진실을 알아. 태양이 여전히 빛나고 있다는 것을 알아. 이 안개가 흩어지고 청명한 하늘이 드러나는 것은 시간문제야."

긍정적인 채널을 선택하라

우리가 골똘히 생각하면 두려움의 힘은 점점 더 강력해진다. 무서운 영화를 보듯 최악의 시나리오를 자꾸만 재생하는 것은 두려움의 힘을 키워 주는 짓이다. 부정적인 생각은 부정적인 이미지로 발전하게 마련이다. 아무리 작은 두려움에서 출발했더라도 우리가 자꾸 힘을 실어 주면 끔찍한 결과가 초래된다.

당신 옆구리에 작은 고통이 느껴지는가? 아무것도 아니니 걱정하지 마라. 그저 너무 많이 먹어서 그런 것이다. 하지만 두려움은 진실을 왜곡하고 부풀린다. "그건 암이야. 너희 엄마도 암으로 죽었잖아. 너희 할머니도 그랬고. 이젠 네 차례야."

절망적인 생각을 머릿속에서 계속 재생하면 오래지 않아 병원 신세를 지게 될 것이다. 그러므로 마음의 스크린에 부정적인 영화를 상영하지 말아야 한다. 우리는 감독인 동시에 관중이다. 주도권은 우리에게 있다. 어서 리모컨을 들어 채널을 바꾸라. 긍정적인 상상을 하라. 꿈을 이루는 내용의 영화를 상영하라. 모든 장애물을 극복하는 모습을 스크린에 비추라. 건강하고 번영하고 비상하는 자신을 보라. 믿음의 눈으로 보라.

가족이 하나로 모일 가능성이 전혀 없어 보이는가? 그래도 우리의 태도는 긍정적이어야 한다. "채널을 바꿔야겠어. 이 영화는 보지 않겠어. 가족이 다시 뭉치는 내용의 영화를 볼래. 자녀가 성공하는 모습을 볼래. 우리 가족이 운명을 이루는 모습을 보겠어."

우리는 채널을 신중히 선택해야 한다. 마음을 다스려 부정적인 이미지를 재빨리 몰아내는 능력만 길러도 삶이 새로운 수준에 이를 수 있다. 마음의 힘은 실로 대단하다. 두려움과 근심에 굴복한 마음은 우리의 실제 인생을 망가뜨릴 수 있다.

한 친구가 내게 이메일을 보냈는데 거기에는 식료품점에 갔다가 황당한 경험을 한 어떤 아가씨의 이야기가 있었다. 물건을 다 산 아가씨는 차로 돌아와 물건을 뒷좌석에 두었다. 그리고 막 운전석에 앉았는데 갑자기 굉음이 들리더니 뭔가가 뒤통수를 치는 느낌이 났다.

그녀는 총에 맞은 게 분명하다고 생각하고 뒤통수를 만졌는데 아니나 다를까 뇌가 흘러나와 있었다. 충격을 받은 여자는 그만 실신하고 말았다. 몇 분 후 여자는 겨우 깨어났지만 무서워서 움직이질 못했다. 그녀는 뇌가 더 쏟아질까봐 뒤통수를 잡은 채 몇 시간 동안 꼼짝 않고 앉아 있었다.

마침내 한 신사가 지나가다가 여자를 보고 경찰에 신고를 했다. 이윽고 경찰들이 나타나 여자에게 창문을 내리라고 했다. 하지만 여자는 총에 맞은 머리를 잡고 있으니 그럴 수가 없다고 말했다.

경찰이 창문을 깨고 들어가 보니 폭발된 비스킷 반죽 캔이 보였다. 여자는 비스킷 반죽이 뒤통수를 친 줄도 모르고 그것을 자기 뇌로 착각했던 것이다. 두려움과 걱정이 우리 마음을 지배하면 이렇듯 지극히 무해한 것도 위협적인 것으로 보일 수 있다.

> **최고의 삶을 위한 TIP**
>
> 아무리 짙은 안개라도 실은 한 컵의 물에 지나지 않는다. 거대한 문제의 실체도 이와 같다.

내가 목회를 시작한 지 1년 정도 지났을 때 불같은 부흥이 일어났다. 성도의 수가 급속도로 늘어나 우리는 주일 아침 2부 예배를 드리기로 결정했다. 10월쯤 되었을 때 나는 이듬해 1월부터는 2부 예배를 시작한다고 공표했다. 그런데 이후 몇 달 간 커다란 물음표를 단 부정적인 생각들이 내 마음을 공격했다. '엄청난 실수를 하는 거야. 2부 예배에는 아무도 오지 않을 거야. 정말로 텅 빈 교회에 홀로

서서 바보가 된 기분을 느끼고 싶은 거야?'

믿음을 잃지 않으려고 애를 썼지만 두려운 상황이 자꾸만 내 머릿속을 맴돌았다. 그러던 어느 날 밤에는 악몽까지 꾸었다. 2부 예배가 처음 시작되는 날이 왔는데 교회 안을 둘러보니 아무도 없었다. 아내도, 어머니도, 성가대도, 안내위원도, 정말 아무도 없었다.

나는 식은땀에 젖어 잠에서 깼다. 부정적인 생각이 잠도 자지 않고 쉴 새 없이 나를 괴롭혔다. "조엘, 2부 예배를 취소하겠다고 말할 시간이 아직 남았어. 지금이라도 취소하면 체면을 살릴 수 있어."

2부 예배가 시작되는 주, 나는 짐짓 태연한 척 어머니에게 2부 예배 때 오실 거냐고 물었다.

"얘야, 이번 주부터 시작하는 거니?"

어머니의 대답을 듣는 순간, 가슴이 철렁했다. '악몽이 정말 현실로 이루어지는 거 아냐?'

하지만 곧바로 정신이 번쩍 들었다. 나는 부정적인 이미지가 떠오를 때마다 재빨리 채널을 바꾸었다. '텅 빈 성전'이라는 채널을 보지 않기로 마음을 먹었다. '패배자의 뉴스'도 시청하지 않기로 했다.

나는 믿음의 눈을 통해 위층까지 가득 찬 2부 예배를 보면서 나 자신을 향해 끊임없이 말했다. "이 두려움은 한낱 안개에 지나지 않아. 두려움이 나를 향해 으르렁거리지만 기껏해야 이빨 빠진 호랑이에 불과해."

드디어 2000년 첫 주일 2부 예배 시간이 다가왔다. 긴장한 나는 평소보다 1시간 일찍 교회에 도착했다. 주차장에 차를 대는데, 이럴 수가, 내 눈을 믿을 수가 없었다. 한쪽 주차장은 이미 꽉 찼고 다른 주차장들도 빠른 속도로 차고 있었다. 그날 2부 예배에는 6천 명 이상이 참석했고, 그 후로도 교회는 꽉꽉 찼다.

부정적인 생각을 떨쳐 버리라. 부정적인 영화를 마음의 스크린에서 내리라. 리모컨은 당신의 것이다. 어서 채널을 바꾸라. 극복하지 못할 만큼 큰 장애물은 없다. 당신이 이기지 못할 만큼 큰 적은 없다.

우리 하나님은 전능하시다. 비록 지금 당장은 좋은 날이 눈에 들어오지 않더라도 걱정하는 데 자신의 에너지를 낭비하지 마라. 지극히 높으신 능력의 근원에 플러그를 끼워 그 에너지를 긍정적인 믿음에 사용하라.

지금까지 지켜 주신 하나님이 앞으로도 당신을 지켜 주실 것이다. 믿음의 사람들, 승리의 말을 해줄 사람들과 어울리라. 마음을 다스리는 훈련을 하라. 매일 매순간 믿음을 선택하기로 결단하라.

Chapter 04

풍성한 밥상이 이미 차려졌다

우리 앞에 복의 밥상이 차려져 있다. 온갖 종류의 복들이 우리 인생길의 적재적소에 이미 흩어져 우리가 지나가기만 기다리고 있다.

한 금융 회사가 세계적인 불경기 탓에 전국적으로 약 6백여 명에 달하는 직원들을 해고하기 시작했다. 커크 링(Kirk Ring)도 그중 한 명이었는데 경영자는 링에게 정든 작은 마을 스미스필드(Smithfield)를 떠나 다른 지사로 옮기지 못하겠다면 사표를 쓰라고 엄포를 놓았다. 하지만 링은 가족을 데리고 큰 도시로 이사하기 싫었다.

링은 오래 전부터 도넛 가게를 차리는 꿈을 키워 왔었다. 하지만 자신이 전문 제빵사도 아니고 요리라곤 집에서 가끔 해본 것이 전부였다. 그래도 그는 값싼 도넛을 파는 가게를 꼭 한번 열어 보고 싶었다. 그래서 직장을 그만두고 마침내 적당한 자리를 찾았다. 직원을 구할 여력도 없어서 부모와 장인 장모를 대동하여 매일매일 가게를

꾸려나갔다. 사업은 그렇게 자리를 잡기 시작했다. 몇 주가 지나자 손님이 예상했던 것보다 훨씬 많이 찾아오기 시작했다. 현재 링은 누구보다도 행복하게 살고 있다.

하나님은 우리 인생을 위해 완벽한 계획을 세워 놓으셨다. 적절한 사람들과 적당한 환경, 적절한 행운이 우리 인생길의 적재적소에 이미 배치되어 있다. 하나님은 우리 미래를 위해 복과 초자연적인 기회와 적절한 만남을 이미 펼쳐 놓으셨다. 매일 믿음을 품고 세상으로 나가 최선을 다해 살면 순간마다 하나님의 복을 경험할 수 있다.

"내가 어떻게 새 직장을 얻었지? 내 이력이 가장 좋은 것도 아닌데 10명 중에 나만 뽑혔어." "길을 잃고 헤매다가 공교롭게도 내가 꿈에 그리던 집이 매물로 나와 있는 것을 발견했어."

생각지도 않았는데 문제들이 술술 풀리고 장애물이 사라진다. 어찌된 일일까? 그것은 당신이 하나님의 밥상, 아니 복의 상 앞에 이르렀다는 것이다.

거대한 영화 스튜디오에서 보조 접수계원으로 영화계에 발을 들여놓은 한 아가씨를 만난 적이 있다. 이 아가씨는 정식 직원이 자리를 비울 때마다 그 공백을 메우는 아르바이트였다. 그녀는 친절할 뿐 아니라 남다른 창의력과 추진력까지 보였다. 얼마 후부터 잇따라 좋은 일이 일어났다. 누군가 떠난 자리를 그녀가 차지하고, 또다시 누군가 승진한 자리에 그녀가 앉았다. 이번에는 결혼과 동시에 퇴사한 사람 대신 그녀가 일을 맡게 되었다.

하루는 스튜디오 사장이 그녀의 관리자를 불러 말했다. "무척 성실하고 훌륭한 직원입니다. 잘 돌봐 주도록 하세요."

6년이 지난 현재, 그녀는 스튜디오의 부사장으로 승진해 매년 12편의 메이저 영화를 감독하고 있다. 지금도 그녀는 자신이 받은 복을 생각할 때마다 어안이 벙벙하다. "목사님, 믿기지가 않아요. 제가 어떻게 이 자리까지 왔는지 정말 알 수 없어요. 얼마 전까지도 접수 일을 맡고 있었는데 어느새 회사를 운영하는 자리까지 왔네요."

누구에게나 마련된 복의 상이 있다

하나님은 당신을 위해서도 이미 놀라운 복들을 예비해 놓으셨다. 그 복들을 이미 당신의 미래 속에 펼쳐 놓으셨다. 지금 당장은 그 복들이 눈에 보이지 않고 상상조차 되지 않을지 몰라도 믿음에 굳게 서서 늘 최선을 다해 살다보면 어느새 복의 밥상 앞에 도착해 있는 자신을 발견하게 될 것이다.

나 또한 과거를 돌아보면서 놀랄 때가 한두 번이 아니다. "내가 어떻게 여기까지 왔지?" 나는 목사가 될 마음이 추호도 없었다. 텔레비전 채널을 돌리다가도 '내가 어쩌다 텔레비전에까지 나오는 설교자가 되었지?'라는 생각을 하곤 한다.

나는 그저 하나님이 차려 놓으신 복의 밥상 앞에 이르렀을 뿐이다. 매일 최선을 다하고 충성스럽게 섬겼더니 어느 날 내 앞에 밥상이 차려져 있었다. 하나님이 미리 마련하신 은혜와 복의 밥상이 내 앞에 나타났다.

아내를 만날 때도 나는 단지 장모님이 운영하는 보석점 안으로 들어갔을 뿐이다. 그 안에 하나님이 미리 차려 놓으신 복의 밥상이 놓여 있었다.

누구에게나 그런 일이 일어난다. 분에 넘치는 좋은 일을 경험하고선 문득 지난날을 돌아보며 고개를 갸웃하게 된다. "내가 어쩌다가 변방에서 중심으로 들어왔지? 일개 조수였던 내가 어쩌다가 경영자 자리까지 올라왔지?"

내가 아는 한 여인도 비슷한 말을 했다. "생활보호대상자였던 내가 어쩌다가 이런 부자가 됐는지 모르겠어요."

내 친구 안드레아스(Andreas)의 가족은 극빈한 나라에서 태어나 가난에 찌든 삶을 살다가 미국으로 이민 온 대가족이었다. 이 가족에게는 아무런 미래도 없어 보였다. 하지만 내 친구는 보통내기가 아니었다. 그는 하나님을 사랑했고 남들을 도우려는 마음을 품었다. 하루는 의료 센터에서 그에게 의료 장비를 청소하는 일을 제의했다. 면접 후 고용이 된 후 그는 꼭두새벽부터 일을 했는데 의료 기사가 시술을 끝내야 장비를 청소할 수 있기 때문에 시간이 많이 남았다. 그는 이 시간에 놀지 않고 특히 시술 과정을 지켜보고 공부를 했다.

최고의 삶을 위한 TIP

지금 당장은 눈에 보이지 않아도 최선을 다해 살다보면 어느새 복의 밥상 앞에 이르게 된다.

그러던 어느 날 보조 기술자가 일을 그만두자 안드레아스의 성실함을 눈여겨봐 왔던 센터 책임자가 그에게 보조 의료 기사 자리를 제안했다. 그렇게 그는 보조 의료 기사가 되었다. 그로부터 2년 후 정식 의료 기사가 떠나자 그 자리가 안드레아스에게 넘어갔다.

몇 년이 흘러 안드레아스는 직접 의료 장비를 사서 지역의 모든 병원에 의료 기술 서비스를 제공하는 꿈을 꾸었다. 유일한 문제점은 창업 자금이 없다는 것이었다. 안드레아스는 동네 체육관에서 자주 농구를 했던 은행가에게 사업 계획을 털어놓았다. 그러자 그 은행가가 흔쾌히 도움을 약속했다. "대출이 승인되도록 내가 힘을 써 주리다."

안드레아스는 매번 적시적소에 이르렀다. 그것은 하나님이 복들을 미리 배치해 놓으셨기 때문에 가능한 일이었다. 현재 안드레아스는 그 업계의 리더 격인 회사를 운영하고 있다.

우리 앞에도 복의 밥상이 차려져 있다. 하나님은 승진과 성장, 복을 이미 펼쳐 놓으셨다. 따라서 우리는 걱정할 필요도 없고 우리 힘으로 억지로 일을 이루려고 할 필요도 없다. 그저 충실하게 살다 보면 하나님이 차려 놓으신 축복의 밥상 앞에 도달하게 될 것이다.

하나님이 떨어뜨리신 복의 이삭을 만나다

성경을 보면, 젊은 시절 룻은 남편을 잃으면서 큰 고통과 아픔을 겪었다. 시어머니 나오미가 다른 도시로 이사할 채비를 하자 룻은 따라가서 시어머니를 돌보기로 결심했다. 당시 이 고부가 이사해 간 땅은 지독한 가뭄 때문에 극심한 식량난을 겪고 있었다. 그래서 룻은 아침마다 밭으로 나가 추수꾼들이 떨어뜨린 이삭을 주워 시어머니와 함께 목숨을 연명했다.

하루는 그 밭의 주인 보아스가 찾아왔는데 일꾼들이 젊은 과부 룻에 관해 이야기해 주었다. 그러자 보아스가 일꾼들에게 이런 명령을 내렸다. "룻을 위해 일부러 이삭을 충분히 떨어뜨려라."

우리가 은혜의 순간에 이르면 사람들이 까닭 없이 우리를 선대한다. 그들은 자신이 왜 그러는지도 모른 채 우리를 도와준다. 이유는 간단하다. 우리가 하나님이 정해 놓으신 복의 시간에 이른 것이다.

하나님이 우리를 위해 일부러 복의 이삭을 떨어뜨리셨다. 승진의 복, 건강의 복, 지혜의 복, 좋은 일의 복, 적절한 만남의 복, 그 외에도 온갖 종류의 이삭들이 우리 인생길의 적재적소에 이미 흩어져 있다. 복들이 이미 뿌려진 채 우리가 지나가기만 기다리고 있다.

룻은 그저 묵묵히 자기 일을 했다. 그런데 갑자기 그녀 앞에 충분히 먹고 남을 만큼의 이삭이 떨어져 있다. 생각해 보라. 룻은 더 이상 여기저기 조금씩 흩어져 있던 이삭을 찾으려고 밭 전체를 뒤지고 다닐 필요가 없어졌다. 그냥 자기 앞에 놓인 이삭 더미를 쓸어 담기만 하면 되었다.

평소보다 서너 배나 많은 이삭을 들고 귀가하는 룻을 보고 나오미가 물었다. "세상에! 어떻게 이 많은 이삭들을 주었니?"

머리를 긁적이는 룻의 모습이 눈에 선하다. "모르겠어요. 그냥 이삭이 내 앞에 산더미처럼 쌓여 있었어요."

하나님이 당신의 미래를 위해 떨어뜨려 놓으신 복이 얼마나 많은 줄 아는가? 하나님이 당신을 위해 배열해 놓으신 좋은 일들을 직접 보면 입이 떡 벌어질 것이다.

룻에게 특별한 일이 생기기 시작했다. 그녀는 받으려고 애쓰지 않은 복을 받았다. 이것이 우리 하나님의 방식이다. 갑자기 분에 넘치는 복을 받게 된다. 이력이 더 좋은 사람이 있는데 우리가 관리자 자리에 앉게 된다. 변방에 있다가 갑자기 중심으로 들어오게 된다. 다시 말해, 하나님이 일부러 뿌려 놓으신 복의 이삭을 만나게 된다.

우리는 오랫동안 4분의 1에이커쯤 되는 작은 부지의 집에서 살았다. 하지만 아이들이 점점 커가면서 마당에서 달리기도 하고 공놀이도 할 수 있게 큰 집을 사고 싶었다. 하루는 길을 걷다가 내 맘에 쏙 드는 부지를 보고 아내에게 말했다. "저 부지가 우리 집 옆에 있으면 좋을 텐데. 그러면 벽을 허물어 우리 집 마당으로 사용할 수 있잖소."

이 모퉁이 부지는 우리 집 부지보다 꽤 컸다. 알고 보니 그 부지의 주인은 우리 동네에서 오래 산 터줏대감이었다. 하지만 그 사람을 잘 알지도 못하는 터라 부지 생각은 까마득히 잊어버렸다. 그런데 하루는 아내가 아이들을 학교에 데려다 주려고 차를 빼는데 그 부지의 주인이 차로 다가와 종이 한 장을 건네며 말을 걸었다. "우리 부지를 팔려고 하는데 혹시 주위에 살 사람이 없을까요?"

나는 그것이 우연이 아니라고 생각했다. 그것은 하나님이 일부러 떨어뜨려 놓으신 복의 이삭이었다. 때가 되어 그 이삭이 나타나자 우리는 그 부지를 살 수 있었다.

"목사님, 저도 부지를 두 개나 가졌으면 좋겠지만 수중에 돈이 없는 걸 어떻게 합니까?"

낙심하지 마라. 부정적인 생각을 품지 마라. 나를 위해 역사하신 하나님이 당신을 위해서도 역사해 주실 것이다. 자신의 인생길을 열심히 걷다보면 결국은 축복의 상 앞에 이를 것이다. 당신을 위한 복의 상은 이미 차려져 있다. 하나님이 당신의 미래 어딘가에 그 상을 차려 놓으셨다. 당신은 그저 열심히 살다가 그 상을 만나 마음껏 먹기만 하면 된다.

룻은 가진 것에 만족했다. 하지만 하나님께는 더 큰 계획이 있었다. 하나님은 룻이 평생 남의 밭에서 일만 하는 것을 원치 않으셨다. 하나님은 룻을 밭의 주인으로 삼기 원하셨다. 하나님은 우리에게 필요 이상의 복을 주는 분이다. 성경을 보면 룻과 보아스가 사랑에 빠져 결혼하는 과정이 자세히 기록되어 있다. 보아스는 근방에서 가장 부유한 사람이었다. 따라서 밭 주인의 아내가 된 룻은 더 이상 밭에서 일할 필요가 없었다. 룻이 보아스를 만난 것은 하나님이 보아스라는 복을 그녀의 인생길에 배치하셨기 때문이다.

더 높이 비상하라

하나님은 우리가 평생 사무실 청소만 하기를 원치 않으신다. 그분은 우리가 직접 회사를 차리기 바라신다. 우리가 평생 셋방에서 살기보다 크고 멋진 집에서 살기를 바라신다.

하나님은 우리를 꼬리가 아닌 머리로 만드셨다. 하나님은 우리가 꾸지 않고 꾸어 줄 것이라고 말씀하셨다. 하나님이 이미 주신 것에 감사해야 마땅하지만 그분은 우리를 꿈도 꾸지 못했던 곳으로 데려가기 원하신다.

거창한 비전을 품으라. 너무 쉽게 현실에 안주하지 마라. 예전에 나는 휴스턴의 컴팩 센터에서 휴스턴 로키츠의 농구 경기를 즐기곤 했다. 하지만 컴팩 센터에서 농구 경기를 보는 것보다 예배를 드리는 것이 훨씬 더 즐겁고 기쁘다. 하나님은 컴팩 센터를 휴스턴 로키츠만을 위해 짓지 않으셨다. 내가 관중으로만 컴팩 센터를 찾는 것은 하나님의 뜻이 아니었다. 하나님은 우리가 컴팩 센터를 인수해서 그곳에서 예배 드리기를 원하셨다.

하나님은 엄청난 복으로 우리를 놀라게 하기 원하신다. 사실, 우리는 복을 구할 필요도 없다. 적절한 사람이나 물질을 달라고 요청할 필요도 없다. 먼저 하나님의 나라를 구하고 삶으로 그분께 영광을 돌리면 나머지 복은 알아서 찾아온다.

먼저 진실하게 살라. 베풀고 섬기고 남들을 선대하며 살라. 그러면 하나님의 복이 당신을 뒤덮으리라. 하나님을 기쁘시게 하기 위해 최선을 다하면 하나님의 복이 넘치도록 임한다. 시편 37편 4절은 이렇게 말한다. "또 여호와를 기뻐하라 그가 네 마음의 소원을 네게 이루어 주시리로다."

아내와 나에게 그 부지가 꼭 필요하지는 않았다. 더 많은 방이 반드시 필요한 것도 아니었다. 그것은 단지 작은 바람이었다. 하지만 재미있지 않은가? 하나님은 그 부지를 이미 마련해 놓으셨다. 하나님은 먼저 우리 이웃의 마음속에 우리에 관한 생각을 불어넣으셨다. 그리고 그 이웃이 가장 먼저 아내를 만나도록 정확한 타이밍에 아내를 집 주차장으로 보내셨다. 내가 한 일은 믿음을 부여잡은 것뿐이다. 그런데 때가 되어 하나님이 내 인생길에 일부러 떨어뜨리신 복의 이삭이 눈에 들어왔다.

나는 하나님께 더 많은 복을 요구하지 않았다. 룻도 마찬가지였다. 그녀는 밭에서 이삭을 주을 수 있는 것만으로도 충분히 복을 받았다고 생각했다. 그녀에게 잠시 동안은 그것이 복된 자리였다. 하지만 하나님은 언제나 우리가 현재의 자리를 떠나 더 좋은 자리로 가기 바라신다. 물은 흘러야지, 한 곳에 고여 있으면 반드시 썩는다. 그러므로 우리의 태도는 진취적이어야 한다.

"우리 부모님도 이 정도밖에 이루지 못하셨어. … 이제 우리 조부모님 만큼은 성공한 것 같아. … 이젠 정말 내 한계에 이른 것 같아."

아니다. 하나님은 우리를 더 높은 곳으로 데려가고자 하신다. 하나님은 우리에게 더 높이 비상하라고 말씀하신다. 바로 룻이 그랬다. 보아스와 결혼한 후 룻은 한때 자신이 졸졸 따라다녔던 일꾼들의 안주인이 되었다. 룻은 변두리에서 중심부로 이동했다.

하나님은 누구에게나 똑같은 역사를 행하실 수 있다. 더도 말고 하나님의 은혜 한 번이면 모든 것이 변한다. 접수원에서 순식간에 부사장으로 돌변한다. 장비를 청소하는 사람에서 장비의 소유주로 변한다. 그때 사람들이 우리에게 물을 것이다. "어찌된 일이야? 비결이 뭐야?" 그러면 우리는 이렇게 말할 것이다. "나도 몰라. 그냥 어느 날 갑자기 하나님의 복이 임했어."

최고의 삶을 위한 TIP

당신이 숨을 쉬고 있는 한, 당신 앞에 또 다른 복의 이삭이 나타날 것이다.

인생을 향한 비전을 키우기 바란다. 믿음을 굳게 부여잡고 충만한 기대로 살라. 하나님이 일부러 떨어뜨리신 복이 어디서 당신 앞에 나타날지 모른다. 그리고 언제 절호의 기회를 만들어 줄지 모른다. 오랫동안 연락을 끊고 지냈던 친척이 당신에게 땅을 물려줄지도 모르고 하나님이 지혜를 주셔서 에디슨도 울고 갈 아이디어를 떠오르게 해줄지 모른다.

우리 각자를 위해 하나님이 손수 예비하신 복이 있다. 룻처럼 열심히 살다 보면 꿈에 그리던 사람을 만날 수도 있다. 하나님은 당신의 배우자를 이미 예비해 놓으셨다. 룻을 위해 보아스를 예비하셨듯이 하나님은 훗날 나타날 당신의 짝을 미리 정해 놓으셨다. 당신이 충실하게 살아간다면 그 짝과 마주하게 될 날이 올 것이다. 이것은 우연의 일치가 아니라 거룩한 인연이다. 하나님이 그 사람을 일부러 당신의 인생길에 놓으신 것이다.

복된 유산을 남기라

성경은 우리가 스스로 짓지 않은 집에서 살게 되는 상황에 대해 말하고 있다. 우리는 직접 심지 않은 포도원에서 포도 열매를 거둘 수 있다. 내 조상 중에는 열심히 기도하고 신앙생활을 한 분들이 많다. 그들은 선한 씨앗을 많이 뿌렸다. 하지만 지금의 나만큼 복과 은혜를 누리지 못했다. 어떻게 된 일일까? 그들이 나를 위해 값을 치른 것이다. 그들이 하나님의 충성스러운 종으로 살아간 덕분에 지금 내게 복이 임하고 있다.

지금 나는 우리 부모님이 뿌려 놓은 씨앗의 열매를 거두고 있다. 우리 아버지는 여러 권의 책을 쓰셨지만 그중에 주요 출판사에서 출간된 것은 한 권도 없다. 지금 내가 누리고 있는 복과 은혜를 아버지는 누리지 못하고 돌아가셨다. 우리 교회의 사역이 텔레비전과 인터넷, 팟캐스트(Podcast)를 통해 전 세계로 확장된 것을 아버지가 본다면 필시 깜짝 놀라실 것이다. 이것이 하나님의 방법이다. 우리가 삶으로 하나님께 영광을 돌리면 우리 자신뿐 아니라 우리의 자식과 손자, 그 다음 세대까지 복을 받는다.

“목사님은 좋은 가문에서 태어나서 좋겠습니다. 하지만 우리 가문에는 부모와 조부모, 이모, 삼촌까지 하나님께 영광을 돌린 사람이 단 한 명도 없습니다. 목사님이 말하는 복된 유산이 내게는 전혀 없습니다.”

무슨 걱정인가? 당신이 복된 가문의 출발점이 되면 된다. 하나님의 복과 은혜는 끝이 없다. 룻이 오랜 우상숭배의 가문 출신이라는 사실을 아는가? 룻의 집안은 그녀 이전의 수세대 동안 아무도 하나님을 알지 못했다. 하지만 룻이 순수한 마음으로 옳은 길을 추구했기 때문에 하나님이 놀라운 역사를 행해 주셨던 것이다. 하나님은 우리 모두를 위해서 똑같은 역사를 행하고자 하신다.

충실하게 살아왔는가? 남들을 열심히 섬겼는가? 늘 최선을 다했는가? 그렇다면 이제 당신을 위한 복이 임박했다. 당신을 새로운 지경으로 이끌 복의 이삭이 곧 나타날 것이다. 때가 되면 승진과 성장, 좋은 일, 복된 인연이 나타나리라. 당신은 곧 새로운 수준으로 비상할 것이다.

이 원칙을 이해하면 발걸음이 가벼워질 수밖에 없다. 매일 기쁜 얼굴로 하루를 시작할 수밖에 없다. “오늘이 그날일까? 아니면 내일일까? 곧 복이 찾아올 거야.”

늘 믿음으로 살면 하나님의 복을 만나게 된다. 하나님은 당신이 소명을 이루는 데 필요한 모든 것을 당신의 인생길에 이미 배치해 놓으셨다. 하나님이 예비하신 복을 남김없이 받기 바란다.

Chapter
05 믿음 가득한 말을 하라

말은 곧 씨앗과 같다. 씨앗을 신중하게 심을 때 믿음이 자라고 인생이 높이 비상한다. 승리의 말을 하면 반드시 승리의 열매를 맺게 된다.

어릴 적 동무 중에 같은 스포츠 팀에서 활동했던 친구가 있다. 이 친구의 이름을 네드(Ned)라고 가정하자. 네드는 좋은 친구였는데 한 가지 흠이 있다면 입만 열면 부정적인 말을 쏟아낸다는 것이었다. 농담을 할 때도 늘 부정적인 농담만 했다. 오랜만에 네드를 만나서 어떻게 지냈냐고 물으면 그는 매번, 말 그대로 매번 이렇게 대답했다. "별일 없었어. 그냥 매일 조금씩 늙고 뚱뚱해지고 머리가 벗겨지지."

네드에게서 이 말을 족히 5백 번은 들은 것 같다. 사실 네드는 청소년 시절에 정말 몸이 좋았다. 그는 고등학교 풋볼 팀의 스타였으며 멋진 곱슬머리를 가지고 있었다. 늙고 뚱뚱한 대머리와는 거리가 멀어도 한참 멀었다. 물론 네드의 말은 어디까지나 농담이었다. 사실

나도 농담을 자주 한다. 하지만 늙고 뚱뚱해지고 머리가 벗겨지는 것에 관한 농담은 절대 하지 않는다.

시간이 흐르고 흘러 네드의 얼굴을 못 본 지도 거의 20년이 흘렀다. 그러던 어느 날 길거리에서 어떤 남자가 내게 말을 걸어왔는데 한참 이야기를 하고 나서야 그가 네드인 것을 알았다. 웬 늙고 뚱뚱한 대머리 아저씨가 자신이 네드라고 말하는 순간 나는 기절초풍하는 줄 알았다. 네드의 예언은 완벽히 이루어졌다!

당신은 어떤지 모르겠지만 나는 네드처럼 내 인생을 향해 부정적인 말을 절대 하지 않는다. 나의 말은 언제나 긍정적이다. "나는 젊어지고 있어. 하나님이 내게 새로운 생기를 불어넣고 계셔. 나는 숨을 한 번 쉴 때마다 더욱 강해지고 있어!"

교회 직원 중 한 명이 내게 재미있는 고백을 했다. 매일 아침 집을 나서기 전에 거울에 비친 자신을 보며 "아가씨, 오늘 정말 멋져 보이는데!"라고 말한다는 것이다.

거울을 보며 자신을 칭찬할 만큼 긍정적인 사람이 세상에 과연 얼마나 있을까? 주책이 없다고 생각되는가? 그렇지 않다. 우리는 다른 사람에게뿐 아니라 자신에게도 친절해야 한다. 우리 자신의 가장 좋은 친구이자 격려자는 바로 자기자신이기 때문이다.

말을 바꾸면 인생이 바뀐다

자신의 인생을 향해 패배를 말하지 마라. 그러니 담대하게 말하라.

"오늘 정말 멋져 보이는군. 나는 전능하신 하나님의 형상을 따라 지음을 받았어. 나는 강하고 재능이 넘쳐. 나는 복을 받았어. 나는 창조적이야. 오늘은 보람찬 하루가 될 거야."

우리의 말에는 창조의 능력이 있다. 우리의 말은 그대로 이루어지는 힘이 있다. 우리가 지금부터 5년 후에 어떤 모습일지를 알고 싶다면 우리가 지금 하는 말을 들어 보면 된다.

많은 사람들이 늘 패배자처럼 말하면서도 왜 좋은 일이 일어나지 않는지 의아해 하곤 한다. 원인은 분명하다. 그들이 말로 패배와 평범함을 불러들였기 때문이다. 우리는 말로 자신의 미래를 축복할 수도 저주할 수도 있다.

오늘 컨디션이 좋지 않은가? 몸이 찌뿌드드한가? 골치 아픈 일들이 산더미처럼 쌓였는가? 하지만 부정적인 상황을 골똘히 생각하지 말고 당신을 전진하게 해주는 믿음의 선포를 하라.

"오늘, 정말 멋진 날이 될 거야. 하나님의 은혜가 나를 감싸고 있어. 하나님이 내 발걸음을 인도하고 계셔. 내가 손을 대는 건 무엇이든 성공하고 번창할 거야."

믿음의 말을 하면 당신의 미래가 복을 받는다. 우리는 말로 복과 성장과 좋은 일을 불러들여야 한다. 믿음과 희망에 관해 생각하는 것만으로는 부족하다. 그냥 믿는 것으로도 충분하지 않다. 꿈에 관해 말을 해야 그 꿈이 실제로 이루어진다.

자꾸만 불행과 실패에 관한 말을 하면 행복과 승리의 삶으로 나아갈 수 없다. 자녀에게 욕을 하는 것은 그를 악한 삶으로 이끄는 것이나 다름없다. 우리가 말한 그대로 열매를 맺게 되기 때문이다. 실패와 절망에 관한 말은 아예 머릿속에서 지워 버리라. 오직 감사와 희망만 표현하라.

"아버지, 제 자식에게 복을 주셔서 감사합니다. 우리 아이가 좋은 결정을 내릴 줄 믿습니다. 그가 모든 견고한 진에서 벗어날 줄 믿습니다. 그가 운명을 온전히 이루기를 기대합니다."

아이가 지독히 반항적이더라도 그 아이가 못됐다느니 변할 줄 모른다느니 하는 말은 절대 입에 담지 마라. 자녀의 삶을 향해 늘 승리의 말만 하라. 말은 곧 씨앗과 같다. 씨앗을 신중하게 심을 때 믿음이 자라고 인생이 높이 비상한다.

성경은 이루어지지 않은 일이 이미 이루어진 것처럼 말해야 한다고 말한다. 몸이 낫지 않았어도 고통에 관해 말해서는 안 된다. "등이 몇 년 동안이나 욱신거렸어. 이젠 너무 늙어서 나아지리라는 건 기대조차 안 해."

이런 말은 패배를 낳는다. 그러니 말을 바꿔 승리의 선포를 하라. "지금은 몸이 좋지 않지만 하나님이 내 건강을 회복시키고 계셔. 나는 더 강해지고 젊어지고 있어. 내 인생 최고의 날이 오고 있어."

이런 승리의 말을 하면 반드시 승리의 열매를 맺게 된다. 우리 주변에는 만날 때마다 피곤하다고 불평하는 사람들이 있다. "너무 피곤해. 몸에 힘이 하나도 없어."

그들을 보면 실제로 피곤에 절은 얼굴이다. 피곤하다는 말을 하도 많이 하다보니 그 말이 현실로 이루어진 것이다. 부정적인 말을 하게 되면 결국 부정적인 사람이 된다. 아침마다 몸을 일으키기가 힘들다면 불평만 하지 말고 원하는 상태를 선포하라. "나는 건강하다. 기력이 넘친다. 하나님이 내게 새 힘을 부어 주고 계신다. 나는 오늘 내 몫을 충분히 감당하며 살 수 있다."

아내는 여행과 일과 가사로 지칠 때면 가끔 엄살을 떨곤 한다. "여보, 피곤해 죽겠어요. 내 눈을 봐요. 빨갛게 충혈된 거 보이죠?"

그럴 때마다 나는 이렇게 말한다. "그렇지 않소. 당신의 맑은 두 눈은 오늘도 여전히 예뻐요."

그러면 아내는 내 속내를 정확히 짚어낸다. "아니에요. 하지만 왜 그렇게 말하는지 알아요. 부정적인 말을 하기 싫어서 그렇죠?"

맞는 말이다. 아내의 눈이 실제로 빨갛기는 하지만 나는 패배의 말을 하고 싶지 않다. 나는 언제나 승리의 말만 하고 싶다. 누구나 때로는 피곤해지고 지친다. 하지만 피곤에 관해 말할수록 피곤이 더 몰려온다. 좌절에 관해 말할수록 더욱 좌절하게 된다.

몸이 좋지 않을 때는 실제 몸 상태에 관해 말하지 마라. 그보다는 원하는 몸 상태, 그러니까 몸이 좋아진 상태에 관해 이야기하라. 이 원칙은 모든 형태의 표현 방식에 적용된다. 최근 연구에 따르면 여성 암 환자 중에서 자신의 상태를 긍정적으로 표현한 환자가 부정적인 언어를 자주 쓴 환자보다 회복 가능성이 높았다고 한다.

패배의 언어를 승리의 언어로 바꾸라

성경은 "여호와께서 구원하신 사람들은 이처럼 말해야 한다"라고 말한다. 그러니까 더 높은 수준에 이르고 싶다면 성장에 관해 말해야 한다. 중독의 사슬을 끊고 싶다면 자유를 말해야 한다. 복된 해를 맞고 싶다면 복된 해에 관해 말해야 한다. 빚을 청산하고 싶다면 해방을 말해야 한다. 꿈을 이루고 싶다면 늘 그 꿈에 관해 말해야 한다. 말로 표현하기 전까지는 아무 일도 벌어지지 않는다.

굳이 다른 사람에게 말할 필요도 없다. 자기 자신에게만 말하면 된다. 운전을 할 때나 샤워를 할 때 다음과 같이 말하라.

"경기가 좋지 않지만 나는 복을 받았어. 나는 아주 잘될 거야."

"인생의 풍랑이 닥쳐 실패를 겪었지만 그것은 도약을 위한 디딤돌이었어. 곧 내 인생 최고의 날이 펼쳐질 거야."

"지금은 좀 외롭지만 잠깐만 참으면 돼. 하나님이 예비하신 멋진 짝이 오고 있어. 완벽한 배우자감이 곧 나타날 거야."

이왕이면 완벽을 꿈꾸는 게 좋지 않은가?

우리의 말과 하나님의 역사에는 분명한 상관관계가 있다.

"좋아, 부정적인 말은 하지 않겠어. 나쁜 말은 입에 담지 않겠어."

좋다. 하지만 거기서 멈추면 곤란하다. 하나님의 최선을 경험하고 싶다면 수동적인 자세가 아니라 적극적인 자세를 갖춰야 한다. 자기 삶을 향해 승리를 선포하라. 매일 집을 나서기 전에 이렇게 말하라.

"아버지, 오늘 제 삶에 복을 내려 주실 줄 믿고 감사드립니다. 아버지, 제 발걸음을 적시에 적소로 인도하실 줄 믿고 감사를 드립니다. 당신의 은혜로 기회를 만나고 성장을 이루며 남에게 베풀 만큼 넘치는 복을 받을 줄 믿고 감사를 드립니다."

> **최고의 삶을 위한 TIP**
>
> 말에는 창조의 힘이 있다. 우리는 말로써 자신의 미래를 축복할 수도, 저주할 수도 있다.

시편 91편 2절은 이렇게 말한다. "나는 여호와를 향하여 말하기를 그는 나의 피난처요 나의 요새요 내가 의뢰하는 하나님이라 하리니."

보다시피 시편 기자는 말하고 이 말대로 하나님은 일하신다. 우리가 하나님에 관해 말하면 그분의 역사가 시작된다. 반면 말로 하지 않는 것은 진짜 믿음이 아니다. 자신의 삶을 향하여 자주 승리를 선포하고 있는가? 일이 뜻대로 풀리지 않고 있다면 그것은 필시 당신이 원하는 상태를 말로 표현하지 않았기 때문일 것이다.

현재 복을 누리지 못하고 있는가? 돈도 잃고 건강도 나빠졌는가? 현실을 직시하되 믿음의 말을 하라. 하나님은 "약한 자도 이르기를 나는 강하다 할지어다"(욜 3:10)라고 말씀하셨다.

우리는 현재의 약한 모습을 말하지 말아야 한다. 대신 원하는 모습을 말해야 한다. 하나님의 시각을 받아들이라. 하나님이 우리에게 정복자라고 말씀하셨다면 우리 생각으로는 아닌 것 같아도 그런 것이다. 나는 하나님이 말씀하신 그대로를 믿는다. 그리고 그 말씀을 내 입으로 선포한다.

재정이 흔들리고 있는가? 하지만 하나님은 당신이 꾸지 않고 꾸어 줄 거라고 말씀하신다. 그분의 은혜가 당신을 뒤덮을 거라고 말씀하신다. 우리는 믿음을 실어 말해야 한다. "나는 복을 받았어. 하나님이 내 모든 필요를 채워 주실 거야. 내 잔이 차고 넘칠 거야."

반드시 자기 말의 열매를 먹게 된다

성경은 우리가 자기 말의 열매를 먹는다고 말한다. 현재의 삶이 맘에 들지 않는가? 그것은 당신이 과거에 부정적인 말을 했기 때문일 수 있다.

그러므로 속히 말을 바꿔야 한다. 다음과 같은 태도를 품으라. "지금까지 이렇게 살아왔지만 앞으로는 달라지겠어. 더 높이 비상하겠어. 지금은 약하지만 강해질 거야. 이 중독을 오랫동안 달고 살았지만 곧 해방될 거야."

우리가 건강하고, 온전하고, 자유롭고, 복을 받는 풍성한 삶을 선포하면 하나님이 그 선포대로 이루어 주겠노라 약속하셨다. 꿈과 승리, 은혜, 건강과 온전함을 계속해서 선포하다 보면 신실하신 하나님이 그 씨앗의 열매를 반드시 거두게 해주신다. 때가 무르익으면 말의 열매를 먹게 된다. 하나님의 약속이 우리의 입을 통해서 나오면 보이지 않는 영역에서 변화가 일어난다. 1주 혹은 1년, 심지어 10년 동안 잠잠하다가도 때가 되면 반드시 변화가 나타난다.

우리는 하나님의 약속을 선포했다가도 이내 부정적인 말로 그 약속을 무효로 만들 때가 많다. 처음에는 희망을 품었다가도 당장 아무런 일이 생기지 않으면 곧바로 좌절한다. 하지만 패배의 말을 하면 승리가 없다. 병을 말하면서 건강을 기대하는 것은 어리석은 일이다. 가난과 궁핍을 말하면서 풍요로운 삶을 기대할 수는 없다. 성경에서 "우리가 고백하는 소망의 믿음을 단단히 붙잡읍시다"(히 10:23 - 우리말 성경)라고 말하는 것이 이런 이유에서다.

당장의 삶이 고단하고 목표 달성까지 시간이 제법 오래 걸린다 해도 의심과 불신의 말을 하지 않기로 결단하라. 당신의 재정을 축복하는 말을 하라. 병에 대해 승리를, 중독에 대해 자유를 선포하라.

우리 입에서는 매순간 믿음의 말만 나와야 한다. "아버지, 아버지

선한 길로 꿋꿋이 가라. 끝까지 믿으라. 아무리 지치고 힘들어도
미래를 포기해서는 안 된다. 아무리 시간이 오래 걸려도 목표에
시선을 고정하라. 끝까지 최선을 다하라.

의 은혜가 방패처럼 저를 감싸고 있으니 감사합니다. 아버지의 은혜로 어떤 사람도 닫을 수 없는 문이 열리고 있으니 감사합니다. 아버지의 은혜로 초자연적인 기회와 아름다운 인연의 문이 열리고 있습니다. 제가 적시에 적소에 이를 줄 믿습니다."

스가랴 10장 1절은 이렇게 말한다. "봄비가 올 때에 여호와 곧 구름을 일게 하시는 여호와께 비를 구하라." 여기서 비는 하나님의 복을 의미한다.

봄비가 내리는 철이라면 굳이 비를 달라고 기도할 필요가 없다. 그런데도 하나님은 구하라고 하신다. 바로 지금 하나님이 복과 치유, 성장, 좋은 아이디어의 봄비를 내리고 계신다. 그런데 유독 당신의 땅에만 은혜의 비가 내리지 않고 있다면 당신의 입을 점검해 봐야 한다. 믿음의 말을 하지 않으면 복의 비를 맞을 수 없다. 말로 믿음을 표현하라.

오늘은 정말 좋은 날이다. 하나님이 역사상 그 어느 때보다도 많은 복의 비를 내리고 계신다. 바로 지금, 성장의 비가 내리고 있다. 승진의 비가 쏟아지고 있다. 믿음의 말을 함으로써 이 비에 흠뻑 젖어 보지 않겠는가?

"나만 빼고 다들 복을 받았어. 왜 남들에게만 좋은 일이 일어나는지 정말 모르겠어."

그러지 말고 자신을 향해 복을 선포하라. "나 또한 복을 받았다. 나는 번성할 것이다. 은혜가 나를 뒤덮고 있다. 나는 건강하고 자유롭다."

문제를 향해 말하라

때로 우리는 우리 자신의 가장 큰 적처럼 행동한다. 누군가가 이런 말을 했다. "마귀가 우리를 무너뜨리지 않아서 우리 스스로 무너진다."

믿음의 말을 하는 것은 하나님께 동의하는 것이다. 반면, 패배의 말을 하는 것은 마귀에게 동의하는 것이다. 우리가 믿음의 말을 하면 하나님이 능력을 발휘하시고, 악한 말을 하면 마귀가 힘을 쓴다. 믿음의 소리와 패배의 소리, 이 두 소리가 하루 종일 우리의 관심을 끌기 위해 경쟁한다.

"너는 더 나아질 수 없어. 너는 그럴 만한 능력이 없어. 이미 한계에 이르렀어." 하지만 귀를 쫑긋하면 또 다른 목소리가 들린다. "너는 충분히 할 수 있어. 너는 그리스도를 통해서 무슨 일이든 할 수 있어. 네 인생 최고의 날이 오고 있어."

이제 두 목소리 중 무엇을 받아들일지 선택해야 한다. 그리고 선택의 결과를 말로 표현해야 한다. 생각을 말로 표현하는 순간, 그 생각대로 이루어지기 시작한다. 마귀의 목소리가 더 클지라도 얼마든지 잠재울 수 있다. 믿음의 목소리를 선택하기만 하면 악한 목소리는 순식간에 힘이 쫙 빠져 버린다.

자신을 향해 이렇게 물어보라. "승리의 보고서와 패배의 보고서 중 어떤 보고서를 믿을 것인가?"

시련이 닥치면 우리 마음속에서 전투가 벌어진다. 하루 종일 불행과 산더미처럼 쌓인 빚, 심각한 병이라는 의사 소견, 문제투성이 자녀에 관해 말하고 싶은 유혹이 든다. 우리는 이 유혹을 단호히 떨쳐

내야 한다.

"아니다. 패배의 말은 입에 담지 않겠다. 질병과 쪼들림, 두려움의 말은 하지 않겠다. 내게는 다른 소견이 있다. 복과 은혜, 번영, 건강, 온전함이 그분의 소견이다. 나는 승리자다."

문제에 관해 말하지 말고 문제를 향해 말하라. 당신의 길에 버티고 서 있는 저 산을 향해 말하라. 어려운 상황을 향해 복을 선포하라. 우리는 하나님께 우리의 문제가 얼마나 큰지 아뢸 때가 참 많다. 그러지 말고 문제를 향해 우리 하나님이 얼마나 크신지 말해야 한다.

성경에서 다윗 왕의 후손이자 유대의 통치자인 스룹바벨 앞에 거대한 과제가 주어졌다. 모리아 산에 성전을 재건하라는 하나님의 명령이 떨어진 것이다. 모리아 산은 7년 전에 파괴된 전설적인 솔로몬 성전이 있던 곳이다. 그런데 지역 주민들의 반대가 워낙 거셌기 때문에 도무지 답이 보이질 않았다.

하지만 스룹바벨은 낙심하지 않고 눈앞의 과제를 과감하게 받아들였다. "큰 산아 네가 무엇이냐 네가 스룹바벨 앞에서 평지가 되리라 그가 머릿돌을 내놓을 때에 무리가 외치기를 은총, 은총이 그에게 있을지어다 하리라"(슥 4:7).

최고의 삶을 위한 TIP

현실을 직시하되 믿음의 말을 하라. 패배의 언어를 승리의 언어로 바꾸라.

스룹바벨은 거대한 산 앞에서도 전혀 기가 죽지 않았다. 그는 산이 영원하지 않다는 것을 알았다. 산을 향해 은혜를 선포하면 아무리 높은 산일지라도 평평해질 수 있다는 원리를 잘 알고 있었다. 우리도 고난의 산 앞에서 그래야 한다. 패배를 말하지 마라. 불평하지도 마라. 산을 향해 은혜를 선포하라.

살림이 쪼들리는가? 그렇다면 통장을 꺼내 은혜를 선포하라. 자녀들이 속을 썩이는가? 그렇다면 그 자녀를 향해 은혜를 선포하라. 일터의 상황이 위태위태한가? 그렇다면 그 산을 향해 하나님의 은혜를 선포하라.

모세가 이스라엘 백성을 이끌고 광야를 지나다가 물이 부족해졌을 때 하나님은 모세에게 바위를 치라고 말씀하셨다. 그리고 모세가 바위를 치자 거기서 정말로 물이 나왔다. 얼마 후 이스라엘 백성이 또다시 갈증에 시달렸다. 하나님은 이번에는 바위를 향해 말하라고 지시하셨다. 그런데 모세는 옛 방식을 고수했다. 바위를 치고 또 친 것이다. 물이 나오긴 했지만 불필요한 힘이 많이 허비되었다.

우리도 난관 앞에서 모세처럼 할 때가 많다. 틈만 나면 옛 방식으로 돌아간다. 예전에 통했던 방식으로 문제를 해결하려고 한다. 자녀의 행실을 고치거나 일터의 상황을 바로잡으려고 할 때 우리는 옛 방식을 동원했다가 스트레스를 받고 좌절할 때가 많다. 하나님은 이제 바위를 칠 필요가 없다고 말씀하신다. "네게 풍성한 삶을 주고자 내 아들이 왔노라. 그냥 바위를 향해 말하라. 어려운 상황을 향해 그냥 복을 선포하라."

아침에 일어나 상황을 향해 복을 선포하기만 하면 인생이 변한다. "나는 복을 받았다. 어떤 무기도 나를 대적할 수 없다. 하나님이 내게 불리한 상황도 오히려 유리하게 사용하실 것이다. 이 문제는 절대 나를 무너뜨릴 수 없다."

말만 바로잡으면 오랫동안 우리의 발목을 잡아온 장애물들이 순식간에 무너질 수 있다. 모질던 가난이 순식간에 물러간다. 일터에서 힘든 나날을 보내고 있는가? 말만 바로잡으면 하나님이 지혜와 은혜를 주시고 좋은 사람들을 보내 주실 것이다. 하나님이 굽은 길을 곧게 하시리라.

여태껏 바위를 치며 살아왔는가? 이제는 그 바위를 향해 말해야 할 때다. 매일 아침 눈을 뜨자마자 하나님의 은혜를 선포하라. 아직 이루어지지 않은 일이 이미 이루어진 것처럼 말하라.

복을 선포하고 믿음 충만한 말을 하는 습관을 기르면 어려운 상황이 바뀌는 기적을 체험하게 될 것이다. 우리의 산들이 평평해질 것이다. 장애물이 무너지고 모든 적이 쓰러질 것이다. 하나님이 우리 마음에 주신 모든 꿈과 약속이 이루어질 것이다. 지금은 은혜의 때다.

3

최고의 회복
나는 넘어져도 다시 일어선다

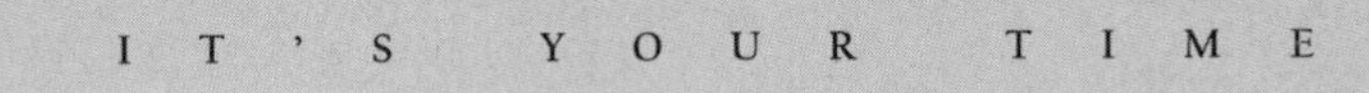

믿음이 이긴다
최고의 삶

Chapter 01

또 다른 기회를 주신다

뒷거울만 보면서 차를 운전할 수는 없다. 인생도 마찬가지다.
어두운 과거를 자꾸 뒤돌아보면 전진할 수 없다. 뒤가 아닌 앞을 보라.

살아가면서 누구나 한번쯤은 좋은 기회들을 놓치거나 날려 버린 경험이 있을 것이다. 후회되는 일 또한 한두 가지가 아니다. '그 관계를 살리기 위해 좀 더 노력할 걸. 그 직장에 들어갈 걸. 내가 왜 어리석은 친구들과 못된 짓만 하며 그 많은 세월을 허비했을까?'

불우하거나 가난한 환경에서 자란 사람 중에는 기회를 놓친 사람들이 많다. 이유야 어쨌든 일이 뜻대로 풀리지 않으면 부정적인 생각이 들기 쉽다.

하지만 좋은 소식이 있다. 하나님 안에는 언제나 새로운 계절이 있다. 요엘 2장 22절에서 하나님은 빼앗긴 세월을 보상해 주겠다고 말씀하셨다. 어린 시절로 다시 돌아갈 수는 없겠지만 하나님의 은혜로 남은 평생은 과거에 놓친 기회를 보상하고 남을 만큼 충만하게 살 수 있다. 수많은 세월 동안 공을 들인 관계가 결국은 깨지고 말았는가? 한 회사에 평생을 바쳤건만 결국 그 회사가 망하고 말았는가?

하지만 낙심하지 마라. 하나님은 시간을 다스리시는 분이다. 비록 놓친 기회가 있다 하더라도 하나님은 시간을 되돌려 더 크고 좋은 기회를 주실 수 있다. 저자 사인회에서 만난 중년의 린다(Linda)는 딸로 인해 후회가 막급하다고 말했다. 린다는 자기가 별로 좋은 엄마가 아니었다고 인정했다. 그녀는 딸 파울라(Paula)와 수년째 말을 하지 않고 있었다. 린다가 몇 번이나 딸에게 손을 뻗었지만 딸은 닫힌 마음을 열려고 하지 않았다.

그런데 린다가 자기 딸이라며 뒤에 서 있는 아가씨를 가리켰다. 두 사람은 모두 얼굴이 눈물범벅이 되어 있었다. 나는 영문을 알 수 없었지만 왠지 가슴이 찡했다. 이윽고 린다가 자초지종을 설명했다.

"우리 모녀는 13년 동안 서로 말을 하지 않고 지냈어요. 그래서 서로가 목사님의 팬인 줄 전혀 몰랐죠."

거의 남으로 살았던 이 모녀는 각자 따로 내 책 사인회에 왔다가 상봉하게 된 것이다. 서로의 얼굴을 본 모녀는 하나님이 둘 사이의 벽을 허무시는 것을 느꼈다.

모든 상처와 고통과 분노가 일순간에 녹아 내렸다. 그날 밤이 이 모녀의 전환점이었다. 관계는 급속도로 회복되었고, 현재 모녀는 잃어버린 시간을 보상이라도 하듯 전보다 두 배로 사랑하며 살고 있다.

꼬인 관계 때문에 마음이 아픈가? 갈등과 상처를 겪었는가? 누군가와 감정의 벽을 쌓고 살아왔는가? 둘도 없던 친구와 완전히 등을 돌렸는가? 깨진 관계의 상처를 그냥 견디며 살고 있는가? 그럴 필요가 없다. 관계는 회복될 수 있다. 죽을 때까지 등을 돌린 채 살아갈 필요는 없다. 하나님이 관계를 되살려 주신다. 하나님이 잃어버린 세월을 보상해 주신다. 하나님은 시간을 되돌려 주겠다고 말씀하신다. 하나님의 최선이 아니면 만족하지 마라.

전반부보다 나은 후반부가 있다

앞 장에서 히스기야가 하나님께 덤으로 15년을 얻었다는 이야기를 했다. 하나님이 새 삶을 허락해 주시자 히스기야는 더없이 기쁘면서도 한편으론 완전히 믿기지가 않아 하나님께 징조를 구했다. 그는 대담하게도 하나님께 시간을 되돌려 달라는 요청을 했다. 사실상 그는 이렇게 말했다. "하나님, 제 생명을 연장시켜 주신다는 약속이 정말이라면 놀라운 징조를 보여 주십시오. 해의 그림자가 거꾸로 가는 건 어떻습니까? 시간을 되돌려 주십시오."

히스기야는 하나님께 유례없는 역사를 요청함으로써 그분의 사랑을 시험했다. 태양의 움직임을 바꿔 달라니 이 얼마나 엄청난 요청인가? 과연 이후 40분 동안 그림자가 시계 반대 방향으로 이동했다. 성경은 태양이 10도를 거꾸로 갔다고 말한다.

하나님은 우리에게도 똑같은 메시지를 보내고 계신다. "필요하다면 네 삶의 시계를 되돌려 주겠다. 네가 잃어버린 세월을 회복시켜 주겠다."

인생을 망쳐 버렸다고 생각하는가? 허송세월을 하며 보냈는가? 하지만 나는 하나님이 당신의 앞길에 새로운 기회들을 예비해 놓으셨다고 확신한다. 하나님은 당신 인생의 전반부보다 후반부가 더 낫기를 원하신다. 당신이 잃어버린 일분일초는 물론이고 모든 시간과 날, 주, 달, 해까지 모두 회복시켜 주실 것이다. 당신이 엉뚱한 곳에 있다가 잃은 기회들을 다시 주실 것이다. 당신의 실수로 잃어버린 시간일지라도 지극히 선하시고 자비가 많으신 하나님이 그 실수를 만회해 주실 것이다.

하나님은 우리에게 또 다른 기회를 주신다. 믿음의 눈으로 새로운 기회를 보라. 너무나 긴 세월을 허비했는가? 그 세월을 절대 되돌릴 수 없을 것만 같은가? 하지만 히스기야를 위해 시계를 거꾸로 돌리신 영원의 하나님이 지금 당신에게도 말씀하신다. "잃어버린 시간을 내가 채워 주겠다. 허비한 세월을 내가 회복시켜 주겠다."

한번은 우리 교회에 다닌 지 꽤 된 라일리(Riley)라는 성도에게서 40년 동안이나 코카인에 찌들어 살았다는 말을 듣고 깜짝 놀란 적이 있다.

> **최고의 삶을 위한 TIP**
>
> 추락한 깊이는 미래에 당신이 날아오를 높이를 말해 준다. 인생 후반부를 복되게 만들어 가라.

"목사님, 젊은 시절이 기억도 나지 않아요. 공부도 제대로 못했고 인생을 완전히 망쳤어요. 아내와도 끝이 났고요."

라일리는 인생이 끝났다고 생각했다. 그러나 지금 50대에 접어든 그는 좋은 직장에 다니고 아내와도 다시 합쳤다. 그리고 주일에는 교회에서 자원봉사도 한다. "목사님, 하나님이 다시 기회를 주시리라곤 꿈에도 생각지 못했어요. 다시 행복해질 줄 정말 몰랐어요."

어찌된 일일까? 하나님이 라일리를 위해 시간을 되돌려 주신 것이다. 하나님이 잃어버린 세월을 회복시켜 주셨다. 라일리의 후반부는 전반부보다 훨씬 좋을 것이다. 이것이 우리 하나님의 방식이다.

히스기야처럼 담대하게 말하라. "하나님, 제가 잃어버린 기회를 모두 돌려주십시오. 물론 저의 잘못으로 날려 버린 기회들이지만 하나님은 자비가 많으신 줄 압니다. 저를 지극히 사랑하시는 줄 압니다. 시간을 되돌려 다시 한 번 기회를 주세요."

지금은 회복의 때다

꿈을 포기했는가? 깨진 가정, 일터에서의 부당한 대우, 수많은 어리석은 선택으로 인해 늘 무거운 마음으로 살아왔는가? 이제 패배자의 마음은 단호히 떨쳐 내야 한다. 과거에 연연하지 마라.

뒷거울만 보면서 차를 운전해 본 적이 있는가? 그렇게 운전할 수 있는 사람은 없다. 우리 인생도 마찬가지다. 어두운 과거를 자꾸 뒤돌아보면 전진할 수 없다. 희망을 품으라. 뒤가 아닌 앞을 보라. 믿기만 하면 하나님이 잃어버린 시간을 보상해 주신다.

하나님은 우리에게 이렇게 말씀하신다. "온 우주가 내 손안에 있단다. 그 옛날 내가 히스기야를 위해 태양을 뒷걸음치게 만든 것처럼 이제 너를 위해서도 시간을 되돌려 주마."

삶이 어떻게 회복될지 도무지 답이 보이질 않는가? 당신이 꼭 답을 알 필요는 없다. 답을 아시는 분을 믿기만 하면 된다. 하나님의 복에 마음을 열라. 하나님이 잃어버린 모든 것을 되돌릴 수 있는 길을 열어 주실 것이다.

할랜드 샌더스(Harland Sanders)는 오랫동안 이 직업 저 직업 이곳저곳을 기웃거리며 살았다. 그는 겨우 5세 때 아버지를 여의고 초등학교를 중퇴한 뒤 가출해서 닥치는 대로 돈을 벌었다.

대공황 때 그는 작은 켄터키 마을의 주유소에서 일하다가 그곳에 작은 식당을 열었다. 이 식당은 장사가 너무 잘돼서 곧 거리 건너편 건물로 확장 이전을 했다. 몇 년 후 화재로 그 건물이 탔지만 샌더스는 포기하지 않고 건물을 다시 세웠다. 열한 가지 양념으로 만들어지는 그의 켄터키프라이드치킨(KFC)이 불티나게 팔려 나가자 주지사는 샌더스를 켄터키 주의 명예 대령으로 임명했다.

하지만 좋은 시절은 오래가지 않았다. 샌더스가 은퇴를 바라보는 60대에 그의 식당을 우회하는 간선도로가 생겨 마을의 유동 인구가 크게 줄었다. 결국 그는 견디다 못해 식당 문을 닫아야 했다. 그 나이에 그 정도쯤 되면 대부분은 포기하고 은퇴를 할 것이다. 하지만 샌더스 대령은 달랐다. 그는 회복의 하나님을 믿었다. 하나님이 자기 꿈을 결국 이뤄 주실 것이라고 굳게 믿었다.

가게를 팔아 빚을 갚고 나니 수중에는 겨우 105달러뿐이었다. 그때부터 샌더스는 트럭 뒤에 튀김용 장비를 싣고 이 마을 저 마을을 돌며 다른 식당들에 치킨을 팔았다.

조금 뒤 샌더스의 치킨이 기가 막힐 정도로 맛있다는 소문이 퍼지기 시작했다. 샌더스가 70세에 이르렀을 때 켄터키프라이드치킨 브랜드는 미국과 캐나다 전역에 체인점을 두게 되었다. 현재는 전 세계적으로 1만 1천 개 이상의 KFC 체인점이 있다. 필시 당신도 샌더스 대령의 치킨 한 조각쯤은 먹어 봤을 것이다. 앞으로는 KFC의 치킨을 먹을 때마다 하나님의 회복하심을 기억하라.

지금은 회복의 때다. 나도 우리 딸을 통해 하나님의 회복 역사를 직접 경험한 적이 있다. 우리 딸 알렉산드라는 아버지가 돌아가시기 꼭 한 달 전에 태어났다. 당시 나는 신장 질환 진단을 받은 아버지를 병원에 모시고 다니느라 정신이 없었다. 그 해는 여러 모로 바쁜 해였다.

또 아버지가 세상을 떠난 후에는 목회에 뛰어들어 나름대로 최선을 다했다. 돌이켜보면 알렉산드라의 생후 2년에 대한 기억은 내 머릿속에 거의 없다. 그저 목회를 배우고 상황을 정리하는 데만 바빴을 뿐이다.

그러던 어느 날 알렉산드라와는 별로 추억이 없다는 사실에 깜짝 놀란 나는 퍼뜩 정신이 들었다. "하나님, 다른 일에 너무 바빠서 딸과 잘 놀아 주지 못했습니다. 딸과의 추억을 회복시켜 주십시오."

현재 나와 딸은 더없이 가깝다. 딸애는 뭐든 아빠와만 하려고 한다. 친구들과 노는 것보다 뒤뜰에서 나랑 재주를 넘으며 노는 것을 더 좋아한다. 딸애와 함께 있을 때면 가슴이 훈훈해진다.

"얘야, 사촌 집에 놀러가고 싶지 않니? 아니면 친구들하고 같이 수영을 하면서 놀지 그래?"

"싫어요. 아빠랑 노는 게 제일 좋아요."

우리 부녀가 이렇게 뭉친 것은 시계를 거꾸로 돌려 잃어버린 세월을 보상해 주신 하나님 덕분이다.

그리 좋은 부모 밑에서 자라지 못했는가? 정신없이 돌아가는 세상사에 바빠 정작 중요한 가족과의 관계는 챙기지 못했는가? 죄책감으로 괴로워하는 것보다 뭔가 건설적인 일을 하는 게 어떤가? 다시 기회를 달라고 하나님께 기도하라. "하나님, 이 관계를 회복시켜 주세요. 관계 회복을 위해 최선을 다하겠습니다. 잃어버린 세월을 보상해 주십시오."

사업가인 그레고리(Gregory)는 무려 3년 반이나 법정 싸움을 하게 되었다. 그 기간은 생지옥과 같았다. 문제의 진원지는 몇몇 경쟁사들이었다. 상대 기업들이 거짓 주장을 하는 바람에 그레고리도 맞대응할 수밖에 없었다. 처음에는 결연한 의지로 대응했다. 하지만 소송과 반대 소송이 몇 달 동안 반복되자 결국 사업에 열정을 잃고 말았다. 지칠 대로 지친 그레고리는 더 이상 싸울 의욕조차 없어졌다.

하루는 나를 찾아와 참담한 얼굴로 말했다. "목사님, 이젠 아무렇게 돼도 상관없습니다. 이 일로 몸과 마음이 완전히 망가졌습니다. 사업도 망했고요. 더는 희망이 없습니다."

최고의 삶을 위한 TIP

믿음의 눈으로 새로운 기회를 보라. 허비한 후회의 세월도 회복될 수 있다.

나는 그레고리에게 하나님이 법정 싸움에서 잃어버린 세월을 회복시켜 주실 것이라고 말했다. 당장 눈에는 보이지 않아도 우리 하나님이 어떤 분이신가? 바로 초자연적인 분이다. 믿음에 굳게 선다면 하나님은 우리를 수렁에서 꺼내 주실 뿐 아니라 잃어버린 시간까지 되돌려 주신다. 잃어버린 기쁨과 평안, 승리를 회복시켜 주신다.

그레고리의 삶이 그 증거다. 그런 일이 있고 나서 몇 년 후 법정 싸움은 그의 승리로 끝났다. 현재 그는 법정 싸움 전보다 훨씬 큰 복을 받아 건강하게 살고 있다.

아비가일의 말을 들으라

한번은 다윗도 포기하고 싶은 유혹이 든 적이 있다. 좌절한 그는 하마터면 어리석은 결정을 내릴 뻔했다. 당시 그는 오랜 세월을 기다려도 이루어지지 않는 약속 때문에 지칠 대로 지쳐 있었다. 언젠가 왕좌에 오를 것은 분명했지만 수년이 흘러도 아무런 조짐이 보이질 않았다.

다행히 나발의 아내 아비가일이 나서서 다윗의 운명을 일깨워 주었다. 그는 자기 가족을 공격하지 말라며 이렇게 말했다. "장군님, 왜 제 남편 따위와 다투십니까? 당신은 이스라엘의 차기 왕이십니다. 소 잡는 칼로 파리나 잡아서야 쓰겠습니까?"

다윗은 아비가일의 말을 듣고 하나님의 약속을 다시금 떠올렸다. 우리가 꿈을 버리려고 할 때 하나님이 우리에게도 아비가일을 보내주시리라 믿는다. 우리 마음 깊은 곳에 꿈과 포부가 있다. 이 꿈과 포부는 언젠가 반드시 이루어진다. 언젠가 우리의 건강이 회복될 것이다. 언젠가 우리의 빚이 사라질 것이다. 언젠가 우리의 억울함이 풀릴 것이다.

당장은 상황이 그리 좋아 보이지 않는다. 다윗처럼 주변을 맴도는 상황일 수도 있다. 어떤 좋은 일도 눈에 들어오지 않는다.

"노력해서 뭐하나? 상황이 바뀔 리가 없는데. 15년이 넘도록 믿음으로 기다려 왔지만 결국 이루어진 게 무엇인가?"

그렇게 말하지 말고 내 목소리를 아비가일의 목소리로 여기고 들어 보라. 선한 길로 꿋꿋이 가라. 끝까지 믿으라. 아무리 지치고 힘들어도 미래를 포기해서는 안 된다. 아무리 시간이 오래 걸려도 목표에 시선을 고정하라. 대로로 가면서 끝까지 최선을 다하라.

당신은 모든 장애물을 극복할 수 있다. 어떤 중독의 사슬도 끊을 수 있다. 당신은 풍성한 삶을 살 수 있다. 당신을 위한 새로운 복과 은혜의 계절이 다가오고 있다. 하나님은 잃어버린 세월을 되돌리실 수 있다. 당신의 미래를 절대 포기하지 마라.

큰 상처와 고통을 겪었는가? 실패와 부당한 일을 경험했는가? 하지만 당신이 추락한 깊이는 미래에 당신이 날아오를 높이를 말해 줄 뿐이다. 하늘 높이 치솟는 마천루를 건축하려면 먼저 견고한 기초를 쌓기 위해 땅을 깊게 파야 한다. 그런 후에야 건물이 안전하게 솟아오를 수 있다. 당신의 기초가 쌓이고 있다. 오랜 시간이 걸릴지 모르지만 믿음으로 인내하면 하나님이 기초를 단단하게 쌓아 주실 것이다. 믿음의 끈을 놓지 마라.

약속이 이뤄질 날을 고대하라. 하나님이 당신의 잃어버린 시간을 되돌려 주실 것이다. 놓친 기회와 허비한 세월을 향해 말하라. "회복의 날이 오고 있다!"

하나님이 잃어버린 세월을 회복시켜 주실 것이다. 상황이 유리하게 바뀔 것이다. 장담컨대, 당신 인생의 후반부가 전반부보다 훨씬 나을 것이다. 그러니 믿음으로 복된 인생 후반부를 만들어 가라!

Chapter 02

열매 맺는 것은 시간문제다

하나님이 우리를 묻어 버리기 위해서 허락하신 고난은 없다. 고난은 우리의 성장을 위한 발판일 뿐이다.

최근 신문업계들이 수천 명의 기자와 편집자들을 해고할 때 존도 그 대상 가운데 한 명이었다. 광고주와 독자들이 인터넷으로 이동하면서 신문업계는 불황 전부터 이미 힘든 시간을 보내고 있었다. 그러다가 경기가 곤두박질하자 신문업계 역시 정신없이 추락해 갔다.

존은 대학교와 초등학교에 다니는 딸들이 있었기 때문에 일을 계속 해야만 했다. 그래서 사양 사업이 되고 있는 신문 팀에서 나와 빠르게 성장하고 있는 웹사이트 팀으로 전근했다. 이후 몇 달간 존은 디지털 웹사이트를 구축하고 관리하는 법을 배웠다. 새로운 기술을 익히는 과정은 여간 힘든 게 아니었지만 가족을 생각하면 어떻게든 적응해야 했다.

다시금 해고 바람이 들이닥치자 백여 명가량이 일자리를 잃었다. 존은 당시 해고의 칼날을 피해 낸 몇 안 되는 사람들 중 한 명이었다. 남들은 세파에 휩쓸려 갈 때 존은 굳은 의지와 노력으로 어려운 상황을 극복해 냈다.

존은 자기 업계가 무너지고 있다고 한탄만 하지 않고, 삽을 쥐고 새로운 씨앗을 심었다. 많은 동료들이 해고를 당한 뒤 살아남기 위해 애를 쓰고 있었다. 하지만 존은 새로운 웹사이트 기술 덕분에 당시 직장에서 몇 킬로미터 떨어진 지역 방송국으로 스카우트되었다. 거기서 그는 훨씬 더 많은 임금을 받으며 방송국 디지털 미디어 관리자로 새 삶을 시작했다.

묻을 때가 있고 심을 때가 있다

인생길에는 묻어야 할 때와 심어야 할 때가 있다. 이 둘의 결정적인 차이는 앞으로 어떤 일이 일어나기를 기대하느냐에 있다. 땅에 씨앗을 뿌리면서 "이 씨앗을 묻어야지"라고 말하는 사람은 없다. 씨앗은 심는 것이다.

일전에 집에서 키우던 애완 토끼가 죽었다. 그때 나는 "이 토끼를 심어야지"라고 말하지 않았다. 우리는 그 토끼를 묻었다. 그 토끼가 되살아나지 않는다는 것을 알았기 때문이다. 되살아날 거라고 생각했다면 그 토끼를 땅에 묻지 않았을 것이다.

심어야 할 때는 시련이 닥쳤을 때다. 사람은 누구나 시련을 겪는다. 하지만 우리 안에는 전능하신 하나님의 씨앗이 있다. 하나님이 우리 안에 그분의 생명을 불어넣으셨다. 고난을 겪을 때 우리는 절망의 땅에 묻히는 느낌이지만 사실은 땅에 심겨지는 것이다. 다시 말해 우리는 고난을 뚫고 다시 회복될 수 있다. 그냥 회복만 되는 게 아니라 전보다 더 강해지고 성숙해진다.

우리가 고난의 터널 속으로 들어갈 때는 마치 씨앗과 같다. 그러나 우리는 하나님의 생명 덕분에 활짝 꽃을 피우고 열매를 맺은 모습으로 고난의 터널을 빠져나올 수 있다. 하나님은 힘든 상황을 오히려 유익하게 사용하시기 때문이다.

요한복음 12장 24절에서 예수님은 한 알의 밀알이 땅에 떨어져 죽지 않으면 열매를 맺을 수 없다고 말씀하셨다. 땅에 심겨지기 전까지 씨앗의 잠재력은 온전히 실현될 수 없다. 씨앗이 편안한 선반 위에 놓여 있는 한 그 잠재력은 절대 깨어나지 않는다. 씨앗은 땅에 떨어져 발아 과정을 거친다. 외피가 벌어져야 새로운 성장을 하고 마침내 꽃을 피우고 열매를 맺게 된다.

만약 씨앗에게 입이 있다면 이렇게 말할지도 모르겠다. "땅에 떨어지기 싫어. 땅 속은 너무 외롭고 어두워." 땅에 심겨져 있는 동안 씨앗은 빛을 볼 수 없다. 게다가 사람들에게 밟히기까지 한다. 하지만 그것은 묻혀 있는 것이 아니다. 씨앗이 어두컴컴한 땅속에 있는 동안 초자연적인 일이 벌어진다. 몇 톤의 땅이 누르고 있어도 씨앗의 행보는 계속된다.

시간이 흐르면 씨앗은 땅을 뚫고 나와 아름다운 초목으로 자라 형형색색의 꽃을 피운다. 물론 어둡고 외로운 시절을 지나고 엄청난 무게의 땅도 뚫고 나와야 한다. 때로 다시는 햇빛을 보지 못할 것 같은 생각도 든다. 그래도 계속해서 전진하다 보면 하나님의 섭리대로 어두움을 뚫고 빛 가운데로 나와 자라고 번성한다.

아무리 힘든 일이 닥쳐도 우리는 묻혀 있는 게 아니다. 단지 심겨져 있을 뿐이다. 당장은 힘들고 인생이 불공평하게 느껴지고 자신이 매장되었다는 생각마저 들지만 그래도 계속해서 흙을 뚫고 나와야 한다. 그러면 우리도 그 작은 씨앗처럼 하나님의 생명이 꿈틀대는 것을 느낄 수 있다.

"너는 나를 이겨낼 수 없다. 내가 너보다 훨씬 더 강하기 때문이다. 너를 묻어 버리고 말 것이다." 갖은 시련과 병마가 그렇게 말해도 씨앗처럼 담대하게 말하라. "나는 되살아나고 있다. 물론 불경기 때문에 일자리를 잃고 저축해 둔 돈도 다 날렸지만 그래도 나는 묻히지 않았다. 심겨졌을 뿐이다. 내게는 회복력이 있고 아직 끝이 아니다. 오히려 이제부터 시작이다."

"내가 비록 지금은 병상에 누워 있지만 그래 봐야 잠시뿐이다. 화학 요법으로 몸이 좀 약해지고 머리카락이 빠지긴 했지만 내게는 회복력이 있다."

믿음이 있는 사람의 잠재력은 절대 묻히지 않는다. 예수님이 풀어주시면 누구나 자유를 얻을 수 있다. 하나님이 새로운 승리를 준비해 놓으셨다.

인생 최고의 날이 곧 온다

하나님은 우리가 감당하지 못할 시험을 주지 않으신다. 오늘 거대한 난관이 닥쳤다는 것은 우리의 운명이 그만큼 거대하다는 뜻이다.

대단한 사람은 대단한 고난을 받는다. 하지만 전혀 걱정할 필요가 없다. 우리에게는 더 대단한 하나님이 계시지 않는가? 우리의 미래는 그분의 장중에 있다.

카이사르라는 이름의 노새를 키우는 농부 제이콥(Jacob)에 관한 이야기를 들은 적이 있다. 한번은 이 노새가 깊이 15미터나 되는 버려진 우물에 빠졌다. 제이콥이 지극히 아끼는 노새였지만 아무래도 카이사르를 구해 낼 방도가 떠오르질 않았다.

노새는 좁고 깊은 우물의 바닥에 꽉 끼어 있었다. 그래서 움직일 수도 소리를 낼 수도 없었다. 노새를 구할 수 없다고 판단한 제이콥은 신속한 조치를 내렸다. 노새를 우물 바닥에 둔 채 흙으로 우물을 채우기로 한 것이다.

제이콥은 우물에 흙을 함께 퍼 넣을 친구들을 불렀다. 첫 삽의 흙이 우물 바닥에 떨어지자 기절했던 노새가 깨어났다. 그리고 두 번째 흙이 떨어지자 노새는 상황을 파악했다. 하지만 노새는 묻히지 않고 흙을 떨쳐 냈다. 흙이 등을 칠 때마다 노새는 몸을 흔들어 흙을 털어 낸 후 그 흙을 밟고 일어섰다. 카이사르는 몸을 흔들고 밟는 과정을 계속해서 반복했다.

그렇게 한 시간쯤 흘렀을까, 농부 제이콥과 친구들은 우물 위로 나타난 노새의 귀를 보고 깜짝 놀랐다. 그들은 카이사르를 묻으려고 했지만 카이사르는 오히려 그 흙을 밟고 올라왔다. 인생의 흙이 우리의 등을 칠 때 우리는 그냥 묻혀서는 안 된다. 그 흙을 떨쳐 낸 다음 밟고 일어서야 한다.

이 지혜로운 노새의 이야기처럼 우리를 묻기 위한 흙이 오히려 회복의 디딤판이 될 수 있다. 우리 안에는 하나님이 우리를 성장시키기 위해 주신 재생의 씨앗이 들어 있다.

> 최고의 삶을 위한 TIP
>
> 거대한 난관에 봉착했다는 것은 당신의 운명이 그만큼 대단하다는 뜻이다.

값싼 석탄과 값비싼 다이아몬드의 유일한 차이가 뭔지 아는가? 그것은 두 요소가 견뎌낸 압력의 양이다. 우리도 마찬가지다. 역경을 어떻게 다루느냐에 따라 더 강해질 수도 부서질 수도 있다. 어려움이 왔을 때 원망하면서 삶의 열정을 잃는다면 고난으로 인해 묻히는 꼴이다. 하지만 하나님이 온전히 다스리심을 믿는다면 부당한 상황에서도 불평하지 않고 옳은 일을 할 수 있다.

카일(Kyle)은 무려 10년 간 암과 싸웠다. 이토록 긴 싸움에선 누구라도 무너질 수 있다. 하지만 카일은 병마에 묻히지 않겠다는 결단을 내리고 매일 이렇게 말했다. "아버지, 이 고난이 지나갈 줄 믿고 감사드립니다. 제 몸 안에는 암세포가 자리잡을 수 없습니다. 제 면역체계가 서서히 회복되고 있습니다. 제 몸의 병사들이 이 전쟁을 승리로 이끌 것입니다."

카일은 자신의 백혈구를 병사로 생각했다. 그가 항암 주사를 맞은 후 의사들이 백혈구 수치를 측정해 봐야 한다고 말하자 카일이 물었다. "제 건강이 회복되려면 병사가 얼마나 필요합니까?"

의사들이 부른 숫자는 엄청났지만 카일은 눈 하나 깜짝하지 않고 말했다. "그 두 배로 만들어 드리죠."

그때부터 몇 주간 카일은 백혈구 병사들로 이루어진 대군을 상상하며 기도하고 또 기도했다. 대부분의 암 환자들은 이 기간에 안정을 취한다. 하지만 카일은 매일 러닝머신 위를 달리고 역기를 들었다. 채혈할 날이 오자 의사들은 깜짝 놀랐다. 카일의 말대로 정말 두 배의 백혈구 군대가 생겼기 때문이다. 결국 카일의 백혈구 군대는 암을 완전히 무찔렀다.

카일은 패배자의 정신이 아닌 승자의 정신을 품었다. 그러자 하나님은 그를 구해 주셨을 뿐 아니라 잠재력을 온전히 꽃피우게 하셨다.

고난은 성장을 위한 유익한 도구다

낙심하기 쉬운 상황이 오히려 우리 자신을 성장시키기 위한 도구가 될 때가 많다. 하나님은 아무런 목적 없이 우리에게 시험을 허락하지 않으신다. 하나님이 직접 풍랑을 보내시지는 않지만 우리의 유익을 위해 그 풍랑을 사용하신다.

고난이 닥칠 때마다 그 고난이 우리를 무너뜨리기 위해 찾아온 것이 아님을 상기해야 한다. 고난은 오히려 우리를 성장시키고 단련시키기 위한 유익한 도구다. 우리 눈에는 보이지 않지만 하나님께는 분명한 목적과 방법이 있다. 하나님은 우리 자신도 알지 못하는 잠재력을 이끌어 내기 위해서 역경을 허락하신다.

나도 경험으로 그것을 깨달았다. 1999년, 아버지가 돌아가신 후 나는 극심한 슬픔에 휩싸였다. 아내를 제외하면 아버지는 나에게 가장 가까운 친구였다. 우리는 17년 동안 잠시도 떨어지지 않고 사역을 하고 전 세계를 돌아다녔다. 그런 친구를 잃었으니 오죽 힘들고 외로웠겠는가?

아버지가 세상을 떠났을 때 마치 순풍이 역풍으로 바뀐 것 같았다. 하지만 내 안에 있는 한 가지 확신이 나를 지탱해 주었다. 그것은 내가 이 슬픈 상황에 묻히지 않을 거라는 확신이었다. 아버지의 부음은 내 안에 하나의 씨앗으로 심겨졌다. 그리고 하나님은 이 씨앗을 내게 유익하게 사용하셨다.

신실하신 하나님은 나를 그 어두운 시간 속에서 이끌어 내셨다. 나는 자신도 몰랐던 잠재력을 발견했다. 내가 다시 일어나 목사가 될 줄은 정말 몰랐다. 그런데 아버지의 죽음으로 내 씨앗이 활짝 꽃을 피웠다.

중요한 누군가 혹은 뭔가를 잃었는가? 그래서 미래가 암울하게 보이는가? 사람들이 당신 위를 밟고 지나가는 것 같은가? 하지만 기억하라. 당신에게 유익한 과정이 진행중이다. 땅에 심겨진 작은 씨앗처럼 당신 안에 새로운 성장 엔진이 불을 뿜고 있다. 새로운 재능, 새로운 결단력, 새로운 기회, 새로운 우정이 싹트고 있다. 하나님이 당신을 지금보다 더 큰 인물로 빚어 가고 계신다.

불평불만에 찌들어 살지 마라. 뜻대로 풀리지 않은 일을 골똘히 생각하지 마라. 원망은 우리의 씨앗이 뿌리내리지 못하게 하는 방해꾼이다. 신세한탄이나 자기비난은 우리의 성장을 가로막는다.

묻히는 것과 심겨지는 것의 유일한 차이는 기대 수준이다. 고난이 왔을 때 인생의 끝을 기대하면 정말로 끝이다. 하지만 우리는 전능하신 하나님의 생명을 품은 씨앗이다. 하나님이 우리 안에 회복의 씨앗을 심어 두셨다.

나는 말할 수 없는 고통 속에서 웃으며 역경을 이겨낸 사람들을 많이 보았다. 그들은 희망과 믿음과 기대로 충만한 사람들이다. 욥도 그중 한 사람이다. 욥은 무려 아홉 달 동안 지독한 시련을 겪어야 했다. 사업도 건강도 가족도 모조리 잃었다. 하나님이 자신을 완전히 잊으신 것 같았다. 오죽 힘들었으면 그의 아내가 입에 담지 못할 말까지 했을까 싶다. "여보, 그냥 하나님을 저주하고 죽어요."

정말 아이러니가 아닐 수 없다. 우리를 격려해야 할 사람들이 오히려 우리의 기를 꺾는다. 하지만 그 누구의 말에도 꿈을 포기해서는 안 된다.

인생길에서 맞닥뜨리는 어떤 상황도 하나님의 계산 밖에 있지 않다. 하나님이 우리를 묻어 버리기 위해서 허락하신 고난은 없다. 고난은 오히려 우리의 성장을 위한 발판일 뿐이다. 당장은 좋은 일이 눈에 보이지 않아도 믿음으로 버티면 하나님이 반드시 길을 열어 주신다.

욥은 너무나 힘들었지만 포기하지 않았다. 욥기서의 마지막을 보면 알 수 있듯 그는 처음보다 두 배나 많은 복을 받았다. 가축, 기쁨, 평안, 승리, 모든 것이 두 배로 불어났다. 하나님은 욥의 고난을 두 배의 복으로 보상해 주셨다.

열매를 맺는 것은 시간문제다

야고보는 그의 서신에서 우리가 추수를 기다리는 농부의 심정으로 하나님의 약속을 기다려야 한다고 말한다. 노련한 농부는 씨앗을 뿌리고 나서 정말로 싹이 틀까 하여 밤낮으로 노심초사하지 않는다. 결

"그때 모험을 했더라면 지금의 인생이 달라졌을 텐데."
나는 말년에 이렇게 후회하고 싶지 않다.
차라리 도전했다가 실패하는 편을 택하겠다.

과를 다 알기에 편안히 기다린다. 사실 농부는 희망을 품지 않는다. 심지어 믿지도 않는다. 그는 열매가 맺히리라는 것을 분명히 '안다.' 왜일까? 옥수수 열매가 맺히는 것을 수없이 봐 왔기 때문이다.

상황이 반전될 거라고 기대하는 것만으로는 충분하지 않다. "나아졌으면 좋겠어." "우리 아이가 옳은 길로 돌아오면 얼마나 좋을까?" "우리 회사가 이 어려운 시기를 견뎌내야 할 텐데."

이런 자신 없는 말은 좋지 않다. 우리는 농작물이 자라나기 기다리는 농부처럼 결과를 알고서 기다려야 한다. 자신감을 품고 기다려야 한다. 열매를 맺는 것은 시간문제다. 노련한 농부가 씨앗을 심고 물과 비료를 준 뒤 편안하게 기다리는 것처럼 우리도 확신 가운데 기다려야 한다.

하나님의 약속을 굳게 믿고 살아왔는가? 열심히 기도도 했는가? 당신의 씨앗에 찬양의 물을 뿌렸는가? 그렇다면 이제 느긋하게 기다리라. 흔들리지 않는 확신으로 기다리라. 반드시 회복의 때가 온다.

우리는 흔들리지 않는 확신을 품어야 한다. 내일 아침 태양이 떠오를 것을 아는 것처럼 하나님이 약속을 이뤄 주실 줄 알아야 한다. 오늘 오후에 그 약속이 이뤄질지도 모른다. 혹은 내일, 다음 주, 내년, 20년 후…. 하지만 언제가 됐든 약속은 반드시 이루어진다. 우리는 농부처럼 추수의 때가 오고 있다는 것을 알아야 한다. 하나님의 역사를 이미 보았으니 하나님이 또다시 역사하실 줄 알아야 한다.

땅에 씨앗 하나가 뿌려지면 씨앗 하나만 얻는 게 아니다. 사과 씨앗을 뿌리면 씨앗은 거대한 나무로 자라 많은 열매를 맺는데, 그 열매 하나마다 씨앗이 들어 있다. 하나의 씨앗을 심으면 몇 배로 거둘 수 있다. 우리도 마찬가지다. 그냥 회복되는 게 아니라 몇 배의 성장을 이룰 것이다.

성경은 이렇게 말한다. "하나님이 일어나시니 원수들은 흩어지며"(시 68:1). 우리가 추수를 기다리는 농부처럼 절대적인 확신으로 기다리면 하나님이 일어나신다. 생각보다 더 좋아질 것이다. 그 무엇도 우리를 무너뜨리거나 막을 수 없다. 하나님이 곧 일어나실 테니 조금도 걱정할 필요가 없다. 병마, 빚, 우울증, 불경기 같은 우리의 적들이 반드시 흩어질 것이다. 그 어떤 고난도 영원하지 않다.

최고의 삶을 위한 TIP

시련이 닥쳐와도 당신은 묻히지 않는다. 다만 씨앗처럼 심겨질 뿐이다.

고난중에 있는가? 실직자 신세가 되었는가? 퇴직금이 절반으로 줄었는가? 스트레스 때문에 병이 왔는가? 관계가 흔들리고 있는가? 눈앞의 일에 시선을 고정하지 마라. 고개를 들고 이렇게 말하라. "하나님이 여전히 다스리고 계신다. 지금은 비록 힘들지만 하나님이 더 좋은 날을 주실 줄 믿는다. 하나님은 내 영혼을 회복시키는 분이다. 그분이 내게 재 대신 화관을 씌워 주실 것이다. 그분이 내 모든 필요를 채워 주실 것이다. 내 억울함을 반드시 풀어 주실 것이다. 나를 대신해 싸우실 것이다."

우리는 다만 심겨질 뿐이다

하나님이 일어나시면 적들이 모두 흩어진다. 젊은 시절 모세는 이스라엘 백성을 구원하겠다는 꿈을 꾸었다. 하지만 사람을 죽이는 바람에 하나님의 길에서 벗어나 오랫동안 헤매었다. 모세는 저 멀리 광야에서 무려 40년을 보냈다.

당시 그의 꿈은 묻힌 것만 같았다. 하지만 사실 그는 심겨져 있었다. 그는 회복되고 있었다. 그의 꿈은 아직도 살아 있었다. 광야에 있는 동안 모세는 원망하거나 낙심하지 않았다. 그것은 하나님이 여전히 다스리고 계심을 알았기 때문이다. 어느덧 80세가 된 모세에게 하나님이 찾아와 말씀하셨다. "모세야, 네가 돌아갈 시간이 왔다. 네가 꽃을 피울 날이 왔다. 네게 맡길 임무가 있단다."

알다시피 모세 인생의 후반부는 전반보다 훨씬 더 좋았다. 하나님은 당신 인생의 후반부를 가장 보람차고 값진 날들로 채우고자 하신다. 당신이 한때 품었던 꿈들은 아직 죽지 않았다. 그 꿈들은 아직도 당신 안에서 살아 꿈틀대고 있다. 과거에 어리석은 선택을 했을지라도 당신은 묻히지 않았다. 심겨졌을 뿐이다. 하나님이 벌써부터 당신의 재기를 준비하고 계신다.

하지만 당신도 할 일이 있다. 당신 안에 있는 불씨를 되살리라. 자기비하는 이제 그만하라. 과거의 실수를 자꾸 들추어내는 사람들을 멀리하라. 하나님께 용서를 구한 순간, 당신의 죄는 흰 눈처럼 깨끗해졌다. 하나님은 당신의 소명을 무효화하지 않으셨다. 당신에게 맡긴 임무를 거두지 않으셨다. 그러니 당당하게 서서 말하라.

"이젠 그만! 더는 나 자신을 비하하며 살지 않겠다. 하나님이 나에게도 다시 기회를 주실 것이다. 오늘은 새날이니 새로운 태도로 살겠다."

우리에겐 회복력이 있다. 우리는 모든 난관과 장애물을 극복할 수 있는 존재로 지음을 받았다. 그러니 어떤 경우에도 좌절할 필요가 없다. 하나님이 일어서시면 우리의 적들이 모두 혼비백산해서 흩어질 것이다.

우리를 묻으려는 흙이 오히려 우리의 비상을 돕는 발판이 될 것이다. 그 흙을 털어 내어 밟고 일어서라. 어떤 고난이 와도 그것이 끝이 아니라 새로운 출발이라는 사실을 명심하라. 어깨를 당당히 펴고 고개를 높이 들고 선포하라. "나는 전보다 더 나은 모습으로 회복되고 있다!"

그럴 때 처음보다 두 배나 많은 복이 찾아올 것이다. 현재의 고난이 새로운 성장과 새로운 잠재력, 새로운 재능, 새로운 우정, 새로운 기회, 새로운 비전으로 이어질 것이다. 꿈도 꾸지 못했던 하나님의 복들이 우리의 삶을 가득 채울 것이다.

Chapter 03

고난은 영원하지 않다

그리스도를 죽음에서 일으킨 힘이 우리 안에도 있다.
우리가 감당하지 못할 만큼 힘든 시련은 없다.

2008년 허리케인 아이키가 휴스턴을 집어 삼켰을 때 둘레가 1미터가 훌쩍 넘는 거대한 떡갈나무들이 수없이 쓰러졌다. 더없이 강해 보이는 이 나무들도 시속 150킬로미터가 넘는 강풍에는 상대가 못 되었다.

나는 높이가 40미터나 되는 소나무들이 줄줄이 쓰러져 있는 광경도 보았다. 크고 작은 소나무와 떡갈나무, 느릅나무, 목련나무가 죄다 허리케인의 위력을 이기지 못하고 부러졌다.

그런데 딱 한 가지 종류는 이 무시무시한 허리케인 아이키의 피해를 그나마 적게 입었다. 그것은 아주 연약해 보이는 종려나무다. 하나님은 종려나무가 거센 바람에 부러지는 대신 구부러지게 창조하셨다. 그래서 비록 가지가 땅에 닿을 정도로 휘어질지언정 부러지지는 않는다. 강력한 허리케인이 오면 종려나무는 서너 시간이나 구부러져 있다. 그 모습을 보면 금방이라도 툭하고 부러질 것 같지만 종려나무의 탄력은 실로 대단하다.

허리케인 아이키가 종려나무를 향해 이렇게 말하는 것을 상상해 보자. "다시는 네가 일어서지 못하도록 해주마." 그러면서 바람의 강도를 더 높인다. 하지만 허리케인이 물러가면 종려나무는 다시 일어나 잎을 쫙 펴고 깊은 숨을 들이마시며 말한다. "참 시원한 바람이었군. 그런데 이상하네. 떡갈나무와 느릅나무는 다 어디로 갔지?"

종려나무는 자연의 온갖 힘에 쉽게 구부러진다. 종려나무가 다시 일어서는 것은 시간문제다. 종려나무는 허리케인을 무서워하지 않았다. 다른 나무들을 다 혼비백산했지만 종려나무는 지극히 평온했다.

얼마 전에 나는 종려나무에 관해 더 놀라운 사실을 알았다. 생물학자들의 연구에 따르면 허리케인으로 종려나무가 구부러져 있을 때 그 뿌리가 오히려 강해진다고 한다. 그래서 허리케인을 이겨낸 종려나무는 보통 종려나무보다 더 크게 자란다고 한다. 하나님은 우리 모두가 그렇게 된다고 말씀하신다. "의인은 종려나무 같이 번성하며"(시 92:12).

흥미롭지 않은가? 하나님은 우리가 강인한 떡갈나무처럼 번성할 거라고 말씀하실 수도 있었다. 떡갈나무야말로 거대하고 그 잎도 시원스럽게 넓다. 아니면 소나무처럼 번성할 거라는 말씀도 괜찮지 않은가? 훤칠하고 위엄이 넘치는 소나무는 몇 킬로미터 밖에서도 단연 눈에 띈다.

하지만 하나님은 종려나무를 선택하셨다. 하나님은 우리를 낙심시키고 패배시키려는 시련이 올 줄 알고 계셨다. "너는 종려나무와 같다. 내가 네 안에 회복의 능력을 넣어 두었다."

의인은 일곱 번 넘어져도 다시 일어난다

인생의 풍랑이 몰아닥칠 것이다. 거센 바람이 불어올 것이다. 때로는 인생이 끝난 것 같을 것이다. 건강에 적신호가 켜질 수도 있다. 승진 명단에서 누락되거나 해고 명단에 들어갈 수도 있다. 꿈이 죽은 것 같을 때도 올 것이다. 하지만 인생의 풍랑이 물러가면 우리는 종려나무처럼 다시 일어나 계속해서 자라날 것이다.

누구나 실망스러운 일과 실패를 겪는다. 또다시 힘겨운 하루가 시작되었는가? 일이 뜻대로 풀리지 않았는가? 뜻밖의 사고를 당했는가? 신세한탄은 답이 아니다.

하나님은 힘든 상황을 오히려 우리에게 유익하게 사용하겠다고 약속하셨다. 모든 역경과 실패는 잠시뿐이니 오뚝이처럼 다시 일어나라. 어떤 고난도 영원하지 않다. 밤새 울었더라도 아침이면 기쁨이 찾아온다.

하나님은 회복의 하나님이다. 그분은 우리가 당한 부당함을 복으로 바꾸어 배나 갚아 주겠다고 약속하셨다. 그렇다. 오늘은 시련을 겪더라도 내일이면 전보다 더 강하게 자라날 수 있다.

오뚝이 같은 사람은 전능하신 하나님의 씨앗을 품고 있다. 그리스도를 죽음에서 일으킨 힘이 우리 안에도 있다. 우리가 감당하지 못할 만큼 힘든 시련은 없다. 우리가 넘지 못할 만큼 높은 장애물도 없다. 그 어떤 질병이나 실패, 사람, 허리케인, 주식시장 폭락도 하나님이 주신 소명을 이루지 못하게 막을 수는 없다.

원수가 아무리 발악한다 해도 우리를 부러뜨릴 수는 없다. 믿음으로 굳게 서면 우리를 넘어뜨리게 하는 돌부리가 오히려 도약의 디딤돌로 변할 수 있다.

꿈을 포기하고 싶은가? 지금 상태로 안주하고 싶은가? 내면 깊은 곳에서 울리는 소리에 귀를 기울이라. "노(No)! 이건 나의 참 모습이 아니다. 나는 승리의 삶을 살도록 창조되었다. 나는 이 병을 이기도록 창조되었다. 나는 이 문제를 극복하도록 창조되었다."

왜 그런가? 우리는 하나님의 자녀이기 때문이다. 상황이 나빠져도 주저앉아 울고만 있어서는 안 된다. 우리 안에는 회복의 피가 흐르고 있다. 실패는 더 큰 성장을 위한 고통일 뿐이다. 이전보다 더 강하고 나은 사람으로 회복되는 것은 시간문제다.

우리를 치려고 만든 무기는 그 성능을 다 발휘할 수 없다. 잠언 24장 16절에 따르면 의인은 일곱 번 넘어질지라도 다시 일어난다고 했다. 우리 교회 직원 가족 중에 크리스(Chris)라는 성도가 있다. 그는 40번째 생일을 맞이하기 전에 암과 무려 세 번을 싸워야 했다. 그중에서도 최근 전투가 가장 치열했다. 척추를 둘러싼 조직에 종양이 발견되는 바람에 크리스뿐 아니라 그 아내와 어린 세 자

> **최고의 삶을 위한 TIP**
>
> 우리는 승리의 삶을 살도록 창조되었다. 우리 안에는 회복의 피가 흐르고 있다.

녀의 삶이 불투명해졌다. 하지만 크리스는 구부러질지언정 부러지지는 않는 종류의 사람이다. 그래서인지 그가 즐겨 입는 셔츠에는 이런 글이 새겨져 있다. "인생은 즐겁다!"

크리스는 세 번째 암 발병으로 위기에 처했다. 특히 이번에는 종양의 위치 때문에 화학 요법이 불가능했다. 크리스는 기도하며 매일 저녁 나의 어머니가 암을 이겨낸 과정을 쓴 책을 읽으며 큰 위로를 얻었다.

그러던 어느 날 대형 암 센터로부터 뜻밖의 전화가 걸려 왔다. 크리스가 두 번이나 암과 싸웠던 전적 덕분에 특별한 실험 프로그램의 대상으로 선발되었다는 것이다. 그리하여 크리스는 오직 암 세포만 죽이는 신약을 처방받았다. 실험 결과는 대성공이었다. 통증이 거의 없이 암이 완전히 사라진 것이다! 크리스는 오뚝이처럼 다시 일어섰다.

오늘 무시무시한 비바람이 당신 인생에 불어닥치고 있는가? 시꺼먼 먹구름이 하늘을 덮고 있는가? 건강이 나빠졌는가? 직장 안에 해고 바람이 불고 있는가? 가족 중 누군가 인생길을 헤매고 있는가?

흔들리지 말고 당당하게 말하라. "이 상황이 바뀌는 것은 시간문제야. 몸이 좀 안 좋기는 하지만 주저앉아 있지는 않겠어. 하나님이 내 건강을 회복시키고 계셔."

나는 우리 교회의 예배를 시청하는 환자들과 자주 대화를 나눈다. 그들 대부분은 심각한 병을 앓는 사람들이다. 나는 그들에게 어떤 병도 영원하지 않다고 말한다. 우리는 병 같은 시련 앞에서 낙심할 때가 너무 많다. 얼마든지 이길 수 있는 싸움에서 백기를 들고 마는 것이다. 그러지 말고 전사의 투지를 발휘하라.

적을 향해 외치라. "암덩어리 너는 내 몸을 침범한 불청객이다. 내 몸은 하나님의 것이다. 지극히 높으신 하나님의 자녀로서 너에게 명령한다. 물러가라. 너는 나를 이길 수 없다. 내 기쁨을 빼앗을 수 없다. 내게서 단 하루도 앗아갈 수 없다."

매일 아침 눈을 뜨자마자 하나님께 기도하라. "아버지, 제 몸 곳곳에 건강과 치유의 기운을 흘려보내시니 감사합니다. 질병은 내 안에 머무를 수 없습니다."

잊지 마라. 당신은 종려나무와 같다. 바람이 세차게 불어오는가? 상관없다. 절대 부러지지 않을 것이다. 그 어떤 풍랑도 당신을 꺾을 수 없다. 풍랑은 오히려 당신을 강하게 단련시킬 뿐이다. 요동치던 풍랑이 잠잠해지면 당신은 득의의 미소를 지으며 다시 일어서게 될 것이다.

시련은 영원하지 않다

시련 가운데 있을 때는 그것이 평생 갈 것 같지만 절대 그렇지 않다. 당장은 거센 바람에 구부러진다 해도 평생 구부러져 있을 필요는 없다. 고통과 질병의 풍파는 영원하지 않다. 아무리 무시무시한 바람도 결국은 잠잠해지게 되어 있다.

우리는 다시 일어설 수 있다. 왜일까? 우리 안에 회복력이 있기 때문이다. 우리는 비바람에 부러져 버리는 떡갈나무가 아니다. 뿌리째 뽑히는 소나무와도 다르다. 당신과 나는 종려나무와 같다. 잠시 구부러져도 결국은 전보다 더 강해져서 일어날 것이다.

예레미야 5장 22절을 보면 모래알 하나하나에도 하나님의 선포가 임했다고 말한다. "내가 모래를 두어 바다의 한계로 삼되 그것으로 영원한 한계를 삼고 지나치지 못하게 하였으므로 파도가 거세게 이나 그것을 이기지 못하며 뛰노나 그것을 넘지 못하느니라."

이 선포에 따라 바다는 모래라는 경계를 넘을 수 없게 되었다. 얼핏 생각하면 모래는 바다의 상대가 되지 못한다. 바다는 거대하고 강력하지만 모래알은 눈에도 잘 보이지 않을 만큼 작다. 하지만 하나님의 선포로 인해 바다는 모래의 경계 밖에 묶여 있게 되었다. 모래와 바다가 대화를 나눈다고 상상해 보자. 바다가 말한다. "작은 모래야, 네가 정말로 나를 막을 수 있다고 생각하는 거냐? 내가 너보다 몇 십억 배나 거대하고 강력한 걸 모르는 것이냐?"

그러자 모래가 대답한다. "바다야, 잘 들어. 내가 작건 크건 그건 중요하지 않아. 중요한 건 바로 전능하신 하나님의 선포야."

모래의 자신만만한 대답에 화가 난 바다가 으르렁거리며 세상에 다시없을 폭풍을 일으킨다. 어느새 바닷물이 정상적인 경계를 넘어 들이닥친다. 이윽고 바다가 껄껄 웃으며 모래를 도발한다. "거봐, 내가 말했지? 너는 나를 막을 수 없다고 했잖아."

하지만 모래는 조금도 동요하지 않는다. 119에 구조를 요청하지도 않는다. "하나님, 선포하신 것과 다릅니다. 이게 어찌된 일입니까?" 라고 묻지도 않는다. 문득 해변의 모든 모래알이 대규모 성가대처럼 합창을 부르기 시작한다. "썩 물러가라." 그러자 파도가 경계 밖으로 퇴각한다. 그것은 모래의 힘이 강하기 때문이 아니다. 하나님이 바다에게 선포하셨기 때문이다.

승리는 우리의 타고난 권리다

하나님은 우리 각자를 향해서도 특별한 선포를 하셨다. 하나님은 우리를 창조하실 때 우리 안에 복을 불어넣으셨다. "너는 번성할 것이다. 너는 건강하고 강하다. 너는 재능이 넘친다."

하나님의 선포는 우리 존재의 깊은 곳에 각인되어 있다. 우리의 생각과 태도, 말, 행동 등을 하나님의 선포에 일치시키면 세상의 힘이 아무리 강해도 결국 하나님의 선포대로 이루어진다. 인생의 풍랑이 아무리 거세게 몰려와도 우리의 태도는 작은 모래알과 같아야 한다. "썩 물러가라!"

"목사님, 의사는 제가 평생 이 병을 달고 살 수밖에 없다고 했어요. 달리 방법이 없으니 이 병에 익숙해지는 편이 낫다고 했어요."

그렇지 않다. 매일 그 병을 향해 말하라. "썩 물러가라. 나는 건강해질 것이다. 오래오래 살면서 하나님을 기쁘게 해드릴 것이다."

"주식시장이 폭락하면서 내 주식도 휴지조각이 됐어요. 알거지인 내가 이제 무슨 희망으로 살겠어요?"

그렇지 않다. 매일 자신을 향해 말하라. "나는 복을 받았다. 나는 번영할 것이다. 하나님이 천국의 창문들을 열고 계신다. 그분의 복이 나를 감싸고 있다. 하나님의 복이 차고 넘치도록 임할 것이다."

"오늘따라 관절염이 기승을 부리는구나." 이런 식으로 말하는 사람들이 있다. 물론 그 심정은 이해가 가지만 그런 부정적인 말은 답이 아니다. 우리는 문제에 관해 말하지 말고 문제를 보면서 말해야 한다. "관절염아 물러가라. 너는 내 몸의 불청객이다. 내 몸은 지극히 높으신 하나님의 성전이지 네 집이 아니다. 내 몸은 건강과 치유만이 친구다."

하나님은 우리의 모든 시련과 외로운 밤들과 부당한 상황을 다 알고 계신다. 하나님이 허락하시지 않으면 참새 한 마리도 땅에 떨어질 수 없다. 하물며 당신과 나는 그분의 자녀다. 그분이 자녀인 당신과 나에 대해 얼마나 많은 신경을 쓰시겠는가? 무시무시한 허리케인이 몰려오고 주식시장이 바닥을 칠 때 하나님은 어떻게 하실까?

"저런, 상황이 좋지 않군. 인생이 무척이나 힘들겠다. 그러니까 처음부터 현명한 결정을 내렸어야지."

아니다. 적이 홍수처럼 몰려올 때 하나님은 우리를 위해 방어막을 세우신다. 다시 말해, 먼 산의 불구경하듯 뒷짐만 지고 계시지 않고 직접 나서서 전세를 뒤집어 주신다.

우리에겐 든든한 백이 있다

두 번 생각하지도 않는다. 아이에게 문제가 생기면 하던 일을 당장 멈추고 아이 쪽으로 달려가는 것이 부모의 마음이다. 조나단이 두 살쯤 됐을 때 식료품점에 데려간 적이 있다. 나는 조나단을 카트와 함께 놔둔 채 진열대를 보고 있었다. 조나단과 나 사이는 불과 15미터도 되지 않았기에 충분히 조나단을 지켜볼 수 있었다. 그런데 내가 잠시 한눈을 판 사이 조나단이 시리얼 상자 몇 개를 선반에서 떨어뜨렸다. 사실 별일도 아니었다. 그런데 한 직원이 코너를 돌아와 상황을 보더니 대뜸 조나단에게 일갈을 날렸다. "얘! 누가 함부로 만지래? 이런 곳에서 왜 말썽을 피우니?"

여직원은 계속해서 내 아들을 궁지에 몰아붙였다. 순간 내 안에서 불이 나고 눈에서는 불똥이 튀었다. 나는 평소에 화를 잘 내지 않는다. 늘 친절하며 좋은 말만 쓰려고 노력한다. 하지만 내 아들을 건드리면 얘기는 달라진다. 혹시 〈인크레더블 헐크(Incredible Hulk)〉라는 영화를 본 적이 있는가? 그날은 평상시 점잖던 목사가 약간 헐크처럼 변했다. 잠깐 전만 해도 나는 시리얼 코너를 한가롭게 거닐던 평범한 남자였다. 그런데 순식간에 엄청난 변화가 일어났다. 물론 근육이 불거져 셔츠가 찢어진 건 아니다. 피부가 녹색으로 변하지도 않았다. 하지만 느낌만큼은 진짜 헐크가 된 기분이었다.

당신이 나를 조금 괴롭히는 건 상관없다. "조엘 목사가 이렇고 저렇대." 이런 험담이 뒤에서 들려와도 나는 크게 개의치 않는다. 그저 한번 웃고 넘길 뿐이다. 하지만 당신이 우리 아이들을 괴롭히면 헐크 목사를 만날 각오를 해야 할 것이다!

우리 하나님도 그 자녀를 보호할 때는 똑같은 모습을 보이신다. 적의 거센 공격이 몰아치고 있는가? 이를테면 병마가 당신의 몸을 공격하고 있는가? 누군가 당신을 억울하게 만들었는가? 많이 노력하는데도 나쁜 일만 일어나는가? 우리가 공격을 당할 때 하나님은 "상황이 너무 안 좋아"라며 뒷짐만 지고 계시지 않는다.

하나님은 당장 자리를 박차고 일어나 우리의 문제를 향해 일갈을 날리실 것이다. "이놈! 너 오늘 상대를 잘못 골랐다. 이 아이는 내 자녀야. 이 아이를 괴롭히면 내가 가만히 안 있지. 음, 나로 말

> **최고의 삶을 위한 TIP**
>
> 고통과 질병의 풍파는 영원하지 않다. 아무리 무시무시한 바람도 결국은 잠잠해지게 되어 있다.

하면 전능한 우주의 창조주다. 맛 좀 볼래?"

그리고 우리를 향해서는 인자한 음성으로 말씀하신다. "나는 네 방패요 구원자요 치료자다. 네 힘이요 지혜며 네 승리다."

우리는 혼자가 아니다. 지극히 힘든 상황에서도 우리에게는 든든한 백이 있다. 바로 전능하신 하나님이다. 하나님이 우리 주위에 방어 요새를 세워 놓으셨다. 그 어떤 적도 이 요새를 무너뜨릴 수 없다. 그 어떤 시련도 우리가 하나님이 주신 소명을 이루지 못하도록 막을 수 없다. 바람이 워낙 거세 잠시 구부러질 수는 있지만 절대 부러지지 않는다. 그리고 바람이 물러가면 다시 일어날 것이다.

이와 관련된 다윗의 표현이 참으로 맘에 든다. "나를 기가 막힐 웅덩이와 수렁에서 끌어올리시고 내 발을 반석 위에 두사 내 걸음을 견고하게 하셨도다 새 노래 곧 우리 하나님께 올릴 찬송을 내 입에 두셨으니"(시 40:2-3).

하나님이 우리도 끌어내실 것이다. 우리의 현재가 영원한 현실은 아니다. 앞으로 더 밝은 날이 오리라. 우리가 옳은 길로 걸으면 복과 은혜를 조금도 아끼지 않고 부어 주시리라.

단, 우리도 우리 몫을 해야 한다. 우리 입에 새 노래를 두어야 한다. 승리의 노래를 불러야 한다. 누군가 안부를 물을 때 몸도 아프고 빚이 쌓였다는 식으로 말하지 마라. 우리는 언제나 복을 선포해야 한다. "이렇게 많은 복을 받았는데 스트레스가 무슨 말이에요? 건강합니다. 가정도 평안하고 인생이 정말 즐겁습니다."

마지막으로 패배한 순간은 좌절하는 순간이 아니라 성공을 준비해야 할 시간임을 잊지 마라. 극심한 고난의 때에 우리는 승리의 축하

연에 초대할 사람들의 명단을 짜야 한다. 주식시장이 폭락하면서 가지고 있던 주식이 휴지조각이 되고 빚더미에 앉게 되었는가? 그렇다면 이제부터 빚 탈출 기념 파티를 계획하라. 인간의 눈으로는 불가능해 보여도 우리가 섬기는 분은 초자연적인 하나님이다.

"목사님, 주식을 알기나 하고 하는 말이세요?"

물론 안다. 하지만 우리 하나님을 더 잘 안다. 우리 하나님은 바로 우리의 공급자시다. 경제나 주식시장, 심지어 직장도 우리의 공급원은 아니다. 오직 하나님만이 우리의 공급자다. 게다가 하나님의 사전에 불경기는 없다. 천국은 늘 호경기다.

성경은 이렇게 말한다. "문들아 너희 머리를 들지어다 영원한 문들아 들릴지어다 영광의 왕이 들어가시리로다 영광의 왕이 누구시냐 강하고 능한 여호와시요 전쟁에 능한 여호와시로다"(시 24:7-8).

하나님이 당신을 대신해 싸우려고 하시니 고개를 높이 들라. 더 높이 비상하는 자신을 상상하라. 전쟁에 강한 주님이 들어오시니 고개를 들라. 알다시피 하나님이 나타나시면 모든 역경은 승리로 변한다. 모든 전장이 축제의 장으로 바뀐다. 그것은 시간문제다!

Chapter 04

모든 일은 나를 위해 일어난다

죽음의 단계를 넘지 않으면 그 다음 단계인 부활에 이를 수 없다.
낙심과 좌절 대신 최선을 다하는 삶을 살아야 답이 있다.

젊은 시절 닉(Nick)은 하나님이 밉고 현실이 싫어 자살까지 시도했다. 한동안 그는 팔다리 없이 태어난 자신을 하나님의 실패작이라 생각했다. 의사들은 닉에게 팔다리가 없는 의학적 원인을 찾아내지 못했다. 닉의 어머니는 간호사라서 아이를 가졌을 때 극도로 조심을 했지만 닉은 중증 장애인으로 태어났다.

닉이 팔다리가 없이 살아가기가 얼마나 힘들었을지 짐작이 가는가? 같은 또래 아이들은 물론이고 어른들까지 닉을 조롱하고 학대하고 따돌렸다. 닉은 하나님이 자신을 멀쩡한 사람들만 살고 있는 이 세상에 왜 보냈을까 생각하며 화가 치솟았다.

하지만 이 모든 고통과 시련 속에서 닉은 결국 자신의 삶을 하나님의 손에 맡겼다. 그러자 하나님은 이 '실패작'을 기적의 '걸작품'으로 바꿔 주셨다. 현재 닉은 전 세계를 돌며 희망과 믿음의 메시지로 사람들에게 용기를 주고 있다. 닉은 이렇게 말한다. "하나님이 내게 기적을 주시지 않는다면 내가 다른 누군가의 기적이 되면 됩니다. 그러면 더 풍요롭고 온전한 삶의 길로 들어갈 수 있습니다."

시련이 닥치면 대부분 부정적인 생각이 들고 삶의 열정을 잃기 쉽다. 그래서 과거 속에 파묻혀 고통하며 살아가게 된다. 하지만 우리가 고난과 시련을 겪을 때마다 우리 안에서는 중요한 일이 일어난다. 즉 인격이 길러지고 강해지며 비전이 커진다. 시험이 닥칠 때마다 우리는 하나님의 선하심을 더욱 크게 경험한다.

부당한 일을 겪었는가? 누군가 당신에게 몹쓸 짓을 했는가? 과거의 어리석은 실수로 지금 큰 곤란에 빠졌는가? 하지만 고난은 당신 인생의 전부가 아니라 더 나은 미래를 위한 준비 과정일 뿐이다.

내가 살면서 배운 가장 귀한 교훈 중 하나는 일이 그냥 발생하지는 않는다는 것이다. 모든 일이 나를 '위해서' 일어난다. 하나님은 특별한 목적 없이 고난을 허락하시는 법이 없다. 더 큰 유익을 뽑아낼 계획이 없다면 절대 역경을 허락하지 않으신다.

부활의 때가 왔다

예수님은 다가올 기쁨을 바라보며 십자가의 고통을 견뎌 내셨다. 당신은 지금 무엇을 바라보고 있는가? 뜻대로 풀리지 않은 일? 당신에게 상처를 준 사람? 부당한 대우? 아니면 인생 최고의 날이 올 줄 믿으며 꿈과 목표에 시선을 고정하고 있는가?

역경이 장애물처럼 보이지만 하나님은 오히려 역경을 디딤돌로 삼아 우리를 비상하게 만드실 수 있다. 고난이 닥칠 때마다, 외로운 시간이 올 때마다, 하나님은 우리 안에서 뭔가 일을 벌이시며 우리를 단련하고 계신다.

고난이 없었다면 현재의 자리에 이르지 못했을 것이다. 시련의 성장통을 겪지 않았다면 지금과 같은 깊이와 성숙함과 지혜를 얻지 못했을 것이다. 과거가 우리의 전부는 아니다. 자라온 환경이나 과거에 받은 대우, 우리가 저지른 실수가 우리 인생의 전부는 아니다.

그러므로 신세한탄이나 원망을 그치라. 과거의 상처는 이제 그만 잊으라. 실패와 상실은 당신 인생의 일부일 뿐 끝이 아니다. 예수님은 죽어서 묻혔다가 다시 살아나셨다. 이것이 하나님의 방식이다.

죽음 같은 고통을 맛보았는가? 매장당하는 아픔을 겪었는가? 그렇다면 이제 셋째 날이 왔다. 부활의 때가 왔다.

어리석은 선택을 했는가? 실수로 골치아픈 문제들이 들어올 문을 열어 주었는가? 그래서 온갖 비난의 목소리가 귓가에 앵앵거리는가? "네가 망쳐 버렸어. 네 잘못이야. 이제 좋은 날은 꿈도 꾸지 마."

이런 거짓말을 떨쳐 내고 믿음으로 말하라. "내 실수로 이런 일이 초래되었지만 하나님의 자비는 내가 저지른 어떤 실수보다도 크다. 평생 죄책감을 안고 살지는 않겠다. 내 꿈을 버리지 않겠다. 나는 성장하고 있고 인생을 배우는 중이다. 하나님은 이 고난을 내게 유익한 도구로 사용하고 계신다."

우리는 지극히 높으신 하나님의 자녀다. 그런 우리에게 일이 그냥 일어나는 법은 없다. 오직 우리를 위해 발생하는 일만 있을 뿐이다. 시련까지도 우리를 향한 하나님의 계획의 일부다. 부당한 일을 겪고 있더라도 이사야 61장 3절을 붙잡으라. "무릇 시온에서 슬퍼하는 자에게 화관을 주어 그 재를 대신하며 기쁨의 기름으로 그 슬픔을 대신하며 찬송의 옷으로 그 근심을 대신하시고…."

더 나은 미래에 초점을 두라

하나님이 끝이라고 하시기 전까지는 절대 끝이 아니다. 하나님은 우리의 꿈을 언제라도 이뤄 주실 수 있다. 그러니 패배 의식을 떨쳐내라. 올바른 태도를 가지면 원수가 모든 힘을 잃는다. 당장은 해결의 실마리가 보이지 않아서 낙심되고 불평불만이 터져 나오지만 하나님이 시련 속에서 끄집어내실 유익을 생각하라. 더 나은 미래에 초점을 맞추면 일이 뜻대로 풀리지 않아도 인상을 찌푸릴 이유가 없다.

우리는 스트레스를 받는 상황에서도 평정심을 유지할 수 있다. 남들이 우리를 선대하지 않아도 그들을 선대할 수 있다. 까다로운 상사나 친구, 자녀가 있는가? 우리는 어울리기 힘든 사람들에게도 믿음으로 말할 수 있다.

"당신은 그냥 내 인생에 들어온 게 아닙니다. 날 위해 온 겁니다."

이상하게 들릴지 모르지만 내게는 고마운 적들이 많이 있다. 그들은 모르겠지만 하나님은 그들을 사용하여 내 인격과 믿음을 성장시키셨다. 예를 들어, 우리 교회가 휴스턴 컴팩 센터를 인수하려고 했을 때 휴스턴의 유력한 사업가 중 한 명이 내 친구에게 이런 말을 했다. "해가 서쪽에서 뜨지 않는 한 컴팩 센터가 레이크우드 교회에 넘어갈 일은 없을 겁니다."

이 사업가는 자신도 모르게 내게 도움을 주었다. 그가 없었다면 우리가 오늘날 미국에서 가장 큰 교회 중 하나로 성장했을지 의문스럽다. 하나님은 그를 통해 내 안에서 새로운 오기와 열정을 일으키셨다.

물론 처음에는 걱정이 되기도 했다. '저런, 저렇게 영향력 있는 거물까지 우리를 방해하다니 역풍이 만만치 않군.' 하지만 나는 이내 그 생각을 떨쳐 내고 믿음의 말을 했다. "그렇지 않다. 하나님이 우리 편이면 그 누가 대적할 수 있겠어? 장애물이 클수록 그것은 더욱 우스꽝스럽게 넘어질 뿐이다."

싸워 보지도 않고 꿈을 포기하는 사람들이 얼마나 많은지 모른다. 죽음과 매장의 단계를 넘어 계속 전진하지 않으면 세 번째 단계인 부활에 이를 수 없다. 어떤 이유로든 일이 뜻대로 풀리지 않거든 자신을 향해 이렇게 말하라.

"바꿀 수 없는 일 때문에 주저앉아 평생 한탄하고 있지 않겠다. 그것은 이미 끝난 일이다. 이젠 앞으로 펼쳐질 삶에 시선을 고정하겠다. 여태껏 내가 죽음과 매장을 경험한 것은 부활을 준비하기 위함이다. 나는 하나님이 행하실 새로운 역사를 맞이하기 위해 열심히 준비하겠다."

우리가 순종하고 최선을 다하는데도 하나님이 문을 닫으시는 것은 더 좋은 문을 여시기 위함이다. 일이 생각대로 풀리지 않는다고 불평하거나 원망하지 말고 이렇게 말하라. "하나님, 일이 제 뜻대로 풀리지 않았지만 그래도 하나님을 믿습니다. 하나님은 저에게 가장 좋은 것이 무엇인지 정확히 아십니다. 때가 무르익으면 제 마음의 소원을 이뤄 주실 줄 믿습니다."

하나님의 계획을 절대적으로 믿으라

우리 부부는 결혼하고 몇 년 후 첫 번째 보금자리를 수리해서 팔고 더 큰 집으로 이사를 했다. 그런데 우리 집을 산 사람들이 입주한 후 우리를 상대로 소송을 걸었다. 집 외부의 하수도에 문제가 있다는 것이다. 그들은 우리뿐 아니라 건축업자와 건축가, 부동산 중개업자, 배관공 등 집과 관련된 모든 사람에게 소송을 걸었다.

우리는 잘못한 게 없었다. 그래서 소송을 건 사람에게 무척 화가 났다. 소송은 몇 달을 질질 끌며 이어졌다. 한번은 법정 증언을 하게 되었는데 스트레스가 밀려왔다. 이보다 더 나쁜 일은 내 평생에 없을 것 같았다. 두 시간에 걸친 재판이 끝나고 집으로 돌아오는데 갑자기 욕이 나와서 운전을 할 수 없을 정도였다.

그로부터 약 6개월이 지나고 소송은 취하되었다. 하지만 소송 때문에 입은 정신적, 물질적 손해가 자꾸 떠올라 6개월 정도는 잠이 오질 않았다. 생각할수록 분했다. 소송 때문에 얼마나 많은 시간을 허비했는지 모른다.

> **최고의 삶을 위한 TIP**
>
> 날마다 자신을 격려하라. 어두운 골짜기는 당신의 영원한 주소지가 아니다.

그러다 거의 3년이 지나서야 하나님의 뜻을 깨달았다. 우리가 컴팩 센터 임대 계약서에 서명을 하자 다른 회사가 우리의 입주를 막기 위해 소송을 걸었다. 하지만 이번에는 소송이 내 마음을 뒤흔들지 못했다. 나는 하나님이 이번 법정 분쟁을 위해 이전 집을 둘러싼 소송으로 나를 훈련시키셨다는 것을 깨달았다. 컴팩 센터 소송으로 법정 증언을 할 때는 평상시처럼 담담했다. 그러나 이전의 경험이 없었다면 이처럼 큰 소송에 자신감 있게 대응하지 못했을 것이다.

시련의 골짜기를 지나고 있는가? 기대하라. 하나님이 어떤 놀라운 일을 위해 당신을 훈련시키고 계실지 모른다. 그러니 눈앞의 상황만 보면서 낙심하지 말고 미래를 보라.

하나님이 고난을 허락하신 것은 우리의 성장을 돕기 위함이다. 뭔가 유익한 계획이 없었다면 우리에게 지금의 시련을 허락하지 않으셨을 것이다. 물론 하나님이 예비하신 유익을 얻기까지는 수년이 걸릴 수도 있다. 비록 지금 많이 힘들고 스트레스가 이만저만이 아니겠지만 이 고난이 없어지면 당신은 더 큰 복을 받을 그릇으로 성장할 수 없다.

그러므로 고난만 따로 생각하지 말고 전체 그림 속에서 그 고난을 봐야 한다. 우리가 일자리를 잃거나 껄끄러운 가족과 부대끼는 것도 우리를 위한 하나님의 계획 중 하나다. 하나님이 더 큰 복을 위해 우리를 단련시키고 계신다.

하나님의 길로 계속 전진하는 사람과 현재에 머무는 사람의 결정적인 차이는 바로 태도다. "하나님, 왜 제게 이런 시련을 주십니까?" 이렇게 불평만 하지 말고 믿음으로 굳게 서서 말하라. "하나님, 제 인생이 온전히 당신의 장중에 있음을 믿습니다. 잠시 실망될 때도 있지만 저는 패배자가 아닙니다. 부정적인 마음을 품거나 남 탓을 하지 않겠습니다. 결국은 모든 것이 합력하여 선을 이룰 줄 믿습니다."

한번은 친구 목사가 자기 교회에 늘 불평만 하는 성도가 한 명 있다고 말했다. 진저리가 난 이 친구가 어느 날 이 문제로 기도를 드렸다. "하나님, 이 사람을 다른 교회로 보내 주시면 안 될까요? 이 사람 때문에 시간도 허비되고 진이 빠집니다."

그러자 잠시 후 마음 깊은 곳에서 하나님의 음성이 들려왔다. "이 사람을 다른 교회로 데려갈 수는 없다. 이 사람 때문에 네가 그나마 내 앞에서 무릎을 꿇고 있지 않느냐?"

모든 일은 그냥 일어나는 게 아니라 우리를 위해 일어나는 것이다. 우리는 고난 속에서 성장한다. 우리의 인격이 자라는 것은 시련의 도가니를 통과할 때다. 늘 심신이 편하면 좋을 것 같지만 그래서는 발전이 없다. 성장하려면 모욕을 당해도 모른 체 넘어가고 남의 잘못을 용서하고 억울한 가운데서도 꿋꿋이 옳은 일을 하는 훈련이 필요하다.

그렇다고 고난을 달라고 기도하라는 말은 아니다. 단지 고난이 찾아왔을 때 낙심하거나 절망하지 않기로 결단하라는 말이다. 나는 어떤 상황에서도 원망하지 않기로 작정했다. 고난이 와도 더 나은 사람이 되어 그 골짜기를 빠져나올 테니 걱정이 없다. 하나님이 내 안에서 역사하고 계시니 오히려 감사할 따름이다.

다윗의 표현이 참 적절하다. "나 비록 음산한 죽음의 골짜기를 지날지라도"(시 23:4 – 공동번역). 다윗은 자신이 "죽음의 골짜기에 갇혀 있을지라도"라거나 "죽음의 골짜기에서 숨을 거둘지라도"라고 말하지 않았다.

다윗은 이 골짜기를 '잠시' 지나는 곳으로 묘사했다. 살다보면 누구나 건강이나 재정, 관계 등에서 시련을 겪는다. 하지만 우리는 현재 상황을 인생 전체의 배경에서 볼 수 있어야 한다. "나는 이 고난을 이겨낼 것이다. 이 시련은 곧 지나가는 것일 뿐 영원하지 않다."

상실은 하나의 씨앗이다

늘 자신을 격려하라. 어두운 골짜기에 머물지 마라. 그곳은 당신의 영원한 주소지가 아니다. 시편 84편 6절은 우리가 눈물의 골짜기를 지날 때 샘물을 발견할 것이라고 말한다. 하늘을 바라보며 희망의 말을 하라. "지금은 힘들고 정신도 없고 일이 너무 안 풀린다. 그래도 나는 행복하고 평안하다. 좋은 일이 생길 것을 기대한다." 심신을 새롭게 하는 복의 샘물이 눈앞에 선하다.

물론 소중한 것을 잃으면 상실감을 느끼는 것이 인지상정이다. 사랑하는 사람을 잃었는가? 가정이 깨졌는가? 불우한 어린 시절을 보냈는가?

이런 상실의 때에 우리는 두 가지 태도를 보인다. 먼저 부정적으로 말할 수 있다. "너무 불공평해. 왜 내게만 이런 일이 일어난 거야? 이해할 수 없어." 그러면서 원망과 분노 속에서 살아간다.

또 하나는 상실을 하나의 씨앗으로 보는 현명한 태도다. "하나님, 왜 제게 이런 일이 일어났는지 정말 모르겠습니다. 이 상황을 어떻게 해결해야 할지도 모르겠습니다. 하지만 제가 잃어버린 것을 손해로 보지 않겠습니다. 그것을 하나님께 씨앗으로 드렸다고 믿습니다. 때가 되면 하나님이 그 열매를 되돌려 주실 줄 믿습니다."

불경기로 인해 직장을 잃었는가? 그렇더라도 부정적인 말이 아닌 믿음의 말을 하라. "하나님, 하나님께서 온 우주를 다스리심을 믿습니다. 부당하게 해고당했지만 제 직장을 당신께 씨앗으로 드립니다. 적당한 때에 더 좋은 직장의 열매로 돌려주십시오."

최고의 삶을 위한 TIP

우연히 일어나는 일은 없다. 어려움과 실패조차 당신의 성장에 유익을 줄 수 있다.

관계가 깨졌더라도 부정적인 말이 아닌 믿음의 말을 하라. "하나님, 평생 슬퍼하며 살지는 않겠습니다. 잃어버린 세월을 떠올리며 날마다 신세나 한탄하는 어리석음은 범하지 않겠습니다. 이 관계를 당신께 씨앗으로 드립니다. 때가 되면 더 좋은 인연을 제게 보내 주실 줄 믿습니다."

예수님은 부활하시기 전 겟세마네 동산과 골고다 언덕길, 십자가 위에서의 죽음을 몸소 겪으셨다. 이것은 예수님이 겪은 가장 큰 고난들이다. 하지만 이 고난들은 결국 가장 영광스러운 순간으로 이어졌다. 우리 역시 꿈을 향해 가는 길에 적잖은 가시밭을 만나게 된다.

겟세마네 동산에서 예수님은 곧 닥칠 일에 대한 생각으로 심히 괴로우셨다. 얼마나 고뇌하셨던지 땀방울이 피로 변했을 지경이었다. 그럼에도 예수님은 이렇게 기도하셨다. "아버지, 만일 아버지의 뜻이면 내게서 이 잔을 거두어 주십시오. 그러나 내 뜻대로 하지 마시고 아버지의 뜻대로 되게 하십시오."

겟세마네 동산에서 기도하실 때 예수님의 마음 깊은 곳에서는 전투가 벌어졌다. '해낼 수 없을 것같이 힘들구나.' 내면에서 이런 목소리들이 들려왔지만 결국 예수님은 믿음으로 굳게 서기로 결심하셨다. 이에 하나님의 천사들이 나타나 예수님께 힘을 더했다.

예수님은 처형장까지 손수 십자가를 짊어지고 가셔야 했다. 하지만 매를 너무 많이 맞은 탓에 도중에 쓰러지시고 말았다. 이 장면에는 중요한 메시지가 담겨 있다. 그것은 우리 역시 항상 강할 필요는 없다는 것이다.

때로 인생의 무게로 무릎을 꿇게 되더라도 절망할 필요는 없다. 매일매일 완벽하게 살지 않아도 괜찮다. 잠시 믿음이 흔들렸다 해도 다시 정신을 차리면 그만이다. 잠시 기쁨과 평안을 잃었다고 해서 자신을 너무 몰아붙일 필요는 없다.

예수님조차 십자가의 무게 때문에 넘어지셨다는 사실을 기억하라. 그때 구레네 시몬이 예수님을 도와 십자가를 대신 짊어졌다. 마찬가지로 우리가 너무 힘들 때 하나님이 우리를 도울 사람을 보내 주실 것이다. 우리는 해낼 수 있다. 오늘보다 더 좋은 날이 오고 있다.

하지만 원수는 늘 우리를 무너뜨리려고 으르렁거린다. “너, 어제 나쁜 짓을 했지? 화를 참지 못하고 아이들에게 고함을 질렀지?”

그러나 예수님은 우리의 짐을 덜어 주시는 분이다. “괜찮다. 너는 인간이다. 넘어지는 심정을 나도 잘 안단다. 나도 그런 적이 있었다. 그냥 다시 일어나면 된다. 네 부활의 날이 오고 있단다.”

십자가에 못 박히신 예수님은 지독히 외롭고 서글퍼서 소리를 지르셨다. “내 하나님, 내 하나님, 어째서 나를 버리셨습니까?”

예수님의 질문에 하나님은 묵묵부답이셨다. 때로는 이처럼 천국조차 조용할 때가 있다. 기도하며 최선을 다했는데도 아무런 변화가 나타나지 않았는가? 하지만 대답이 없는 순간에 우리의 깊은 곳에서 강력한 변화가 일어난다. 하나님이 당신을 성장시키고 계신다. 당신의 믿음이 한층 강해지고 있다.

십자가에 고통스럽게 달려 계신 예수님을 향해 병사들은 조롱을 퍼부었다. 하지만 이 극심한 고통과 멸시 속에서도 예수님은 하늘을 우러르며 말씀하셨다. "아버지, 저들을 용서해 주십시오. 저들은 자기들이 하고 있는 일을 알지 못합니다."

예수님은 원수들을 용서하셨다. 그리고 자신의 영혼을 아버지의 손에 의탁하셨다. 예수님이 무덤에 묻히신 후 어둠의 세력들이 마침내 승리했다며 웃고 춤추는 모습이 눈에 선하다. 하지만 하나님이 끝이라고 하기 전까지는 어떤 경우에도 끝이 아니다.

최종 결정권은 오직 하나님께만 있다. 결국 그분의 계획에 따라 금요일에 매장되신 주님은 3일 후인 주일 아침에 무덤에서 일어나셨다.

하나님은 우리 모두를 위해 풍성한 삶을 예비해 놓으셨다. 하지만 우리는 승리로 가는 도중에 예수님처럼 고난과 시련을 겪어야 한다. 그때마다 자신을 향해 이렇게 말하라. "이 일은 우연히 일어난 게 아니라 나를 위해서 일어난 일이다. 하나님이 나를 단련시키고 계신다. 하나님이 내 안의 힘과 용기와 능력을 강화시키고 계신다."

바로 지금이 회복의 시간이다

'바로 지금'의 믿음을 가지라. '언젠가'라는 태도에 빠져서는 안 된다. "언젠가 행복해질 거야." "언젠가 하나님이 내 인생을 바로잡아 주실 거야."

아니다. 우리가 믿음을 발휘할 때는 바로 지금이다. 바로 지금, 하나님이 우리 삶 속에서 역사하고 계신다. 바로 지금, 하나님이 우리를 위해 상황을 조율하고 계신다. 바로 지금, 하나님이 내 안에 그분의 능력을 채우고 계신다.

나사로가 죽은 지 나흘 후 예수님이 베다니 마을에 도착했을 때 나사로의 누이들인 마리아와 마르다는 오빠의 죽음을 슬퍼하며 통곡하고 있었다. 이에 예수님은 "나는 부활이요 생명이니 나를 믿는 자는 죽어도 살겠고"라고 하시며 마르다를 위로하셨다.

그러자 마르다가 대답했다. "알아요, 주님. 마지막 날 우리가 천국에 갈 때 그를 죽음에서 일으키실 거잖아요."

이에 대한 예수님의 대답은 사실상 이런 것이었다. "그렇지 않다, 마리아야. 마지막 날을 말하는 게 아니다. 바로 오늘을 말하는 거란다. 너희가 돌을 치우면 내가 지금 당장 나사로를 살려 주마."

우리는 '언젠가'라는 희망에 만족할 때가 많다. 이런 태도를 깨뜨리라. 하나님이 '오늘' 위대한 일을 하실 거라고 믿으라. '바로 지금'의 믿음을 가지라.

죽음 같은 고통을 맛보았는가? 매장되는 기분을 느꼈는가? 상심과 실망감과 낙심에 사로잡혀 살아왔는가? 병마에 시달려 왔는가? 하지만 하나님이 이런 고난을 허락하신 것은 당신을 무너뜨리기 위함이 아니다.

지금은 부활할 때다. 일어나 당신에게 속한 모든 복을 받을 때다. 그리스도와 함께 십자가에 못 박혔다면 이제 그리스도와 함께 죽음에서 일어날 때다. 어떤 악의 세력도 우리를 무너뜨릴 수 없다.

과거를 떨쳐 버리라. 모든 실망감을 날려 버리라. 억울함도 패배감도 잊어버리라. 오늘은 새로운 시작의 날이다. 인생의 겟세마네 동산에서 고개를 푹 숙이고 있는가? 그렇다면 이제 당당히 고개를 들라. 당신의 부활이 오고 있다. 십자가의 무게에 넘어졌는가? 하나님은 다시 일어서라고 말씀하신다. 당신의 승리가 가까웠다고 말씀하신다.

그냥 일어난 일은 없다. 모든 일이 당신을 위해서 일어났다. 우리 모두는 하나님의 장중에 있다. 하나님은 이 고난을 오히려 디딤돌로 삼아 당신을 거룩한 삶으로 이끄실 것이다. 과거는 현재를 위한 준비 과정일 뿐이다. 과거의 시련을 통해 당신은 더욱 강해진다.

삶이 우리를 속일지라도 우리는 여전히 미소 지을 수 있다. 그것은 하나님이 상황을 바꾸고 계심을 알기 때문이다. 하나님이 재 대신 화관을, 슬픔 대신 기쁨을 주시리라. 마침내 우리는 전보다 더 강하고 행복하고 건강한 모습으로 고난의 터널을 빠져나올 것이다.

Chapter 05

최상의 타이밍을 믿으라

하나님은 죽은 꿈조차 되살리실 수 있다. 그리스도를 죽음에서 일으키신 것처럼 당신의 재정과 관계, 건강, 직업에 새 생명을 불어넣으실 것이다.

나는 예수님의 부활을 생각할 때마다 그분이 피 흘리셨던 금요일을 생각한다. 그 금요일은 예수님의 인생에서 가장 고통스럽고 절망스러운 날이었다. 얼마나 끔찍했던지 예수님은 그날을 앞두고 피땀을 흘리며 기도하셨다.

예수님의 시절은 끝난 것처럼 보였다. 다들 예수님이 원수들에게 졌다고 생각했다. 하지만 하나님께는 다른 계획이 있었다. 한치 앞도 모르는 원수들은 금요일에 예수님의 시신을 무덤에 안치하고 자축의 파티를 열었다.

하지만 주일 아침이 되자 기막힌 반전이 이루어졌다. 무덤은 예수님을 붙잡아 두지 못했다. 죽음도 예수님의 발목을 잡지 못했다. 어둠의 세력은 예수님을 막을 수 없었다. 부활이 주는 중요한 메시지

중 하나는, 하나님은 시작하신 일을 반드시 마무리하신다는 것이다.

최근 경기 후퇴로 수많은 사람들이 고통을 받고 있다. 그러지 않아도 힘든 사람들이 벼랑 끝으로 내몰리고 있다.

커다란 장애물을 만났는가? 꿈이 이루어질 기미가 보이지 않는가? 병을 고칠 방법이 없는가? 문제의 해결책이 안 보이는가? 그래서 부정적인 생각들이 마구 밀려오는가? 인생의 금요일을 사는 심정이라도 낙심하지 마라. 주일이 오고 있다.

하나님은 신실하신 분이다. 하나님이 당신 마음속에 주신 약속을 상기하라. 건강의 회복, 빚으로부터 자유, 가정의 회복 등 그 약속이 무엇이 되었든 하나님은 반드시 이뤄 주신다. 하나님은 마무리하지 않을 일은 애초에 벌이지 않으신다. 창업의 꿈, 더 나은 직장의 꿈, 목회의 꿈…. 하나님이 당신 마음에 주신 꿈은 무엇인가? 좋은 소식이 있다. 하나님은 그 꿈이 성취될 날을 이미 정하셨다. 처음부터 열매를 보셨다.

당신이 꿈을 포기했다고 해서 하나님도 당신을 포기하신 것은 아니다. 하나님이 당신 안에 두신 꿈이 실패와 거부의 흙더미에 묻혔어도 그 씨앗은 아직 살아 있다. 꿈의 불씨를 되살리라. 열정을 되살리라. 당신의 꿈이 죽은 것처럼 보여도 그 꿈은 묻히지 않았다. 심겨져 있을 뿐이다. 때가 되면 다시 살아난다.

예수님은 십자가 위에서 마지막으로 "다 이루었다"고 말씀하셨다. 나는 이 말씀이 사실을 진술한 것이라고 믿는다. 예수님은 아버지를 향해 이렇게 말씀하신 것이다. "제 소명을 다 이뤘습니다. 이제 모든 일을 아버지께 전적으로 맡깁니다. 아버지께서 시작하신 일을 마무리하실 줄 믿습니다."

하나님이 마무리하신다

인생길이 지독히 어둡고 패배감과 좌절감이 몰려올 때 예수님처럼 믿음의 선포를 하라. "다 이루었다."

이 말은 이런 뜻이다. "하나님, 하나님께서 이 상황을 바꿔 주실 줄 믿습니다. 제 몸을 고쳐 주실 줄 믿습니다. 제 가정을 회복시켜 주실 줄 믿습니다. 제게 필요한 기회를 주실 줄 믿습니다."

불평은 금물이다. 눈앞의 상황을 향해 승리를 선포하라.

계약이 불발되려는 직전이라도 믿음으로 선포하라.

"아버지, 다 이루어진 줄 믿습니다. 이 집은 팔릴 겁니다."

"이 계약은 성사될 겁니다. 이 고객은 우리를 선택할 겁니다."

빚이 산더미처럼 쌓였는가? 빚을 향해 선포하라. "다 이루었다."

주택 대출금을 향해서도 선포하라. "다 이루었다."

학자금 대출을 향해서도 선포하라. "다 이루었다."

밀린 청구서를 향해서도 선포하라. "다 이루었다."

1960년대 멕시코에서 한 젊은 미국인 부부가 선교 사역을 시작했다. 이 부부의 꿈은 가난한 멕시코 사람들을 돕고 그들에게 하나님의 희망 메시지를 전하는 것이었다. 그래서 부부는 편안한 고향을 뒤로 한 채 머나먼 타지에서 어린 세 아들을 키우며 사역을 했다.

어느 주일, 부부는 미국에 있는 가족을 만나러 왔다가 레이크우드 교회에서 예배를 드리게 되었다. 당시 아버지가 시무하시던 교회는 매우 작았으며 성도도 200여 명에 불과했다. 아버지는 설교 시간에 이 부부의 이야기를 했고 설교 후 적잖은 선교 헌금이 모였다. 레이크우드 교회가 600달러를 선교 헌금으로 건네자 부부는 감사한 마음에 어쩔 줄 몰라 했다.

부부는 멕시코로 돌아가 이 돈으로 성경 학교를 열었다. 그런데 그로부터 2년 후, 남편 선교사가 멕시코의 시골 지역으로 성경을 갖고 가다가 타고 가던 작은 비행기가 추락하는 바람에 목숨을 잃었다.

최고의 삶을 위한 TIP

당신의 꿈이 실패와 거부의 흙더미 속에 묻혔더라도 그 씨앗은 아직 살아 있다.

그야말로 이 가정에 어두운 금요일이 찾아왔다. 부부의 꿈은 이제 죽은 것처럼 보였다. 네 살도 되지 않은 세 아들을 키워야 하는 무거운 짐이 24세 젊은 과부의 어깨를 무겁게 짓눌렀다. 여느 여인 같았으면 꿈을 접고 미국으로 돌아왔을 것이다. 그렇게 해도 어느 누구 하나 뭐라고 할 사람은 없었다.

하지만 이 여인은 포기하지 않았다. 하나님은 시작하신 일을 반드시 마무리하신다는 원리를 잘 알고 있었기 때문이다. 여인은 더 좋은 주일이 오고 있음을 알았다.

그래서 아내 선교사는 멕시코에 머물며 성경 학교를 계속해서 운영했다. 그런데 재미있는 일이 벌어졌다. 아들 중 한 명이 음악에 남다른 재능을 보이기 시작한 것이다. 노래와 피아노는 물론이고 커뮤니케이션에서 천부적인 재능을 보였다.

이 소년 마르코스 윗(Marcos Witt)은 나중에 레이크우드 교회의 스페인어 예배 담당 목사로서 미국과 남미 전역의 수많은 영혼을 어루만지는 사역을 하게 된다. 그가 콘서트를 열면 거대한 스타디움이 발 디딜 틈 없이 꽉 찬다. 그는 그래미상도 여러 번 탔다.

어찌된 일인가? 주일이 온 것이다. 하나님이 시작하신 일을 마무리하신 것이다. 빌립보서 1장 6절은 "너희 안에서 착한 일을 시작하신 이가 그리스도 예수의 날까지 이루실 줄"을 확신한다고 말한다.

그렇다. 우리는 확신해야 한다. 확실한 일처럼 생각하고 이미 이루어진 것처럼 행동해야 한다. 벌써부터 다음 계획을 세워야 한다. 다른 역본(*The Message*)은 이 구절을 이렇게 표현하고 있다. "하나님이 화려한 결말을 이뤄 주실 것이다." 하나님이 일을 마무리하시면 상상을 초월한 결말이 이루어진다.

마르코스 윗의 어머니 놀라(Nola)는 멕시코의 한 지역을 섬기는 꿈을 꾸었다. 하지만 주일이 온 지금은 아들을 통해 전 세계를 섬기고 있다. 이렇듯 하나님은 놀라에게 화려한 결말을 주셨다.

이 원칙은 비즈니스를 포함한 우리 삶의 모든 측면에서 적용된다. 믿기지 않는다면 오래 전 예일 대학에 다녔던 한 경영학도의 이야기를 들어 보라.

어느 날 좋은 사업 아이디어가 떠오른 이 학생은 자신의 경영학 교수에게 사업 계획서를 제출했다. 하지만 교수는 고개를 가로저었다. "아이디어는 꽤 좋은데 C학점 이상 받으려면 좀 더 현실성이 있어야 하겠어."

그 교수는 이 학생을 허황된 몽상가로 생각했다. 그에게는 현실을 넘어 빛을 보는 안목이 없었던 것이다. 이 학생의 아이디어가 정말로 현실성이 없었을까? 이 학생의 이름이 바로 프레드 스미스(Fred Smith)다. 페덱스(FedEx)를 세운 그 프레드 스미스 말이다. 연간 60억 달러의 매출을 올리는 페덱스는 현실성이 넘치는 비즈니스다.

어두운 금요일이 찾아올 때 확신을 가지고 희망을 잃지 마라. 당신의 주일이 오고 있다. 그분은 마무리할 수 없는 일을 절대 시작하지 않으신다.

밝은 날이 오고 있다

누구에게나 마음속에 고이 간직한 꿈이 있다. 글로벌 불경기 때문에 포기된 꿈들을 다 모으면 그랜드캐니언을 채우고도 남을 것이다. 당신의 꿈은 무엇인가? 내 집 마련? 더 좋은 직장? 창업? 자선단체 운영? 어떤 꿈이든 하나님은 그 꿈을 성취할 날을 정해 놓으셨다.

선지자 엘리사는 스승 엘리야보다 배나 많은 기름 부음을 약속받았다. 성경에 기록된 엘리야의 큰 기적은 일곱 가지다. 따라서 약속대로라면 엘리사는 14번의 기적을 행해야 했다. 하지만 엘리사는 13번의 기적만 행한 채 임종을 맞았다. 약속된 숫자에서 하나가 모자랐다! 아마도 엘리사는 병상에 누워서도 자신이 아직 죽지 않을 것이라고 생각했을 것이다.

그러나 하나님의 계획은 인간의 머리로 다 헤아릴 수 없다. 엘리사는 결국 죽음을 맞게 된다. 어리둥절한 가족들은 그를 열린 무덤에 두었다. 가족들이 혹시 그의 묘비에 이런 문구를 새겨 넣지 않았을까 싶다. "기적이 하나 모자람."

엘리사의 시체가 열린 무덤에 있을 때 일단의 사람들이 전투에서 죽은 사람을 끌고 도망치다가 다급해진 나머지 그 사람을 엘리사의 무덤에 던졌다. 그런데 그 시체가 엘리사의 몸에 닿는 순간 숨이 돌아왔다. 살아난 그 사람은 일어나서 무덤 밖으로 걸어 나왔다.

친구들이 이 광경을 보고 얼마나 놀랐을지 상상만 해도 즐겁다. 14번째 기적은 결국 일어나고야 말았다! 하나님은 그렇게 생각지도 못한 방법으로 약속을 이뤄 주셨다. 이처럼 죽음조차도 하나님의 약속이 이루어지는 것을 막을 수 없다.

성경에는 이와 비슷한 이야기가 참 많다. 앞서 말했듯이 스룹바벨은 모리아 산에서 파괴된 성전을 재건하겠다는 꿈을 꾸었다. 그래서 성전의 기초를 쌓았는데 근처에 살던 사람들이 더 이상 작업을 하지 못하도록 훼방을 놓았다. 그로 인해 10년 동안 아무런 진척이 없었다. 당시 스룹바벨이 어떤 생각을 했을지 충분히 짐작이 간다. '시작은 정말 좋았는데…, 기초도 다 쌓았는데…, 방해꾼이 너무 많아 도무지 일을 마칠 수가 없군.'

스룹바벨이 극도로 낙심해 있을 때 스가랴 선지자가 나타나 말했다. "하나님이 당신에게 두 마디를 전하라고 나를 보내셨소. '다시 시작하시오.'"

이 말을 듣는 순간 스룹바벨의 믿음이 서서히 되살아났다. 하지만 아직은 부정적인 생각이 조금 더 강했다. '벌써 10년이라는 시간이 흘렀는데…, 아직도 방해꾼들이 너무 많은데 그런데도 과연 해낼 수 있을까?'

그러자 스가랴가 그의 마음을 읽었는지 이렇게 말했다. "해낼 수 있을까가 아니라 분명히 해낼 수 있소."

하나님이 지금 당신에게도 똑같은 말씀을 하고 계신다. "다시 시작하라. 꿈을 다시 꾸라. 희망을 다시 키우라."

위대한 일을 꿈꾸었지만 많은 실패 끝에 포기했는가? 가족들조차 당신을 외면하는가? 아무도 격려해 주지 않아 자신감을 완전히 잃었는가? 하지만 하나님은 다시 해보라고 말씀하신다.

머릿돌을 떠올리라

10년이 지나 스룹바벨은 다시 시작했다. 그러자 스가랴는 그에게 머릿돌을 가져오라고 지시했다. 머릿돌이란 성전에 마지막으로 끼워 넣는 돌로 건물의 완성을 기념하기 위해 한쪽에 보관해 놓은 돌이다. 스룹바벨은 일이 진행되는 동안 이 머릿돌을 눈에 띄는 곳에 두었다. 그리고 그것을 볼 때마다 완성의 하나님을 떠올렸다.

당신에게도 머릿돌이 있는가? 꿈의 마지막 조각을 의미하는 무언가, 완성의 소망을 일으키는 어떤 것이 있는가? 나는 이 상징의 효과를 여러 곳에서 보았다. 친구 부부가 오랜 세월 방탕하게 살아온 아들과 소원하게 지낸 적이 있다. 어느 날 부부는 성경책을 사서 표지에 아들의 이름을 새겨 넣은 뒤 그것을 식탁 위에 두었다. 이 성경책이 이 부부의 머릿돌이었다.

부부는 성경책 옆을 지날 때마다 희망의 불씨를 되살렸다. '아들이 돌아오는 것은 시간문제다. 하나님은 당신이 시작하신 일을 반드시 마무리하실 것이다.'

아니나 다를까, 아들은 정말로 돌아왔고 가정은 다시 화목해졌다.

내 친구 목사도 머릿돌의 원칙을 활용했다. 그는 새 예배당을 짓고 싶었다. 그래서 건축가가 도면을 가져오기도 전에 건축자재점에 가서 새 예배당에 사용할 것과 같은 종류의 벽돌을 하나 사 왔다. 그리고 그 벽돌을 책상에 놓고, 필요를 채워 주시고 꿈을 이뤄 주시는 하나님을 늘 떠올렸다.

당신도 그렇게 해보라. 새 집을 장만하고 싶다면 벽돌이나 새 집을 상징하는 열쇠 하나를 구해 보라. 결혼을 꿈꾼다면 액자 하나를 사서 이렇게 말하라. "이 액자에 내 결혼사진을 꼭 담을 거야."

상징적인 물건을 가까이에 두면서, 시작한 일을 꼭 완성하시고 마는 하나님을 떠올리라. 낙심했는가? 다시 꿈꾸라. 있는 그대로의 상황만 보지 마라. 머릿돌을 꺼내서 완성된 상태를 보라. 꿈이 이루어진 모습을 보라. 머릿돌을 향해 복을 선포하라.

좌절이 밀려올 때 머릿돌이 있는 곳으로 가서 말하라. "하나님, 제 삶 속에서 시작하신 일을 완성하실 줄 믿고 감사드립니다. 당신은 완성의 하나님이신 줄 믿습니다."

명심하라. 우리 삶을 완성하는 것은 우리의 힘과 재주가 아니다. 하나님이 우리의 꿈에 은혜를 베푸셔야 비로소 완성에 이를 수 있다. 하나님이 마음에 주신 꿈을 절대 포기하지 말고 믿음과 기대로 매일 그 꿈을 향해 전진하라. 우리의 미완성품을 하나님이 완성하시리라.

하나님의 타이밍을 믿으라

던(Dawn)은 나와 한 교회에서 자란 친구다. 그래서 우리는 서로 어릴 적부터 잘 알고 지냈다. 그런데 그녀는 결혼 후에도 오랫동안 아기가 생기지 않았다. 몇 번의 인공수정도 실패로 끝났다. 당시 던은 우리 교회의 유년부를 맡고 있었기 때문에 우리 부부는 그녀를 가까이서 지켜보며 틈만 나면 그녀를 위해 기도했다.

최고의 삶을 위한 TIP

꿈은 하루아침에 이루어지진 않아도 반드시 이루어진다. 그러므로 인내가 관건이다.

내가 목회자로 나설 즈음에는 던이 아기를 갖기 위해 노력해 온 지도 어언 20년이 지났을 때다. 하루는 내 누이 리사와 나, 던, 이렇게 세 사람이 모여서 유년부에 관해 이야기를 나누고 있는데 던이 불쑥 이렇게 말했다. "조금 있으면 아기가 생길 거라서 훌륭한 조수를 훈련시켜 놓았어."

모임이 끝난 후 나는 리사에게 던이 임신을 했냐고 물었다. "나만 좋은 소식을 못 들은 거야?"

그러자 리사가 깔깔 웃으며 대답했다. "아니야. 아기가 생길 것을 너무나 확신해서 하는 이야기야."

나름 위대한 신앙인이라 자부하던 터라 문득 부끄러운 생각이 들었다. 나는 그토록 오랜 세월이 지났으니 임신이 아닌 입양 같은 다른 하나님의 계획이 있을 거라고 생각했다.

하지만 던의 믿음은 조금도 흔들리지 않았다. 아기를 가지려고 노력한 지 29년 만에 드디어 던은 임신을 했다. 그것도 쌍둥이를! 이래서 우리는 꿈을 버리지 말아야 한다. 부정적인 말이라면 심지어 목사의 말도 듣지 말아야 한다. 하나님은 당신을 향한 약속을 다른 사람들 속에 넣어 두지 않으셨다. 하나님이 당신 마음에 주신 소망은 오직 당신만이 온전히 이해할 수 있다.

하나님이 우리의 꿈을 포기하지 않으시니 얼마나 다행인지 모른다. 당신도 던처럼 믿음으로 꿈을 향해 달려갔지만 너무 오랫동안 아무 일도 일어나지 않아 그만 포기하고 싶은가?

하나님의 눈으로 보면 꿈의 실현이 선명하게 보인다. 하나님이 꿈을 이뤄 주실 줄 믿고 오늘부터 감사를 시작하라. 꿈이 죽은 것 같은가? 하나님은 죽은 꿈조차 되살릴 수 있다. 그리스도를 죽음에서 일으키신 것처럼 당신의 재정과 관계, 건강, 직업에 새로운 생명을 불어넣으실 것이다. 그러므로 낙심하지 말고 감사를 입에 달고 살라. "아버지, 제 삶 속에서 시작하신 일을 마무리하실 줄 믿고 감사드립니다."

우리는 하나님의 타이밍을 믿어야 한다. 하나님은 우리의 생각만큼 빨리 행동하지 않으실 때가 많다. 이때는 기다리는 시간을 시험의 시간으로 봐야 한다. 마음에 약속을 품고 있는가? 희망과 믿음, 복, 성장으로 충만한 멋진 미래를 꿈꾸고 있는가? 그렇다면 인내심을 기르자. 낙심할 만한 상황이 올지도 모르기 때문이다. 좌절감에 빠져 어리석은 선택을 내리고 싶을지도 모른다. 그때마다 당신이 누구이며 당신 안에 무엇이 있는지 기억하라.

당신은 지극히 높으신 하나님의 자녀며 당신 안에는 위대함의 씨앗이 들어 있다. 당신은 영광과 존귀의 관을 쓴 자다. 당신은 이 세대에 커다란 족적을 남길 운명을 타고 났다. 아직 이루어지지는 않았지만 그 약속은 여전히 당신 안에 있다.

그러니 미래를 함부로 내던져서는 곤란하다. 후회할 선택을 해서

당신의 날이 오고 있으니 그날을 고대하며 비상을 준비하라.
이제 곧 뜻밖의 기회와 놀라운 성장이 나타날 것이다.
하나님이 문을 여시면 그 누구도 닫을 수 없다.

는 안 된다. 누군가에게 분노를 분출하고 싶은가? 가정이고 뭐고 때려치우고 싶은가? 인생의 어두운 금요일에는 부정적인 생각에 빠지기 쉽다. 하지만 낙심하지 마라. 더 좋은 날이 오고 있다. 당신의 꿈이 반드시 이루어질 것이다. 지금은 금요일일지라도 부활의 주일이 오고 있다. 하나님이 당신을 높이고 회복시키며 억울함을 풀어 주실 때가 온다. 그때는 모든 어둠의 세력이 힘을 잃는다.

하나님은 당신의 타이밍을 굳게 믿는 사람들을 찾고 계신다. 우리의 꿈은 하루아침에 이루어지진 않아도 반드시 이루어진다. 아브라함은 20년을 기다려 약속의 실현 곧 아들을 보았다. 모세는 40년을 기다려 약속대로 하나님의 백성을 구해냈다.

하나님만이 가장 완벽한 때를 아신다. 지금은 답답해도 당신 인생의 배후에 하나님이 역사하고 계신다. 당신을 위해 적절한 사람과 사건, 기회들을 배치하고 계신다. 때로는 모든 조각이 맞춰지기까지 오랜 시간이 걸릴 수도 있다. 그러나 성경은 정해진 때에서 단 1초도 늦지 않게 약속이 이루어진다고 말한다.

나의 형 폴(Paul)은 어릴 적부터 아프리카 의료 선교의 꿈을 꾸었다. 12세 때 아버지와 함께 아프리카 선교 여행을 다녀왔는데 그때의 감격이 형의 가슴속에 영원히 각인되었다. 그래서 형은 대학 때 다시 아프리카로 가서 가난하고 힘없는 사람들을 도왔다. 그리고 그곳을 떠나면서 훗날 정식 의사로 돌아와 더 큰 일을 하겠다고 결심했다.

형은 아칸소 주의 한 병원에서 외과의사로 일하면서 차근차근 경력을 쌓아 갔다. 하지만 그런 성공에도 불구하고 형과 형수 제니퍼(Jennifer)는 의료 선교의 꿈을 잊지 않고 있었다. 형은 한두 번 선교 단체에 지원하기도 했다. 하지만 결실은 맺지 못했다. 꿈은 생각보다 오랫동안 지연되었다. 그러다 지난 해 우리 교회에 다니는 몇몇 의사들이 아프리카 선교 여행을 계획하면서 형에게 함께할 것을 권했다. 1999년부터는 아칸소에서 휴스턴으로 돌아와 아버지의 교회에서 목사로 섬겨 왔기에 가능한 일이었다.

형은 의사들과 함께 아프리카로 날아가 작은 클리닉에서 외과 봉사를 했다. 이 일이 얼마나 보람되었는지 형은 집으로 돌아온 후 다시 가족들을 데리고 아프리카로 향했다. 그리고 3개월을 더 봉사했다. 그 기간이 끝날 무렵 어느 날 밤, 형은 찬란한 아프리카의 밤하늘을 바라보며 감사하는 마음에 흠뻑 젖어 들었다. 하나님의 약속은 정확히 이루어졌다.

하나님은 우리 꿈을 다 아신다. 그 꿈을 우리 안에 불어넣으신 분이 하나님이기 때문이다. 그러므로 인내가 관건이다. 시편 106편은 하나님의 계획이 펼쳐질 때까지 기다리지 못한 이스라엘 백성의 이야기를 전하고 있다. 이스라엘 백성은 낙심 때문에 약속을 놓쳤다. 그들은 불평을 일삼고 희망을 내던졌다.

당신은 그러지 말고 믿음으로 굳게 서라. 일이 뜻대로 풀리지 않는 인생의 어두운 금요일, 그때 주일의 빛이 오고 있다는 사실을 기억하라. 당신의 부활이 오고 있다. 그것을 확신하라.

하나님이 당신 마음속에 두신 약속은 아직도 건재하다. 꿈이 이루어질 거라고 믿고 선포하라. 기대한 것보다 훨씬 더 좋은 열매를 꿈꾸라. 하나님이 당신에게 화려한 결말을 주실 것이다.

4

최고의 도약
나는 시련을 통해 성장한다

I T ' S   Y O U R   T I M E

믿음이 이긴다

최고의 삶

Chapter 01

남아 있는 히든 카드가 있다

하나님이 은혜 한 스푼을 뿌리고 복 한 컵을 부으신 다음 초자연적인 기회 몇 덩어리를 더하시면 쓰디쓴 인생이 어느새 달콤한 인생으로 변한다.

하루는 한 성도가 오랫동안 다니던 직장에서 난데없이 해고를 당했다며 나를 붙잡고 하소연을 했다. "온몸을 바쳐 일한 저에게 이럴 수는 없습니다. 제가 얼마나 충성을 다했는데요. 너무나 억울합니다."

나는 그에게 인생은 때로 불공평할지라도 하나님은 언제나 공평하시다고 말했다. 로마서 8장 28절은 "하나님을 사랑하는 자 곧 그의 뜻대로 부르심을 입은 자들에게는 모든 것이 합력하여 선을 이루느니라"고 말한다.

여기서 키워드는 '합력'이다. "해고되어서 안 좋고, 사랑하는 사람이 아파서 안 좋고, 관계가 틀어져서 안 좋고…." 인생의 한 부분을 따로 떼서 이런 식으로 말하는 것은 옳지 않다.

물론 이 일 하나만 놓고 보면 나쁜 일일 수 있다. 하지만 하나님은 전체 그림을 보신다. 한 번의 실패가 끝은 아니다. 한 번 불행한 일을 겪었다고 인생이 끝나는 건 아니다. 그 일은 전체 그림의 한 조각일 뿐이다. 그 일을 나머지와 연결시켜 주는 또 다른 조각이 있기 마련이다. 이 조각들이 어우러져 선을 이룬다.

나는 아이들이 어렸을 때 집에서 함께 초코 칩 쿠키를 만들곤 했다. 얼마나 자주 만들었던지 나중에는 눈을 감고도 만들 경지에 이르렀다. 우리는 각자의 역할을 정확히 알았다. 조나단은 흑설탕과 달걀을 맡았고 알렉산드라는 밀가루와 베이킹 소다, 바닐라를 책임졌다. 큰 그릇과 믹서는 내 몫이었다.

우리는 쿠키 전문가들이었다. 다시 말해 언제나 정확한 양을 정확한 순서에 따라 넣었다. 거짓말을 조금 보태자면 우리가 만든 조리법대로만 하면 세상에서 제일 맛있는 쿠키가 탄생한다.

한번은 베이킹 소다 넣는 것을 깜박했다. 오븐에서 나온 쿠키는 완전히 납작했다. 조금도 부풀지 않아 마치 나무토막 같았다. 결국 이 쿠키들은 쓰레기통으로 직행했다. 쿠키들이 왜 그 모양이었을까? 중요한 요소를 빼먹었기 때문이다. 한 스푼양밖에 되지 않았지만 그것이 빠졌을 때 결과는 엄청났다.

또 다른 요소가 오고 있다

우리는 종종 인생의 모든 요소가 합쳐질 때까지 기다리지 못하고 성급하게 원망하고 불평하곤 한다. 하지만 하나님은 우리를 향한 위대한 계획을 가지고 계신다.

인생이 자꾸만 꼬이는가? 재정이 꼬이고 일이 꼬이고 가정이 꼬이고…. 하지만 성급하게 굴지 마라. 하나님이 하늘의 베이킹 소다를 더하시면 인생이 순식간에 풀릴 것이다. 하나님이 다른 요소들을 당신의 인생 속으로 더하고 계신다.

맛좋은 쿠키의 비결은 요소들을 합치는 방식에 있다. 적절한 요소들을 적절히 섞어 적절한 시간만큼 오븐에 두면 된다. 인생의 한 측면이 나쁠지라도 모든 요소들이 나쁜 건 아니다. 명심하라. 미량의 베이킹 소다만으로도 결과가 완전히 달라질 수 있다. 하나의 좋은 사건, 딱 한 사람, 아이디어 하나, 하나님의 은혜 한 번이면 씁쓸함이 달콤함으로, 슬픔이 기쁨으로, 통곡이 춤으로 바뀔 수 있다.

모세가 이스라엘 백성을 이끌고 광야를 지날 때 며칠을 걸어가도 물이 보이지 않았다. 급기야 목이 타서 걷지도 못할 지경에 이르렀다. 그런데 막 쓰러지기 직전, 기적과도 같이 샘이 나타났다. 이스라엘 백성은 미친 듯이 환호했다. 그런데 그들이 정신없이 달려가 물을 들이켰을 때 이럴 수가, 물이 마시지 못할 만큼 썼다.

이스라엘 백성처럼 한껏 기대감에 부풀었다가 실망스러운 일을 겪었는가? 누구나 살다보면 막다른 골목에 이를 때가 있다.

1981년 겨울, 우리는 가족과 친구들을 모아 성대한 크리스마스 파티를 열 생각에 젖어 있었다. 그런데 12월 11일 어머니가 말기 암이라는 청천벽력 같은 소식이 들려왔다. 의사들은 어머니의 삶이 겨우 몇 주밖에 남지 않았다고 말했다. 모세가 이끄는 백성처럼 우리는 흥겨운 가족 파티를 고대하다가 느닷없이 슬픈 소식을 접했다.

이스라엘 백성은 목이 마르다며 모세를 원망했다. 물도 쓰도 덩달아 그들의 삶도 비참해졌다. 이에 하나님은 한 나무를 가리키셨고 모세가 그 나뭇가지를 물에 던졌더니 쓴물이 단물로 변했다. 이에 백성은 마음껏 목을 축일 수 있었다.

이 이야기가 전하려는 메시지는 무엇일까? 인생이 괴로워지고 부당한 일이 생겨도 하나님은 당황하지 않으신다는 것이다.

시련조차 축복이 될 수 있다

왜 시련이 왔는지 이해할 수 없는가? 그렇다면 억지로 이해하려고 하지 마라. 믿음은 이해가 되지 않아도 하나님을 신뢰하는 것이다. 결과적으로 우리 가족의 씁쓸함은 위안과 감사로 바뀌었다. 어머니는 모든 의학적 소견을 초월하여 암을 이겨내셨다. 어머니의 믿음과 치유에 관한 이야기는 같은 고난중에 있는 수많은 사람들에게 큰 용기를 주었다. 어머니를 위한 하나님의 완벽한 계획이 결국 이루어진 것이다.

고난이 닥칠 때 대부분의 사람들은 하나님이 자신의 기도에 응답해 주지 않는다며 불만을 쏟아 낸다. 병의 회복이 더딜 때도 마찬가지다. 속히 치유해 주시지 않는다고 대번에 원망을 품는다. 지금 당장 가정을 회복시켜 주지 않는다고, 당장 새 직장을 주지 않는다고 투덜댄다.

나는 하나님이 마침표를 찍으신 일에는 물음표를 달지 말아야 한다는 것을 배웠다. 이미 끝난 일이라면 그만 잊어버리고 인생의 다음

장으로 전진하는 것이 현명하다. 인생의 쓴맛을 좀 보면 어떤가? 하나님의 주방에는 달고 향긋한 요소가 끝없이 쌓여 있다. 우리 인생에는 아직 더해질 요소들이 많다. 이 요소들이 더해지면 쓰디쓴 삶이 금세 단맛으로 변한다.

내가 아는 사람 중에 신문업계에서 잔뼈가 굵은 분이 있다. 은퇴가 다가올 무렵, 신문업계에는 인원 감축과 해고의 바람이 불어 닥쳤다. 그 와중에 그도 일자리를 잃었다. 실직의 물은 쓰디썼지만 그는 내가 방금 말한 원칙을 이해하고 있었다. 그는 삶을 포기하지 않았다. 불평하며 돌아다니지도 않았다. 그는 하나님이 또 다른 문을 열어 주실 줄 굳게 믿었다.

이 사람은 예전부터 부업으로 책을 써왔는데 일하면서 쓴 책만 해도 30여 권에 가까웠다. 근무시간 전후로 책을 쓴다는 것이 결코 쉬운 일이 아닌데 그는 이 일을 소명으로 여겼다.

그런데 그가 신문사에서 해고된 지 며칠이 지났을 때 중요한 집필 프로젝트에 관한 제안이 들어왔다. 만약 그가 여전히 신문사에서 일하고 있었다면 이 제안을 받아들이지 못했을 것이다. 결과적으로 그는 이 책을 통해 신문사에서 일할 때보다 훨씬 많은 돈과 기회를 얻었다. 하나님께는 언제나 또 다른 요소가 있다. 믿음으로 절망과 원망을 몰아내면, 하나님이 우리 상상을 초월하는 인생을 요리해 주실 것이다.

때로 하나님은 우리를 안전지대에서 빼내 성장의 장으로 이끄신다. 우리가 벌벌 떨며 발걸음을 떼지 못할 때는 우리의 등을 강하게 미시기도 한다. 물론 낯설고 불편한 땅으로 밀리는 것을 좋아할 사람은 없다. 하지만 낯설고 불편한 것이 흥미진진하고 유익하기도 하다는 사실을 알아야 한다.

쓴 물이 사실은 불행을 가장한 복일 수도 있다. 실직은 얼핏 나쁜 일처럼 보인다. 하지만 실직한 덕분에 더 크고 좋은 회사에 들어가게 된다면 어떤가? 학교로 돌아가 더 좋은 학위를 따거나 꿈에 그리던 일을 하게 된다면?

> 최고의 삶을 위한 TIP
>
> 희망이 없는 인생도 새로운 요소 몇 개만 더해지면 180도 달라질 수 있다.

얼핏 보기에 속상한 의사의 진단서도 더 건강한 라이프스타일로 이끄는 자극제가 될 수 있다. 혈압이 높다는 말을 듣기 좋아할 사람은 없지만 조기 진단으로 인해 식습관을 바꾸고 운동까지 할 수 있다면 남은 인생이 더 건강해질 수 있다.

심지어 가장 쓴 소식, 이를테면 사랑하는 사람의 죽음조차 긍정적인 변화의 촉매제가 될 수 있다. 나는 아버지의 죽음으로 나의 진정한 소명인 목회의 영역으로 들어갈 수 있었다. 이렇듯 극심한 슬픔과 고통이 오히려 쓴 약이 되는 경우를 나는 정말 많이 보았다.

위기 속에도 기회가 있다

낸시 브링커(Nancy Brinker)에게는 세 살 터울의 생기발랄한 수지(Suzy)라는 동생이 있었다. 언니인 낸시는 동생과 달리 다소 진지하고 철저한 성격이지만 두 자매는 세상 그 누구보다 가까웠다. 다른 도시에 떨어져 살면서도 둘은 매일같이 전화로 대화를 나누었다. 그러던 어느 날 낸시는 수지가 유방암 진단을 받았다는 연락을 받고 곧장 동생 곁으로 날아가게 된다. 그 후 6개월 간 수지는 휴스턴을 비롯한 여러 도시에서 아홉 번의 수술과 치료를 받게 되었다. 그 동안 언니 낸시는 한시도 수지 곁을 떠나지 않고 동생을 간호했다.

그러나 함께 암과 싸운 지 3년 만에 수지는 결국 세상을 뜨고 말았다. 하지만 낸시는 슬퍼하고만 있지 않았다. 그녀는 동생의 죽음을 계기로 세상을 더 좋은 곳으로 만들겠다고 결심했다. 이 결심의 결과를 아는 사람은 알고 있을 것이다.

낸시가 세운 수잔 코멘 재단(Susan G. Komen Foundation)은 '치료자를 위한 달리기(Race for the Cure)' 행사 등을 통해 10억 달러가 넘는 암 연구 기금을 모았다. 현재 이 재단은 유방암 생존자와 활동가들을 위한 세계 최대의 민간 네트워크다. 동생을 떠나보낸 낸시의 슬픔은 대의를 위한 노력으로 승화되었다.

'위기'에 해당하는 한자는 '위험'과 '기회'를 뜻하는 두 글자로 이루어져 있다고 한다. 모든 위기와 상실과 실패 속에는 원망과 불평과 현실 안주의 위험이 도사리고 있다. 하지만 언제나 그 안에는 낸시 브링커의 경우처럼 어두움을 빛으로 바꿀 기회도 있다.

우리 교회에 다니는 웨스(Wes)와 발 헌든(Val Herndon) 부부와 대화를 나누다가 이 원칙을 떠올린 적이 있다. 이 신실하고 친절한 부부는 당시 십대였던 딸 케이티(Katy)를 암으로 잃었다. 케이티가 암과 싸우는 그 오랜 세월 동안 우리는 함께 기도하며 치유의 역사를 기대했다. 케이티 역시 끝까지 희망의 끈을 놓지 않았다. 하지만 결국 케이티는 하나님 품으로 갔다.

딸의 죽음은 헌든 부부에게 쓴 물과 같았다. 왜 딸이 죽어야 했는지 도무지 이해할 수 없었다. 하지만 그들은 결국 딸을 하나님 손에 맡겼다. 현재 헌든 부부는 인생 역전의 산증인으로서 하나님을 섬기고 있다. 이 부부의 삶을 통해 하나님의 선하심이 환한 빛을 발하고 있다. 나는 자식을 잃고서 탄식하는 사람을 만날 때마다 이 부부를 떠올린다. 때로는 헌든 부부와의 만남을 직접 주선해 주기도 한다.

최고의 삶을 위한 TIP

인생의 슬픈 페이지는 그만 보고 다음 장으로 넘어가라. 곧 회복의 장이 펼쳐진다.

위기가 찾아왔을 때 하나님을 원망하지 말고 그분의 다스리심을 믿으라. 하나님이 새로운 기회의 문을 열어 주실 줄 믿고 희망으로 살아가다 보면 당신도 하나님의 놀라운 은혜를 드러내는 산증인이 될 것이다.

"그분이 나를 죽이신다 해도 나는 그분을 신뢰할 것이다."

욥의 이 고백을 정말로 내 고백으로 삼고 싶다. 욥의 믿음이 이토록 철석같았던 것은 하나님이 여전히 다스리고 계심을 알았기 때문이다. 이해되지 않는 일을 겪을 때마다 욥의 믿음을 기억하라.

성경은 우리의 모든 날이 하나님의 책에 기록되어 있다고 말한다. 하나님은 우리 인생의 모든 장을 처음부터 끝까지 다 기록해 놓으셨다. 그분은 우리의 모든 고난과 상실을 알고 계신다. 참으로 복된 소식은 우리의 이야기가 승리로 끝난다는 것이다. 그러므로 실패와 상실의 장에서 멈추지 말고 계속해서 전진하라. 또 다른 장이 당신을

패배한 순간은 좌절하는 순간이 아니라
성공을 위해 쌓아가야 할 시간임을 잊지 마라.

기다리고 있다.

우리는 풀리지 않은 일에 한눈을 팔다가 기회를 놓칠 때가 많다. 결혼 생활이 실패로 끝났는가? 일자리를 잃었는가? 그 일은 그대로 두고 계속해서 전진하라. 어두운 페이지에 너무 오래 머물지 말라. 수백 번씩 읽은 슬픈 페이지는 그만 보고 하나님이 쓰신 다음 장으로 넘어가라. 계속 전진하다 보면 언젠가 결말의 장에 이르게 될 것이다. 그 마지막 장에서 모든 조각이 하나로 합쳐져 환한 빛을 드러낼 것이다. 인내로 기다리면 회복의 장이 반드시 펼쳐진다.

인생의 퍼즐은 결국 맞춰진다

지나온 세월보다는 앞으로 펼쳐질 인생이 훨씬 더 중요하다. 우리가 지나온 과거는 모두 현재와 미래를 위한 준비 과정이었을 뿐이다. 실망스러운 일, 고난, 실패가 찾아온 것은 우리를 파멸시키기 위함이 아니다. 오히려 우리를 강하게 만들고 우리의 인격과 힘을 키워 하나님이 주신 소명을 이루게 하기 위함이다.

자신에게 왜 불공평한 일이 일어났는지 이해할 수 없지만 눈앞의 장애물 때문에 전진을 포기하기에는 지금까지 노력해 온 세월이 너무 아깝다. 과거에 묶여 있지 마라. 하나님께는 당신의 이름으로 마련된 계획이 있다. 이것은 복과 은혜와 승리로 충만한 계획이다.

하나님은 우리를 위해 모든 조각을 합치고 계신다. 가끔 우리 인생은 미스터리 소설이나 스릴러 영화 같다. 이해할 수 없는 일들이 여기저기서 일어난다. 그러나 마지막 단서들이 나타나고 점들이 연결되면서 갑자기 지난 사건들 하나하나가 이해된다. 모든 조각이 제자리를 잡을 때 비로소 머릿속이 훤해진다.

미스터리 소설을 읽거나 스릴러 영화를 보면서 좌절하는 사람은 없다. 결국 모든 실마리가 풀릴 줄 알기 때문이다. 인생도 이런 믿음으로 살아야 한다. 우리를 향한 하나님의 플롯(plot)은 한 치의 오차도 없이 계획된 대로 착착 진행되고 있다.

이해되지 않는 것은 우리를 향한 하나님의 계획이 아직 다 펼쳐지지 않았기 때문이다. 믿음으로 인내하면 오래지 않아 모든 실패와 고난, 심지어 지독한 상실까지도 전체 이야기의 한 부분이었음을 알게 된다. 하나님은 전체 그림을 보신다. 한 번 실패했다고, 아니 수차례 실패했다고 인생이 끝난 건 아니다. 인생의 조각 하나하나가 맞춰지고 점들이 모두 연결되면 우리 인생의 멋진 모습이 드러날 것이다.

일전에 어느 젊은 아가씨에 관한 이야기를 읽은 적이 있다. 그녀의 아버지는 심장 이식 수술을 받고 잠시 증세가 호전되다가 몇 달 후 갑자기 세상을 떠났다. 그녀는 다른 도시에서 석사 학위를 밟고 있다가 아버지의 부음을 듣게 되었다. 이 충격적인 소식에 급히 짐을 싸서 공항으로 달려가 비행기를 기다리는데 참을 수 없는 슬픔이 자신을 휘감아 왔다. 그녀가 목 놓아 울고 있는데 누군가 소리 없이 다가와 부드럽게 말했다. “아가씨, 무슨 일이에요?”

어디선가 많이 들어 본 목소리였다. 고개를 들어보니 배우이자 감독인 케빈 코스트너(Kevin Costner)였다. 서글픈 통곡소리에 뭐라도 돕고 싶어 다가온 것이었다. 그녀가 사연을 털어놓자 코스트너는 비행기를 놓치면서까지 곁에서 그녀를 위로해 주었다. 코스트너는 그녀를 탑승구까지 데려다 주면서 얼마 후 그녀가 사는 도시에서 영화를 찍을 건데 그때 자신을 찾아와서 어떻게 지내는지 말해 달라고 부탁했다.

몇 달 후 그녀가 집 근처에서 운전을 하는데 도로가 꽉 막혀 있었다. 알고 보니 근처 공원에서 영화 촬영이 진행되고 있었다. 그녀는 경호원에게 코스트너의 초청을 받은 일을 설명했다. 몇 분 후 제작을 책임지는 중역이 다가와 그녀 옆에 앉았다. 그는 촬영되는 장면과 스텝들의 역할을 일일이 설명해 주었다. 두 사람은 곧 오랜 친구처럼 깔깔대며 담소를 나누었다.

그날 밤 그녀는 자기 어머니에게 전화를 걸어 말했다. "엄마, 오늘 꿈에 그리던 남자를 만났어요. 그 남자와 꼭 결혼하고 싶어요."

실제로 두 사람은 사랑에 빠져 사귀기 시작했고 1년 후 결혼에 골인했다. 공항에서 울던 순간이 퍼즐의 중요한 조각일 줄 그 누가 알았겠는가? 하나님의 손에는 우리 인생 퍼즐의 나머지 조각들이 들려 있다. 우리 인생이 미완성이기 때문에 당장은 이해되지 않을 수도 있다. 하지만 낙심할 필요는 없다. 또 다른 조각이 있다. 이 조각이 우리 인생을 완성할 것이다.

하나님이 당신을 위해 더 많은 복을 예비해 놓고 계신다. 그분이 당신의 통곡을 춤으로 바꿔 주시리라. 당신을 평범한 삶에서 성취의 삶으로 이끄시리라. 인생 최고의 날은 아직 오지 않았다. 원망을 떨쳐 내고 답할 수 없는 질문에 집착하지 마라. 하나님이 온전히 다스리고 계심을 믿으라. 하나님이 특별한 역사를 행해 주실 것이다. 당신의 실패를 성공으로 바꿔 주시리라.

Chapter 02

하나님은 당신을 잊지 않으셨다

하나님은 당신과 당신 안에 넣어 두신 꿈을 기억하고 계신다. 그리고 그 꿈을 이룰 계획도 이미 세워 놓았다.

몇 년 전, 설교가 시작되기에 앞서 찬양 사역자들이 예배를 인도하고 있을 때였다. 나는 문득 고개를 돌려 좌중을 둘러보다가 깜짝 놀랐다. 누이 에이프릴(April)의 일곱 살배기 딸 사바나(Savannah)가 보이지 않았기 때문이다. 그 주에 사바나는 우리 집에서 지내고 있었다.

아내 쪽으로 몸을 기울여 물었다. "사바나는 어디 앉아 있소?"

"모르겠는데요. 당신이 어디에 앉혔어요?"

"내가 어떻게 알겠소? 당신이 데리고 왔잖소?'

내 말에 아내의 눈이 휘둥그레졌다. "저런! 당신이 데리고 온 줄 알았어요."

순간 내 가슴이 철렁했다. 보통 아내와 나는 주일에 따로 차를 몰고 온다. 내가 조금 일찍 나오기 때문이다. 나는 아내가 조카를 데리고 올 줄 알았다. 물론 아내도 내가 데리고 간 줄 알았고.

이럴 수가, 어린 조카가 홀로 집에 있다니! 교회에서 집까지는 차로 30분이나 소요되는 거리다. 우리 부부는 경찰에 전화할지 이웃에 연락할지 한참을 고민하다가 결국 교회에서 불과 몇 분 거리에 사는 매형 케빈(Kevin)에게 부탁하기로 했다.

매형은 우리 전화를 받자마자 우리 집으로 달려갔다. 그런데 매형이 집 문을 열었을 때 어린 사바나는 방실방실 웃는 얼굴로 그 앞에서 있었다. 티 없이 맑은 조카의 얼굴에 근심의 빛은 조금도 없었다. 어린 조카가 처남에게 뱉은 첫마디는 이랬다. "저를 잊지 않을 줄 알았어요."

나중에 나는 조카에게 무섭지 않았냐고 물었다. 그러자 조카가 생긋 웃으며 대답했다. "아뇨. 조조(Jo-Jo) 삼촌이 절 데리러 돌아오실 줄 알았어요."

우리에게는 이런 천진난만한 믿음이 필요하다. 일이 뜻대로 풀리지 않아도 부정적인 감정을 떨쳐 버리고 어린 사바나처럼 말해야 한다. "아무 걱정 없어. 하나님이 나를 기억하시니까. 하나님이 나서서 상황을 바꾸실 테니까."

우리는 잊혀진 존재가 아니다

하나님은 우리를 기억하신다. 이것은 하나님이 그저 우리에 관해 생각만 하시는 게 아니라 우리를 위해 놀라운 역사를 행해 주신다는 뜻이다.

야곱의 아내 라헬에게도 바로 그런 일이 일어났다. 라헬은 아이를 간절히 원했다. 하지만 아무리 노력을 해도 아이는 들어서지 않았다. 당시 아이를 낳지 못하는 여자는 이루 말할 수 없는 수모와 고통을 겪어야 했다. 불임은 여자나 남자 모두에게 큰 수치였다.

그렇게 수년이 흘렀고, 라헬은 외로움과 공허함 가운데 지냈다. 설상가상으로 언니 레아는 계속해서 아이를 낳았다. 라헬의 마음은 마치 소금으로 상처를 부비는 것만큼 아팠다. 하지만 어느 날 상황이 역전된다. 성경은 "하나님이 라헬을 기억하셨다"라고 말한다.

하나님이 당신을 기억하시면 고난의 세월이 아무리 길어도 상관없다. 눈에 보이는 상황은 중요하지 않다. 하나님이 순식간에 상황을 바꾸실 것이다.

우리도 오늘 라헬과 같은 심정일 수 있다. 외롭고 공허하고 잊힌 기분, 꿈도 포기하고 싶고 결혼할 꿈까지 버리고 싶은 기분, 아무런 희망도 목표도 없는 그런 기분 말이다. 하지만 잊지 마라. 당신이 꿈을 버렸다고 해서 하나님도 그 꿈을 버리신 것은 아니다. 하나님은 당신과 당신 안에 넣어 두신 꿈을 기억하고 계신다.

사람은 누구나 정체기를 지난다. 그 기간에는 아무런 진전이 없다. 새로운 문이 전혀 열리지 않는다. 아무런 기회도 나타나지 않는다. 그럴 때 우리는 잊힌 기분을 느끼기 쉽다. 특히 그 시간이 몇 달을 넘어 몇 년씩 계속되면 자신이 아무것도 아니라는 생각이 든다.

누구나 이런 심정을 겪어 봤을 것이다. 기도하고 또 기도했지만 하나님이 휴가를 떠나셨는지 영 응답이 없다. 주위의 모든 사람이 복을 받고 있는데 당신에게는 그 복이 그냥 지나가 버린다. 심지어 아무도 당신에 대해 신경 쓰지 않는다.

친구들도 있고 심지어 아내도 있지만 여전히 외롭고 쓸쓸하다. 겉으로는 웃고 있지만 속으로는 눈물을 흘리고 있다.

> 최고의 삶을 위한 TIP
>
> 사람들은 당신을 잊었을지 몰라도 하나님은 결코 당신을 잊지 않으셨다.

우리는 그럴 때 잊혀졌다는 기분을 느낀다. 이런 외로움이 밀려올 때는 이사야 49장 15-16절에 기록된 하나님의 위대한 약속을 떠올리라. "여인이 어찌 그 젖 먹는 자식을 잊겠으며 자기 태에서 난 아들을 긍휼히 여기지 않겠느냐 그들은 혹시 잊을지라도 나는 너를 잊지 아니할 것이라 내가 너를 내 손바닥에 새겼고…."

우리는 잊혀지지 않았다. 우리는 버림받지 않았다. 하나님이 우리를 기억하신다. 너무 오랫동안 병치레를 하다 보니 건강한 삶에 대한 꿈을 접어 두었는가? 하지만 하나님은 우리의 아픈 낮과 외로운 밤을 하나도 빠짐없이 지켜보고 계신다. 우리가 흘린 눈물을 한 방울도 빠짐없이 보고 계신다.

평생 꿈꿔 온 꿈이 있는데 매번 고지를 코앞에 두고 미끄러졌는가? 그래서 이젠 포기하고 싶은가? 하지만 하나님은 당신을 잊지 않으셨다. 잊기는커녕 지금도 당신 삶 속에 부지런히 역사하고 계신다. 적절한 사람과 기회를 적재적소에 배치하고 계신다. 때가 되면 반드시 당신의 꿈이 이루어질 것이다.

오늘 희망의 불씨를 되살리라. 어깨를 당당히 펴고 고개를 높이 들라. 사람들은 당신을 잊었을지 몰라도 하나님은 결코 당신을 잊지 않으셨다. 남들은 당신을 외면할지 몰라도 하나님은 결코 당신을 배신하지 않으신다. 비록 믿었던 사람들은 우리가 정말 필요할 때 우리 곁을 떠났지만 하나님은 형제보다도 가까운 우리의 친구가 되신다.

하나님이 당신의 꿈을 기억하신다

하나님은 우리를 보실 때마다 감격에 겨워 이렇게 말씀하신다. "내 걸작이야. 너무 자랑스럽구나. 볼 때마다 웃음이 절로 나오는구나. 참으로 내 마음에 흡족한 아이야."

그러므로 우리의 태도는 늘 긍정적이어야 한다. 한번은 휴스턴의 의료 센터에 암 치료를 받으러 온 여자를 만난 적이 있다. 암 치료도 치료지만 그녀는 작은 도시에서 왔기 때문에 휴스턴처럼 거대한 도시에 홀로 3개월이나 있어야 한다는 사실에 잔뜩 겁을 먹고 있었다.

처음 두 주간은 말을 걸 사람조차 없어서 완전히 잊혀진 기분이었다. 그녀는 종일 텔레비전에 나오는 우리 교회의 예배 방송만 봤다. 그러는 사이 레이크우드 교회에 가고 싶은 생각이 자꾸 커져 갔다. 하지만 차도 없고 태워 줄 사람도 없었다. 집중 치료를 받는 중이라 대중교통을 이용하기도 어려웠다.

그러던 어느 날 호텔 식당에 줄을 서 있다가 뒤쪽의 부부가 매주 우리 교회에 다닌다는 사실을 알게 되었다. 그녀는 이 부부에게 우리 교회의 예배 방송을 자주 본다고 말했다. 이 말을 듣자마자 부부가 함께 갈 것을 제안했다. "이번 주일에 들러서 태우고 갈게요."

소원이 이루어진 여자는 기대감에 부풀었다. 그리고 그 주일 교회로 들어올 때 하염없이 눈물을 흘렸다. 그녀는 하나님이 자신을 한시도 잊지 않으셨다는 사실을 깨달았다. 하나님이 적절한 사람들을 적시에 적소로 보내 그녀에게 이 사실을 깨닫게 하셨다. 그 부부의 도움으로 그녀는 3개월 내내 레이크우드 교회에 나올 수 있었다.

성경에 등장하는 요셉은 형들에게 배신을 당했다. 뿐만 아니라 한 여자에게 모함을 받아 수년 간 감옥에 억울하게 갇혀 있었다. 요셉의 당시 심정이 상상이 간다. "하나님은 이미 나를 잊으셨어. 내가 사는 꼬락서니를 봐. 한때 나도 꿈을 꾸었지. 약속이 있다고 생각했지. 하지만 다 부질없는 꿈이었어."

그러나 요셉의 이야기는 우리에게 고난이 믿음의 시험대라는 사실을 가르쳐 준다. 일이 뜻대로 풀리지 않을 때 우리의 진면목이 고스란히 드러난다. 고난이 올 때 어떤 태도를 품을 것인가? 부정적인 태도? 원망? 그게 아니면 당신의 인생이 하나님의 장중에 있음을 알고 믿음으로 굳게 서는 것?

요셉은 감옥 친구들의 꿈을 해석해 주었다. 특히 바로의 술 맡은 관원장에게는 사흘 안에 풀려날 테니 감옥을 나가거든 바로에게 자기 얘기를 해 달라고 부탁했다. 아니나 다를까, 사흘 후 정말로 술 맡은 관원장이 풀려났다. 하지만 술 맡은 관원장은 요셉을 까마득히 잊어버렸다. 때로 우리에게 가장 많은 빚을 진 사람들이 우리를 가장 빨리 잊어버린다. 하지만 상관없다. 낙심할 필요도 없다. 그들은 우리를 잊어도 하나님은 우리를 절대로 잊지 않으신다.

마침내 풀려난 요셉은 총리라는 높은 자리에 앉게 되었다. 나중에 그가 형들에게 한 말이 정말로 멋지다. "형님들은 저를 해치려고 악을 꾀했지만 하나님은 지금 보시는 것처럼 그것을 선하게 바꾸셨습니다." 시련의 바람이 끊임없이 불어올 때 하나님을 떠올리라. 하나님은 당신을 잊지 않으셨다.

최근 많은 성실한 사람들이 집을 잃었다. 그중 한 여자도 직장을 잃게 되면서 주택 대출금을 갚지 못했다. 그러자 은행은 그녀의 집을 압류하여 경매에 넘겼다. 그녀는 자신의 인생 한 페이지가 실패로 끝났다고 판단했다.

여자는 그 집에서 남편 없이 홀로 자녀들을 키워 왔다. 그녀의 심정도 라헬과 같이 외롭고 잊혀지고 버려진 기분이었을 것이다. 경매 현장에서 그녀는 하염없이 눈물만 흘렸다. 그때 한 부인이 그녀가 우는 모습을 보고 다가와 연유를 물었다. 그녀는 일자리를 잃고 이제 집까지 잃게 되었다고 설명했다. 부인이 경매 목록을 보여 주면서 어떤 집인지 묻자 그녀가 자신의 집을 가리켰다.

여자의 집에 대한 경매가 시작되자 이 부인도 입찰을 했다. 경쟁자가 있었지만 부인은 계속해서 금액을 올려 마침내 그 집의 입찰을 따냈다. 그러고 나서 여자에게 다가가 말했다. "원래는 아들에게 집을 사 주려고 왔는데 아무래도 하나님이 당신을 위해 저를 보내셨다는 확신이 드네요. 이 집을 당신에게 돌려주고 싶어요."

마음에서 꿈을 지워 버렸는가? 하나님이 마음에 주신 약속을 포기했는가? 그러나 하나님은 당신을 잊지 않으셨다. 어두운 날들을 언제라도 복된 날로 바꾸실 수 있다. 이 여자는 집을 잃었지만 하나님은 입찰자를 경매장으로 보내셨다.

직장을 잃었는가? 걱정하지 마라. 하나님이 더 좋은 직장을 주실 것이다. 버림받았다는 생각도 버리라. 하나님이 더 멋진 사람을 보내 주실 것이다. 하나님은 당신을 기억하시고 당신 안에 두신 꿈을 여전히 기억하고 계신다. 당신을 통해 이루고자 하셨던 소명을 아직도 똑똑히 기억하고 계신다.

최고의 삶을 위한 TIP

어떤 시련 속에서도 혼자가 아님을 기억하라. 당신은 잊혀진 존재가 아니다.

제이크(Jake)란 남자가 숲속을 걷다가 지독한 눈보라 속에 갇혔다. 눈도 제대로 뜨지 못한 채 세찬 눈바람을 맞으며 걷다보니 방향감각조차 잃어버렸다. 설상가상으로 하늘은 급속도로 어두워졌다. 제이크는 경험이 많은 도보 여행자가 아니었다. 게다가 장비도 갖추지 않은 채 운동 삼아 나온 것뿐이었다. 이 상태로 헤매다가 밤을 맞으면 이 추위에 꼼짝없이 얼어 죽을 수밖에 없었다.

추위와 배고픔에 지친 제이크는 더는 걸을 수 없는 지경에 이르렀다. 그때 마침 암벽에 작은 틈이 눈에 들어왔다. 제이크는 아쉬운 대로 그 틈으로 들어갔다. 그의 몸은 지칠 대로 지친 터라 눕자마자 스르르 잠이 들었다. 그런데 이튿날 아침 눈을 떠보니 놀랍게도 주위가 안방처럼 훈훈했다. 정신을 차리고 보니 커다란 털북숭이 개 한 마리가 자기 옆에 딱 붙어 있었다. 그 개가 어디서 왔는지 알 수 없었지만 어쨌든 개 덕분에 제이크는 목숨을 구했다. 제이크는 만나는 사람마다 하나님이 아무도 없는 곳에서도 자신을 기억해 주셨다고 말한다.

하나님은 우리의 목적을 아신다

하나님은 우리가 이 땅에 무엇을 하러 왔는지 아신다. 많은 사람이 하나님과 상관없이 오직 자신만을 위해 살지만 하나님은 그들의 소명까지도 잊지 않으셨다.

아주 오래 전 어느 젊은 한국인이 결핵으로 죽어가고 있었다. 폐 한쪽은 완전히 망가진 상태였다. 집에 누워 극심한 고통 속에서 죽음을 기다리던 그는 아는 신들을 하나씩 부르기 시작했다. 한 신에게 도움을 요청했다가 응답이 없으면 다른 신에게 기도하기를 끝없이 반복했다. 마침내 절망한 그가 말했다. "어딘가 신이 있다면 묻겠소. 치유도 바라지 않으니 그저 내가 어떻게 죽어야 할지 가르쳐 주시오."

말은 이렇게 했지만 사실 그는 죽음이 두려웠다. 한편, 몇 시간 후 그의 집 근처를 지나던 한 여대생이 '설명할 수 없는 사랑'에 이끌려 그의 집 앞에 이르렀다. 이 여학생은 무엇에 홀린 듯 무작정 대문을 두드렸다. 그러자 한 부인이 나왔다. 여학생이 부인에게 말했다. "정말 이상하게 들리시겠지만, 혹시 제가 기도해 드릴 게 있나요?"

문을 열어 준 사람은 그의 어머니였다. 그런데 그녀가 갑자기 울기 시작했다. "예, 있어요. 우리 아들이 죽기 직전이랍니다."

여학생은 집 안으로 들어가 그를 위해 기도했다. 그날 그는 그리스도를 영접했다. 뿐만 아니라 하나님의 초자연적인 능력으로 병까지 말끔히 나았다. 오랜 세월이 지난 지금 그 젊은이, 그러니까 조용기 목사는 대한민국 서울에 있는 세계에서 가장 큰 규모의 여의도 순복음 교회를 이끌어 왔다.

하나님은 우리에게 소명만 맡겨 놓고 나 몰라라 하지 않으신다. 물론 우리 스스로도 최선을 다해야 하지만 불가능한 일조차 초자연적으로 해결해 주신다.

그 젊은 한국인은 병마로 인한 고통 때문에 외롭고 잊혀진 심정이었을 것이다. 하지만 하나님은 그가 태어나기도 전에 그를 아셨다. 하나님은 그에게 수많은 사람들의 심령을 어루만지는 특별한 목적을 주셨다. 병마가 그의 길을 막으려 했으나 그것은 크신 하나님께 상대가 되지 않았다.

당신도 질병과 오랫동안 싸워 왔는가? 그래서 나을 것이라는 희망을 버린 지 오래인가? 하지만 우리가 섬기는 하나님은 자연 현상에 제한을 받으시는 분이 아니다.

우리에게는 임무가 있다. 이뤄야 할 소명이 있다. 인간의 눈으로는 상황이 나빠 보일지라도 하나님은 우리를 잊지 않으셨다. 장애물이 아무리 많아도 하나님은 당신에게 주신 소명을 절대 거둬 가지 않으신다.

하나님이 원하시는 수준에 훨씬 못 미쳐 있더라도 기대하라. 지극히 높으신 하나님이 당신을 버리지 않으셨다. 하나님이 당신을 기억하시니 그 어떤 어둠의 세력도 당신을 막을 수 없다. 그것이 병마든 대적들이든 해고와 주택 압류든 결코 당신을 막을 수 없다.

믿음의 불씨를 되살리라

하나님이 당신을 구덩이에서 건져 높은 바위에 앉히시고 당신 마음에 새 노래를 주실 것이다. 그러므로 열정을 깨우고 꿈을 기억해

내라. 하나님은 죽은 꿈까지도 되살려 내실 수 있다. 실패나 부당한 일, 질병, 상심의 그늘로 인해 약속이 묻혀 버렸는가? 지극히 높으신 하나님이 기억하시면 그 무엇도 당신의 소명이 이루어지는 것을 막을 수 없다.

중동에 기능장애 가정에서 태어난 소녀가 한 명 있었다. 제출된 보고서에 따르면 이 소녀는 학대받고 방치된 삶을 살았다고 한다. 소녀의 가정에는 일관성도 진정한 사랑도 없었다. 소녀의 미래는 지독히 암울해 보였다. 결국 십대 때 소녀는 비참한 가정환경을 당국에 고발했다. 이에 판사는 이 별난 요청을 연구한 뒤 소녀를 대신 맡아 줄 사람을 섭외했다.

외로움과 혼란에 빠져 있던 소녀는 몇 년 후 특별한 프로그램을 통해 어느 작은 마을에서 어려운 아이들을 돕는 싱글 맘에게 입양되었다. 소녀는 사랑이 가득한 이 가정에서 두각을 나타내기 시작했고 모범생과 리더로 자라났다.

나중에 소녀는 같은 마을의 다른 학생들과 함께 국영 텔레비전 토크쇼에 초대를 받게 되었다. 그리고 이 프로그램에서 꿈과 목표에 관한 질문을 받고 이렇게 대답했다. "제 꿈은 하버드 대학을 나와서 저처럼 어려운 아이들을 돕는 것입니다."

며칠 후 소녀에게 뜻밖의 전화가 한 통 걸려 왔다. 반대편에서 흘러나오는 소리는 전혀 모르는 목소리였다. "이번 주 텔레비전에서 너를 봤단다. 혹시, 하버드 대학 말고 예일 대학에 장학생으로 들어올 생각은 없니?"

소녀는 그러겠다고 대답했고, 지금은 예일 대학 졸업생으로 사회에 뛰어들었다. 이 소녀처럼 철저히 억눌린 삶을 살았는가? 부당한 대우를 수없이 받았는가? 낙심하지 마라. 하나님이 당신을 잊지 않으셨다. 하나님은 아버지 없는 자들의 진정한 아버지가 되신다. 당신을 보호하시고 필요한 복을 아낌없이 부어 주시며 길이 없어 보일 때 길을 만들어 주실 것이다.

그러므로 어떤 시련 속에서도 혼자가 아니라는 믿음을 품으라. 당신은 잊혀진 존재가 아니다. 하나님이 당신을 기억하신다. 당신 안에 두신 꿈과 당신이 붙들고 있는 약속, 당신이 행했던 희생 하나하나를 모두 기억하신다.

당신은 하나님께 잊힐 수 없는 존재다. 하나님이 기억하시면 라헬처럼 닫힌 태가 열릴 것이다. 털북숭이 개가 당신을 따스하게 덥혀 줄 것이다. 낯선 사람이 다가와 당신의 기도에 응답할 것이다.

누가 아는가? 전화 한 통에 당신의 꿈이 이루어질지, 한마디 말에 당신의 약속이 이루어질지. 그러므로 믿음의 불씨를 되살리라. 하나님이 당신의 매순간을 지켜보신다. 그 무엇도 당신의 소명을 가로막을 수 없다.

Chapter 03

고난이 크면 소명도 크다

문제가 크다는 것은 하나님이 그만큼 큰 성장과 복을 준비하고 계신다는 뜻이다. 문제로부터 도망치는 것은 하나님의 복으로부터 도망치는 것이다.

〈행복의 추구(The Pursuit of Happiness)〉는 내 친구 크리스 가드너(Chris Gardner)의 삶을 그린 영화다. 가드너는 똑똑하고 근면한 사업가였지만 끊임없는 역경이 그의 삶을 쫓아다녔다. 그로 인해 사업도 망하고 은행 잔고도 바닥이 났다. 심지어 아내도 떠나갔다. 결국 가드너는 거리에서 어린 아들을 키우는 부랑자 신세로 전락했다.

하루는 가드너가 아들과 함께 새 농구공을 골대에 넣는 놀이를 했다. 한참을 놀다가 아버지가 아들에게 말했다. "하루 종일 연습해 봤자 뛰어난 선수가 되긴 어려울 거야. 내 인생을 봐라. 그 아비에 그 아들일 테니 네 인생도 뻔하지 않겠니? 그러니 성공할 생각은 애초에 버리는 게 좋을 거다."

이 말에 아들은 공을 내려놓고 침울한 표정을 지었다. 아버지는 퍼뜩 자신이 말실수했다는 것을 깨닫고 아들을 무릎에 앉힌 후 아들의 눈을 보며 다시 말했다. "잘 들어라, 아들아. 네가 크게 될 수 없다는 말은 절대 귀담아듣지 말거라. 심지어 그것이 내 말일지라도 말이다."

부정적인 말을 귀담아들으면 성장이 제한된다. "그게 네 한계야. 너는 더 높이 올라갈 수 없어." 이런 거짓말을 믿지 마라. 누군가 당신에게 꿈을 이룰 수 없다고 말했는가? 그 말에 연연하지 마라. 가족이나 코치, 소위 절친한 친구가 하는 말이라도 부정적인 말은 한 귀로 듣고 흘려보내야 한다.

물론 사람들의 말을 무작정 무시해서는 안 된다. 상대방의 말을 경청하고 지혜로운 교훈은 받아들이며 가끔은 쓴소리도 수용할 수 있어야 한다. 하지만 결국 당신의 약속은 당신 안에 있지 그들 안에 있는 것이 아니다.

하나님이 우리를 더 높은 수준으로 이끄실 때마다 반대의 목소리 또한 높아진다. 더 많은 적이 나타나고 더 많은 장애물이 생겨난다. 그러나 역경은 하나님이 우리를 성장시키기 위한 도구일 뿐이다. 적들은 공격한다고 생각하지만 사실 우리의 성장을 돕고 있는 것이다.

실패와 성공은 동전의 양면과 같다

현재의 고난 너머에는 미래의 승리가 있다. 실패와 성공은 동전의 양면과 같다. 실패 바로 뒤에는 성공이라는 면이 있다. 내게도 힘든 순간이 많았다. 빠져나올 구멍이 보이지 않을 때도 있었다. 불가능해 보이는 상황도 있었다. 하지만 그때마다 나는 "포기할 수 없다. 지금 포기하면 적들이 너무 좋아할 것이다"라고 말하며 마음을 추스렸다.

때로 우리는 정말 기뻐서가 아니라 적들을 기쁘게 하지 않기 위해서 웃어야 할 때가 있다. 적들에게 패배자의 모습을 보이지 말아야 한다. 자만심이나 오기 때문에 그러라는 말은 아니다. 지극히 높으신 하나님의 아들이라는 잔잔한 확신으로 그래야 한다.

하나님이 분명한 목적이 있어서 고난을 허락하셨을 테니 울상을 지을 필요는 없다. 전보다 더 성숙하고 나은 모습으로 고난의 골짜기를 빠져나올 것이라는 확신을 품으라.

골리앗이 아니었다면 다윗은 평생 목동으로 살았을지 모른다. 거대한 적 골리앗은 다윗을 미래의 왕으로 키우는 도구에 불과했다. 현재의 문제가 클수록 미래의 약속도 크다. 문제가 클 때 낙심하지 말고 오히려 기뻐하라. 미래가 그만큼 크다는 증거이기 때문이다. 하나님은 우리에게 무작정 골리앗을 보내지 않으신다. 골리앗을 상대할 만한 힘과 결단력과 용기도 함께 보내 주신다.

시련의 바람이 거세고 인생의 밑바닥이 드러날 때 초자연적인 힘이 생길 것이다. 모든 이해를 초월하는 평안과 기쁨이 우리를 감쌀 것이다. 하나님은 상황에 따라 우리에게 꼭 필요한 것을 주신다.

다윗이 골리앗을 물리칠 때 여느 병사들은 거들떠보지도 않을 하찮은 무기를 사용했다는 사실이 흥미롭지 않은가? 병사들은 다윗에게 사울의 갑옷을 입히려고 했지만 너무 커서 입힐 수 없었다. 다윗은 그야말로 맨몸으로 전장에 나갔다. 검도 방패도 없었다. 물론 전투기나 헬리콥터의 지원도 없었다.

다윗이 가진 무기라곤 물매와 매끄러운 돌멩이 다섯 개가 전부였다. 누가 봐도 황당한 상황이었다. 그런 장난감 무기로 거인을 상대한다는 것은 말이 되질 않았다. 하지만 당신이 누구인지를 알면 당신이 완전무장으로 이 세상에 왔다는 것을 이해할 수 있을 것이다.

내 친구 중에 1990년대 초에 단돈 150달러로 성공적인 기업을 일구어 낸 사업가가 있다. 이 친구에게는 금융 거래에 필요한 신용이 없었다. 그렇다고 부유한 후원자가 있는 것도 아니었다. 가진 거라곤 마음속에 지닌 꿈이 전부였다.

친구는 은행에서 사업 자금을 빌리려고 했지만 26개 은행에서 전부 퇴짜를 맞았다. 이제 그에게는 꿈을 포기할 26개의 이유가 생겼다. 그러나 우리 마음에 꿈과 약속이 있다면 수백 번 거절을 당해도 상관없다. 무일푼이라도 상관없다. 상대가 아무리 큰 거인이라도 상관없다. 하나님만 우리 편이면 거칠 것이 없다.

내 친구는 이 점을 정확히 이해했다. 그래서 27번째 은행을 찾아가서 마침내 대출 승인을 얻어냈다. 현재 그는 건실한 기업을 운영하고 있다.

> **최고의 삶을 위한 TIP**
>
> 현재의 고난 너머에 미래의 승리가 있다. 성공과 실패는 동전의 양면과 같다.

내 친구와 다윗처럼 우리는 적은 자원으로도 거인을 물리칠 수 있다. 자금이나 인맥이 부족해도 얼마든지 꿈을 이룰 수 있다. 하나님의 은혜가 임하면 굳게 닫힌 문이 열린다. 26번 거절을 당했는가? 하지만 걱정하지 마라. 27번째에는 반드시 '예스'라는 대답을 듣게 될 것이다.

필요한 모든 것이 하나님께 있다

하나님은 우리를 위해 만사를 조율하고 계신다. 그분의 부지런한 손놀림이 비록 눈에 보이지는 않지만 계속해서 우리의 역량을 길러 주시고 우리에게 부족한 자금을 마련하고 계신다. 우리에게 필요한 인맥도 형성하고 계신다. 적이 아무리 강력해도 골리앗 이야기에서처럼 돌멩이 하나면 해결될 수 있다.

자신감이 없는가? 스스로 능력이 없다고 생각하는가? 그 생각대로 행동하지 말고 믿음으로 행동하라. 두려운 생각이 들어도 믿음의 눈으로 보면 어떤 무기도 우리를 대적할 수 없다. 우리는 그리스도 안에서 무엇이든 할 수 있다. 우리 안에는 우리에게 꼭 필요한 능력들이 있다.

하나님이 모세에게 애굽으로 가서 이스라엘 백성을 구해 내라고 처음 말씀하셨을 때 모세는 두려움부터 느꼈다. "내가 누구이기에 바로에게 가며 이스라엘 자손을 애굽에서 인도하여 내리이까"(출 3:11). 그리고 이렇게 덧붙였다. "그들이 나를 믿지 아니하며 내 말을 듣지 아니하고 이르기를 여호와께서 네게 나타나지 아니하셨다 하리이다"(출 4:1).

그러자 하나님이 모세에게 물으셨다. "네 손에 뭐가 있느냐?"

모세의 손에는 목자의 지팡이가 들려 있었다. 그는 사실상 이렇게 대답한 것이다. "아무것도 없습니다. 그저 낡은 지팡이 하나밖에는."

하나님이 다시 말씀하셨다. "그것을 땅에 던져라." 모세가 지팡이를 땅에 던지자 그것이 뱀으로 변했다.

하나님이 다시 말씀하셨다. "그것을 집어라." 모세가 집자 뱀은 다시 지팡이로 변했다.

이 기적을 통해 하나님이 주시려는 메시지는 이러했다. "너에게는 필요한 모든 게 있단다. 그냥 지팡이처럼 보이지만 문을 열 열쇠가 필요하면 내가 이 지팡이를 열쇠로 바꿔 주겠다. 몸을 방어할 방패가 필요하면 내가 이 지팡이를 방패로 바꿔 주겠다. 약이 필요하면 약이 되게도 해주겠다."

가지지 못한 것을 보지 말고 하나님의 음성에 귀를 기울이라. 제2차 세계대전 당시 미군 해병 한 명이 치열한 전투중 대열에서 낙오되었다. 자욱한 화약 연기 때문에 그는 같은 부대원들을 찾을 수가 없었다. 결국 정글에 홀로 남게 되었는데 문득 적군이 가까이 다가오는 소리가 들렸다.

이때 암벽 곳곳에 뚫린 동굴들이 보였다. 해병은 서둘러 동굴들 중 한 곳으로 들어가 몸을 숨겼다. 그곳에서 하나님께 간절히 기도를 드리는데 거미 한 마리가 동굴 입구로 내려와 거미줄을 치기 시작했다. 해병은 이 심각한 상황에서도 실소를 터뜨렸다. "하나님, 벽돌담이 필요한 이때에 겨우 거미 한 마리가 뭡니까?"

한편, 거미가 두껍게 거미줄을 치는 동안 전장은 점점 조용해졌다. 몇 시간이 흘렀을까, 갑자기 적병들이 근처 동굴들을 수색하는 소리가 들렸다. 마침내 적병들이 이 병사가 숨은 동굴 앞까지 왔고 한 적병이 두껍게 입구를 막은 거미줄을 보고 말했다. "이 동굴은 수색할 필요가 없겠어. 거미줄이 쳐져 있는 걸 보니까 오랫동안 사람이 들어

가지 않은 게 분명해."

하나님은 초자연적인 방법으로 이 해병의 목숨을 구해 주셨다. 나중에 그는 하나님께 용서를 구했다. "거미를 보고 비웃어서 죄송합니다. 거미줄이 벽돌담보다 강할 수 있다는 것을 이제야 알았습니다."

하나님은 거미줄을 통해서도 우리를 위험에서 구해 주실 수 있다. 그분은 작은 돌멩이 하나로 거인을 쓰러뜨리신 분이다. 그분의 온전한 다스림을 믿으라.

문제의 크기는 우리의 미래를 반영한다

종종 우리는 문제가 생길 때 지레 겁부터 먹는다. "문제가 너무 커. 해결할 수 없어. 내 힘으로는 벅차."

하지만 하나님은 우리의 현재를 기준으로 문제의 크기를 정하지 않으신다. 문제의 크기는 우리의 현재가 아닌 미래를 반영한다. 문제가 크다는 것은 하나님이 그만큼 큰 성장과 복을 준비하고 계신다는 뜻이다. 문제로부터 도망치는 것은 하나님의 복으로부터 도망치는 것이다. 따라서 믿음으로 문제에 직면하는 태도가 필요하다.

흥미로운 것은 다윗과의 대결에서 패한 골리앗의 이야기는 거기까지라는 것이다. 다시 말해 골리앗은 다윗을 위대한 사람으로 키우는 디딤돌과 도구에 불과했다. 마찬가지로 눈앞의 거대한 문제는 우리의 성장을 위한 도구에 불과하다. 난관은 우리의 진면목을 끌어내기 위한 촉매제다. 아울러 우리가 하나님의 은혜로 역경을 딛고 일어나 우리의 소명을 이룰 때 사람들이 하나님의 살아계심을 인정하게 된다.

당신을 참소하는 말이 들려오는가? 이런 말을 오히려 자극제로 삼으라. 일단 골리앗을 때려눕히고 나면 어느 누구도 당신을 향한 하나님의 은혜를 의심하지 않게 될 것이다.

예수님이 소경을 치유하시자 당황한 종교 지도자들이 논쟁을 벌이기 시작했다. 그 소경이 왜 어떻게 치유되었을까? 그가 애초에 소경이 된 것은 누구의 잘못인가? 논쟁은 꼬리에 꼬리를 물었다. 마침내 참다못한 소경이 말했다. "무엇이 혼란스럽습니까? 제가 말씀드릴 수 있는 것은 제가 소경이었지만 이제는 볼 수 있다는 사실입니다."

풀이하자면 이런 식이다. "푸딩이 뭔지 알고 싶으면 먹어 보는 수밖에 없습니다. 종일 말로 떠들어 봐야 소용없습니다. 내가 이렇게 보게 된 것은 전적인 하나님의 은혜입니다." 세상 사람들이 아무리 내게 복과 번영과 승리를 누릴 수 없다고 말한다 해도 나를 낙심시키기에는 역부족이다. 나는 이미 하나님의 복과 번영과 승리를 누리고 있다. 하나님이 이미 나를 위해 초자연적인 문들을 열어 주셨다.

세상 사람들이 제아무리 하나님의 치유 같은 건 없다고 말해도 나를 설득시키지는 못한다. 나는 이미 1981년에 하나님이 우리 어머니의 암을 고쳐 주시는 과정을 두 눈으로 똑똑히 보았다.

"당신은 사람들에게 헛된 기대만 심어 주는 거요."

세상 사람들이 아무리 그렇게 말해도 나는 눈 하나 깜짝하지 않는다. 나를 보라. 하나님은 내가 요구하거나 생각한 것보다 훨씬 더 많은 복을 주셨다.

세상 사람들에게 입 아프게 떠들 필요가 없다. 우리 자신이 실제로 골리앗을 무찌르면 상황 끝이다. 우리가 실제로 승리하면 우리 삶을 향한 하나님의 기름 부음을 증명하고도 남는다.

부정적인 소리에는 귀를 막으라

꿈에 집중하려면 다른 사람들의 부정적인 소리를 떨쳐낼 수 있어야 한다. 아울러 내면에서 들려오는 부정적인 소리도 잠재워야 한다. 언젠가 이런 말을 들은 적이 있다. "믿음은 귀에 솜을 채우는 데서 시작된다."

이는 부정적인 생각이나 말을 귀담아 듣지 말라는 뜻이다. 부정적인 말에 귀를 기울이면 자칫 꿈을 버리게 될 수 있다. 내가 처음 목회를 시작할 때 주위에서 이런 소리가 자주 들렸다. "이번 목사는 설교를 잘 못한대. 너무 어리대. 아버지보다 못하대."

그래서 나는 솜으로 두 귀를 틀어막았다. 사실 내 수중에는 솜이 늘 떨어지지 않았다. 아버지 역시 그러셨다. 1959년 조그맣고 버려진 사료 가게에서 레이크우드 교회를 처음 개척했을 때 사람들이 수군댔다. "저런 교회에 누가 가겠어? 자리를 잘못 골랐어."

우리 아버지가 어떻게 하셨을까? 낙심하고 좌절하여 포기했을까? 아니다. 아버지는 솜으로 귀를 막은 채 끊임없이 기도하고 믿으며 최선을 다하셨다. 덕분에 40년 동안 주말마다 수많은 사람들이 레이크우드 교회를 찾아왔다.

의심이 자기 마음에 견고한 진을 형성하도록 방치하는 사람들이 많다. 부정적인 말을 자꾸 듣다보면 그것이 믿어지고 실제로 인생이 꼬이기 시작한다. 의심을 다루는 첫 번째 단계는 그 진원지를 파악하는 것이다.

가족이 당신에게 성공할 수 없다고 말했는가? 교수가 당신에게 A 학점을 받을 수 없다고 말했는가? 친구가 당신에게 중독의 사슬을 끊을 수 없다고 말했는가? 남들이 믿어 주지 않는다고 당신이 할 수 없는 것은 아니다. 남들이 할 수 없다고 당신도 할 수 없는 것은 아니다. 마음의 프로그램을 다시 짜라. 의심의 견고한 진을 깨부수라. 하나님은 덜컥 꿈만 주시는 분이 아니다. 하나님은 그 꿈을 이루는 데 필요한 재능과 창의력, 결단력도 함께 주신다.

헬렌 헤이스(Helen Hayes)는 배우를 꿈꾸었지만 다들 그렇게 작은 키로는 배우로 대성할 수 없다고 말했다. 실제로 헬렌의 키는 150센티미터밖에 되지 않았다. 스트레칭을 비롯해서 온갖 방법을 동원해 봤지만 헬렌의 키는 더 이상 자라지 않았다.

그래도 헬렌은 낙심하지 않았다. 그녀는 부정적인 소리에 귀를 기울이지 않았다. 오직 최고의 배우가 되겠다는 꿈에만 집중했다. 헬렌은 남들이 자신의 운명을 결정할 수 없다고 믿었다. 그래서 의심의 말을 조금도 귀담아듣지 않았다. 대신 하나님이 마음에 주시는 말씀에만 집중했다. 결국 헬렌은 당대 최고의 여배우이자 토니상과 오스카상, 에미상, 그래미상을 모두 거머쥔 몇 안 되는 여배우 중 한 명이 되었다.

> **최고의 삶을 위한 TIP**
>
> 남들이 할 수 없다고 당신도 할 수 없는 건 아니다. 마음의 프로그램을 다시 짜라.

헬렌이 비평가들에게 가장 큰 찬사를 받은 역할이 스코틀랜드 여왕 메리 역이라는 것은 참으로 아이러니가 아닐 수 없다. 메리 여왕은 역사상 가장 키가 컸던 여왕 중 한 명이다. 그토록 작은 키로 어떻게 그 역할을 해낼 거냐는 질문에 헬렌은 자신만만하게 대답했다. "나는 배우다. 키가 커 보이게 연기할 것이다."

'하지만'의 신앙을 고백하라

시편 3편 1절에서 다윗은 이렇게 말했다. "여호와여 나의 대적이 어찌 그리 많은지요 일어나 나를 치는 자가 많으니이다."

고난의 산 하나를 넘었더니 바로 눈앞에 또 다른 산이 버티고 서 있다. 병 하나를 겨우 이겨냈더니 또 다른 데가 아프기 시작한다. 직장에서는 문제들이 꼬리에 꼬리를 문다. 남보다 더 열심히 일하고 옳은 일을 하며 동료들과 평화롭게 지내려고 애썼건만 친구라고 생각했던 사람들이 뒤에서 당신 욕을 하고 다닌다.

다윗의 상황이 그랬다. 다윗이 이 시를 쓴 때는 아들 압살롬이 자기를 대적하고 일어나 왕국을 차지하려고 했을 때다. '이웃이 나를 공격한다면 이렇게 마음이 아프지는 않을 텐데. 동료나 직장상사, 혹은 경쟁자가 그랬다면 그나마 나을 텐데.' 하지만 피와 살을 공유한 가족이 우리를 배신하면 분노를 참기 힘들다. "하나님, 이건 너무하십니다. 견딜 수 없습니다."

다윗은 견디기 힘들었다. 자칫 그 자신이 역사의 뒤안길로 사라질 수 있는 상황이었다. 하지만 그가 대단한 이유, 곧 그가 장애물을 극복할 수 있었던 이유가 3절에서 발견된다. "여호와여 주는 나의 방패시요 나의 영광이시요 나의 머리를 드시는 자니이다."

그는 암울한 상황 대신 하나님을 바라보았다. 이 구절에 담긴 메시지는 아무리 큰 반대에 부딪혀도 포기하지 말라는 것이다. "병원 진단서 결과가 좋지 않아. 몸이 정말로 좋지 않아. 버틸 수 없을 것 같아. 하지만 주님으로 인해 버틸 수 있어."

그렇다. 우리의 말 뒤에는 언제나 '하지만'이 붙어야 한다. "물론 힘들다. 하지만 하나님이 버틸 수 있도록 해주실 거야." "퇴직금을 절반이나 날렸다. 하지만 하나님은 여호와 이레시잖아. 그분이 내 모든 필요를 채워 주실 거야." "이 중독을 오래 달고 살기는 했다. 하지만 그래봐야 잠시뿐이야. 중독의 사슬은 이미 끊어졌어. 예수님이 나를 자유하게 하셨어."

우리는 이 '하지만'을 빼먹을 때가 너무나 많다. "목사님, 너무 힘들게 살았습니다. 정말 억울합니다."

"안다. 하지만 하나님은 당신의 억울함을 두 배로 갚아 주겠다고 말씀하셨다."

우리는 고난을 올바른 시각으로 봐야 한다. 고난의 정체를 알아야 한다. 고난이 온 것은 우리를 파괴하기 위함이 아니다. 고난은 오히려 우리를 성장시키는 도구다. 고난이 큰 것은 우리의 소명이 그만큼 크다는 뜻일 뿐이다. 하나님 안에서 강해지라. 하나님의 전신갑주를 입으라. 매일 눈을 뜨자마자 당신이 누구인지, 누구의 자녀인지 떠올리라. 그 어떤 장애물도 당신의 발목을 잡을 수 없다. 하나님이 해롭게 보이는 일을 오히려 당신에게 유익하게 바꿔 주실 것이다. 아무리 큰 문제가 와도 지극히 높으신 하나님을 믿는 당신을 이기지 못할 것이다.

Chapter 04

형통의 복이 오고 있다

우주에서 가장 강력한 바람이 당신의 등을 밀고 있다고 상상하라.
순적함과 형통함의 기름 부음을 기대하라.

살다보면 누구나 힘든 시절을 겪게 된다. 열심히 노력한 만큼 진전이 없을 때도 있다. 정열을 바쳐 일했지만 승진이 안 되기도 한다. 사람들에게 많은 투자를 했는데도 대인 관계가 넓어지지 않는다. 계속해서 돈에 쪼들리기도 한다.

이럴 때 자칫하면 삶의 열정을 잃고 주저앉을 수 있다. 하지만 예수님은 "내 멍에는 쉽고 내 짐은 가볍다"라고 말씀하셨다. 나는 이것을 '순적함의 기름 부음'이라고 부른다. 이 기름 부음 속으로 들어가면 어렵던 일이 갑자기 쉬워진다. 이 기름 부음을 받는 순간 고생은 끝난다. 우리의 짐이 가벼워지고 압박이 줄어든다. 성경은 이런 상황을, 하나님이 우리 앞서 가시며 굽은 길을 곧게 하고 울퉁불퉁한 곳을 평탄하게 하시는 모습으로 묘사한다.

한번은 늘 동행하던 아내와 아이들, 친구 아이들, 조카들을 모조리 떼어 놓고 나 혼자서 출장을 가게 되었다. 챙겨야 할 사람이 없으니 홀가분하기 그지없었다. 하지만 모임이 끝나고 짐을 싸기 시작하자 챙겨야 할 서류 폴더가 엄청나게 쌓여 있었다. 서류 가방, 옷 가방, 컴퓨터 가방까지 합치면 그야말로 짐이 산더미였다.

나는 체크아웃을 하기 위해 호텔 방을 나와 서둘러 엘리베이터 쪽으로 향했다. 하지만 무거운 짐 때문에 한 발자국도 옮기기 힘들었다. 이러다가 비행기를 놓치지는 않을지 걱정도 되었다. 겨우 스무 발자국을 옮겼을까, 어디선가 젊은 호텔 사환이 나타났다. 그가 나를 향해 말했다. "손님, 짐을 이리 주세요."

사환은 내 짐을 달랑 하나만 받지 않았다. 그는 내 짐을 전부 빼앗아 들었다. 덕분에 나는 홀가분한 몸으로 엘리베이터 앞에 섰다. 엘리베이터 앞에는 사람들이 꽤 많이 서 있었다. 다들 체크아웃을 하러 내려가는 모양이었다. 이 광경을 본 사환이 내 귀에 대고 속삭였다. "손님, 저를 따라오세요."

그를 따라 미로 같은 복도를 한참 걸어가자 직원용 엘리베이터가 나타났다. 버튼을 누르고 문을 열자 안은 텅텅 비어 있었다. 덕분에 나는 재빨리 로비로 가서 몇 분 만에 체크아웃을 할 수 있었다.

공항까지 가는 길은 순조로웠다. 그래서 예정대로 제시간에 비행기를 탈 수 있겠다고 생각했다. 그런데 뜻밖의 복병을 만났다. 공항

검색대 앞에 줄이 끝없이 이어져 있었던 것이다. 검색대를 통과하려면 족히 30분은 걸릴 듯했다. 다시 초조해지지 시작했다. 그때 배지를 단 신사가 내게 다가와 말했다. "오스틴 목사님, 따라오세요."

테러리스트로 오인을 받은 걸까, 아니면 이번에도 하나님의 은혜일까? 기대 반 걱정 반으로 그 사람을 따라갔는데 다행히 이번에도 하나님의 역사였다. 그는 내 짐을 카트에 싣고 게이트 쪽으로 가면서 방송에서 나를 봤다고 말했다. 그리고 나를 도울 수 있어서 기쁘다고 말했다.

거듭된 은혜는 여기서 끝이 아니다. 그날 저녁 늦게 집에 도착해서 사랑하는 가족들을 다시 만나 인사를 하고 내가 가장 좋아하는 의자에 앉아 저녁식사 전까지 쉬려고 하는데 고맙게도 아내가 식사를 내 앞까지 대령해 주었다. 그렇게 그날은 기적이 꼬리에 꼬리를 물었다.

반드시 좋은 날이 온다

하나님이 호텔 체크아웃이나 비행기 탑승 같은 하찮은 일이나 도울 만큼 한가로운 분이 아니라고 생각하는가? 하나님께는 더 중요한 일이 많을 거라고 생각하는가? 하지만 명심하라. 하나님께 '우리'보다 더 중요한 것은 없다. 그분께 우리는 눈에 넣어도 아프지 않을 만큼 귀한 존재다. 우리는 그분의 가장 값진 자녀들이다. 다윗 왕은 시편 23편 5절에서 이렇게 노래했다. "주께서 내 원수의 목전에서 내게 상을 차려 주시고 기름을 내 머리에 부으셨으니."

다윗이 말하는 기름은 뭔가를 부드럽게 해주는 기름을 지칭한다. 마찰 때문에 삐거덕거릴 때는 기름을 발라 부드럽게 해줘야 한다. 이

어서 다윗은 기름 부음을 받은 후에 일어나는 일을 설명한다. "내 잔이 넘치나이다 내 평생에 선하심과 인자하심이 반드시 나를 따르리니"(시 23:5–6).

누누이 말했듯이 삶이 아무리 힘들어져도 우리가 믿음에 굳게 선다면 반드시 좋은 날이 온다. 다시 말해 순적함의 기름 부음을 경험하게 된다. 순적함의 기름 부음 속으로 들어가면 고생은 끝이 난다. 초자연적인 은혜로 짐이 가벼워지고 압박이 사라진다.

최고의 삶을 위한 TIP

옳은 일을 하기로 결정하고 믿음을 견지하면 반드시 형통의 기름 부음을 받는다.

브라이언(Brian)에게서 기름 부음에 관한 경험담을 들은 적이 있다. 브라이언은 대학을 중퇴한 후 작은 제조업체에서 판매사원으로 일했다. 그는 탁월한 재간으로 로열 고객층을 구축했다. 그는 신뢰 관계가 비즈니스의 근간이라고 믿는 정직하고 근면한 사람이었다. 그래서 상사들이 가장 중요한 고객 중 한 명을 속이고 있다는 사실을 알았을 때 매우 큰 충격을 받았다.

이 일로 한참을 고민하던 브라이언은 부정직한 회사에서 더 이상 일할 수 없다는 결론을 내렸다. 얼마 전 한 아이의 아빠까지 된 상황에서 대책도 없이 회사를 그만두기란 쉽지 않았지만 자신을 믿어 주는 사람들을 속일 수는 없었다. 브라이언은 사직하기 직전 그 고객에게 비용이 과다 청구되었다는 사실을 털어놓았다. 이에 고객은 분노하면서도 브라이언의 정직한 태도에 고마워하며 그가 잘되기를 빌어 주었다.

사직하자마자 브라이언에게 힘든 시절이 찾아왔다. 잘 다니던 직장을 그만두고 나오니 가족들을 먹여 살릴 길이 막막했다. 그런데 사직한 지 몇 주가 지났을 때 그 고객에게서 전화가 걸려왔다. "회사를 직접 차려 보세요. 자금은 제가 대겠습니다. 제가 첫 고객이 되어 드리지요."

그리하여 브라이언은 직접 회사를 차렸고, 이후 옛 고객들은 신뢰관계를 찾아 그의 회사로 거래처를 바꾸었다. 지금 브라이언은 정직한 삶의 달콤한 열매를 맛보고 있다.

브라이언은 순적함의 기름 부음을 받았다. 자신이 할 수 없는 일을 하나님이 대신 해주셨다. 그가 옳은 일을 하기로 결정하고 잠 못 이루는 밤들을 인내로 견뎌내자 결국 하나님이 개입하셔서 그의 무거운 짐을 벗겨 주셨다.

브라이언처럼 당신도 힘든 세월을 지나고 있는가? 장담컨대, 믿음을 견지하면 때가 되어 형통의 기름 부음을 받게 될 것이다. 하나님이 당신의 삶을 편안하게 만드실 것이다.

문제가 전혀 생기지 않는다는 보장은 없지만 하나님은 풍랑 한가운데서도 우리에게 평안을 주시는 분이다. 잠을 설칠 수밖에 없는 상황에도 우리의 마음을 어루만져 단잠을 자게 하신다. 고난이 닥칠 때도 하나님이 여전히 다스리신다는 사실을 잊지 마라. 하나님이 당신을 위해 여전히 일하고 계신다.

비상을 준비하라

당신의 날이 오고 있으니 그날을 고대하며 비상을 준비하라. 이제 곧 뜻밖의 기회와 놀라운 성장이 나타나리라. 비록 월스트리트는 무너졌지만 당신의 자금줄은 월스트리트가 아니라 하나님이다. 하나님이 문을 여시면 그 누구도 닫을 수 없다. 평생이 걸려도 이루기 힘든 꿈이 하나님의 은혜와 선하심으로 순식간에 이루어질 것이다.

이것이 순적함과 형통의 은혜다. 하나님이 그분의 신실하심을 증명하려고 하신다. 그러니 기대하라. 가슴이 터질 정도로 희망에 부풀어도 좋다. 기대할 수 없는 일을 기대하라. 꿈꿀 수 있는 최고의 꿈을 꾸라.

우리는 불경기의 희생자가 아니다. 병마의 희생자도 아니다. 불우한 어린 시절은 물론이고 그 어떤 것의 희생자도 아니다. 순적함의 기름 부음 속으로 들어가면 더 이상 낙심할 필요가 없다. 그저 믿음과 희망과 기대 속에 흠뻑 취하기만 하면 된다. 하나님이 손수 굽은 길을 곧게 하고 울퉁불퉁한 길을 평탄하게 하신다.

아직 순적함의 기름 부음을 받지 못했는가? 그렇더라도 매일 믿음으로 반응하라. "아버지, 저에게 순적함과 형통의 기름을 부어 주실 줄 믿고 감사합니다. 저 대신 싸워 주시고 거친 길을 부드럽게 하시며 제 마음의 소원을 이뤄 주시니 감사드립니다."

순적함과 형통의 기름 부음이 뜬구름 잡는 소리처럼 들리는가? 그렇다면 아이티 섬의 빈민가에서 태어나 가난과 절망 속에서 자랐던 쉴라(Sheila)의 이야기를 들어 보라. 쉴라의 아버지는 쉴라가 태어나자마자 죽었고, 그의 엄마는 워낙 키울 아이가 많아서 쉴라를 고아원에 맡겼다.

하지만 불쌍한 쉴라의 고통은 이것만이 아니었다. 쉴라는 1만 7천

명 중 한 명이 걸린다는 백색증까지 안고 태어났다. 백색증은 선천적으로 멜라닌 색소가 모자라는 병으로 이 병을 앓는 환자들은 눈이며 피부, 머리카락까지 온통 새하얗다. 따라서 쉴라의 피부와 머리카락도 검은 피부를 가진 여느 아이티 사람들과 완전히 달랐다. 백색증 환자들은 단순히 겉모습만 다른 게 아니라 특별한 관리를 필요로 한다. 대개는 시력에 심각한 문제가 있고 피부는 햇빛에 극도로 민감하다. 아이티의 백색증 아동들은 열악한 의료 시스템뿐 아니라 백색증이 신의 저주라는 무지한 믿음 때문에 특히나 많은 고통을 당하고 있다.

최빈국의 고아원에 버려진 백색증 환자 쉴라는 상상하기 힘든 고통 속에서 신음하고 있었다. 그러나 쉴라의 삶을 다스리는 하나님께는 특별한 계획이 있었다. 어느 날 한 미국인이 교회의 자원봉사팀과 함께 아이티를 방문했다가 쉴라를 비롯한 여러 고아들의 사진을 찍었다. 그리고 이 사진을 백색증 아들을 둔 친구 던 게티(Dawn Guetti)에게 보냈다.

사진을 본 게티는 쉴라의 얼굴을 머릿속에서 떨쳐낼 수 없었다. 햇빛으로 고통을 받는 쉴라가 너무나 불쌍해 보였다. 아들 코레이(Corey)는 사랑 많은 부모 밑에서 최고의 치료를 받으면서도 그토록 힘들어 하는데, 아이티의 뜨거운 뙤약볕 아래에서 신음할 쉴라를 생각하니 가슴이 미어졌다.

게티는 사진 속의 쉴라를 입양하라고 재촉하시는 하나님의 마음을 느꼈다. 그래서 남편과 함께 이 사실을 친구들에게 말했다. 친구들은 해외 입양에는 너무 많은 돈이 든다며 게티 부부를 말렸다. 다행히 교회 식구들이 입양을 위한 모금 활동을 벌였고 얼마 후 수만 달러가 모였다. 이렇게 고아 소녀 쉴라를 위한 순적함의 기름 부음이 시작되었다. 현재 쉴라는 뉴욕 북부의 화목한 크리스천 가정에서 잘 지내고 있다.

하나님의 기름 부음을 기대하라

순적함의 기름 부음을 받으면 어디서 낯선 사람이 나타나 우리에게 친절을 베푼다. 창의력과 지혜와 기발한 아이디어가 떠오른다. 순적함의 기름 부음을 받으면 우리가 굳이 발버둥치지 않아도 모욕과 실패와 난관이 알아서 우리를 비켜간다. 하나님이 보내신 더 좋은 기회와 꼭 필요한 도움, 중요한 사람이 우리를 찾아온다.

하나님을 믿고 그분의 복과 약속을 선포하면 절대 실망스러운 하루가 펼쳐지지 않는다. 절대 막다른 골목에 이르지 않는다. 성경은 "내 잔이 넘치나이다"라고 말한다. 그러니 끝났다는 생각은 버리라. 당신의 잔이 능력과 좋은 아이디어, 건강, 재정적인 성공, 기쁨으로 차고 넘칠 것이다.

우리 딸이 열 살 때다. 하루는 내게 와서 보고 싶은 영화가 있으니 10달러를 달라고 했다. 그래서 나는 안방 옷장에 걸린 내 옷에서 10달러짜리 지폐를 꺼내 가라고 했다.

> **최고의 삶을 위한 TIP**
>
> 하나님께 도와 달라고 조를 필요가 없다. 하나님은 이미 당신을 돕기 원하신다.

"고마워요." 그렇게 말한 딸은 안방이 아닌 현관문으로 달려갔다.

"아니, 왜 돈은 가져가지 않는 거니?"

그러자 딸애가 싱긋 웃으며 대답했다. "벌써 가져왔어요. 아빠가 허락하실 줄 알았거든요."

나를 인자한 아빠로 믿어 주는 딸 때문에 내 마음이 흐뭇해졌다. 하나님도 우리 모두에게 지극히 인자하신 분이다. 그분은 이미 우리의 꿈을 허락하셨다. 우리는 하나님께 구걸할 필요가 없다. 도와 달라고 조를 필요도 없다. 하나님은 이미 우리를 돕기 원하신다. 그분이 "좋다"라고 말씀하시면 그저 "아멘" 하고 받으면 된다. 이런 순적함의 기름 부음을 주실 하나님께 매일 감사하라.

하나님은 달랑 우리의 필요만 채워 주시지 않는다. 단순히 우리의 삶을 편안하게만 만들지 않으신다. 우리가 생각하거나 구하지 않은 것까지도 아낌없이 주신다.

쉐리안 카도리아(Sherian Cadoria)는 루이지애나의 작은 마을에서 태어나 지독히 가난한 목화 소작농의 딸로 1940년대와 1950년대를 보냈다. 그의 아버지는 카도리아가 세 살 때 불의의 사고를 당해 평생 불구가 되었다. 농장 주인은 더 이상 일할 수 없는 그를 쫓아냈다. 카도리아의 어머니는 수레에 짐을 싣고 전기도 물도 없는 두 칸짜리 방으로 이사를 했다. 벽과 천장, 바닥에 난 수많은 구멍들은 백화점 카탈로그로 일일이 막았다. 카도리아는 걸음마를 떼자마자 엄마, 언니, 오빠들과 함께 목화 농장으로 나가 일을 했다. 열 살이 되자 하루에 250파운드의 목화를 딸 수 있었다.

카도리아는 가난과 차별 속에서도 하나님이 주신 재능을 활용하기로 결심했다. 흑인 대학으로 유명한 배턴루지(Baton Rouge)의 서던 대학(Southern University)에 들어가면서 그녀에게도 순적함의 기름 부음이 찾아오기 시작했다. 그녀는 그곳에서 군에 입대하려는 여성들을 위한 훈련 프로그램에 참여했다.

대부분의 레스토랑과 호텔들이 흑인들을 거절하는 시대였지만 카도리아의 믿음은 전혀 흔들리지 않았다. 결국 목화를 따던 이 가난한 소녀는 여성 최초로 온통 남자뿐인 헌병 대대의 대대장이 되었다. 그리고 나중에는 베트남에서 33개월을 복무하였다. 그 후에도 29년의 군 생활을 거쳐 급기야 여단장의 지위까지 올랐다. 카도리아는 미군에서 가장 높은 여성이자 흑인 최초의 여성 장군이 되었다. 그녀는 흑인 여성 최초의 합동참모본부 책임자도 역임했다.

믿음을 견지하면서 매일매일 최선을 다하면 하나님이 놀라운 복을 주신다. 옛날을 추억하며 이렇게 말할 날이 온다. "이럴 수가! 하나님의 은혜가 정말 놀랍다. 내가 이 정도 위치에 이토록 빨리 이를 줄 정말 몰랐어."

하나님만의 해법이 있다

나는 하나님이 당신의 꿈에 새로운 희망을 불어넣고 계신다고 굳게 믿는다. 당신의 마음과 영혼에 새로운 생명을 불어넣고 계신다. 성경은 우리의 힘과 능력이 아닌 전능하신 하나님의 영으로 그것이 가능하다고 말한다.

하나님이 당신의 영을 불어넣으시면 우리 인생이 훨씬 편해진다. 안 좋은 상황이 좋아진다. 갑자기 지혜가 솟아난다. 결단력이 강해진다. 포기를 모르게 된다.

새로운 힘이 어디서 오는가? 바로 하나님으로부터 온다. 그분이 당신의 인생을 평탄하게 만들고 계신다. 그러므로 이제 어디를 가나 우주에서 가장 강력한 바람이 당신의 등을 밀고 있다고 상상하라. 당신을 위한 순적함의 기름 부음이 시작되리라. 그러면 여태껏 팔리지 않던 집이 팔릴 것이다. 더 좋은 직장과 기회가 나타날 것이다. 관계가 전보다 훨씬 풍요로워질 것이다.

우리 교회에 나오는 싱글맘 프리다(Frieda)는 기본적인 생계를 이어가기도 빠듯한 형편이었다. 밤낮없이 일하느라 아이들과 함께 있어 주지 못하는 서글픔도 컸다. 그러니 자신을 위한 시간은 엄두도 내지 못했다. 데이트나 친교는 꿈도 꿀 수 없었다. 선하고 근면한 프리다가 한번은 나를 붙들고 힘들어 죽겠다고 말했다. 도저히 삶이 나아질 기미가 보이지 않는다고 했다. 그런데 불과 몇 주 후 우주의 창조주께서 프리다에게 순적함의 기름 부음을 주셨다.

프리다가 내게 하소연을 한 지 얼마 후 생면부지의 이웃이 그녀를 찾아왔다. 그 이웃은 프리다의 어려움을 쭉 지켜봐 왔다면서 그녀에게 새 차를 사 주었다. 덕분에 프리다는 낡은 차를 팔아 대부분의 빚을 갚을 수 있었다. 이제 프리다는 예전처럼 오래 일할 필요가 없다. 뜻밖의 은혜 한 번으로 모든 짐이 떨어져 나갔다.

"목사님, 짐에서 해방되고 나니 얼마나 후련한지 모르겠어요."

하나님은 순적함의 기름 부음으로 프리다의 삶을 편안하게 만들어 주셨다. 당신도 프리다처럼 순적하고 형통한 삶을 누리기 바란다. 형통함의 복이 임하면 힘이 솟아난다.

하나님께 이렇게 기도하라. "하나님, 당신을 믿습니다. 제 눈에는 방법이 보이지 않지만 당신께는 방법이 있는 줄 믿습니다. 저는 다만

하나님이 주시려는 복은 겨우 살아남게 해주는 수준이 아니라
탄성을 자아낼 만큼 대단한 축복이다. 방법을 찾는 것은 당신의
일이 아니다. 당신은 그저 믿기만 하면 된다.

매일 최선을 다해 살고 남들을 위한 복의 통로가 되겠습니다. 뒤를 돌아보며 불평하는 짓은 이제 그만하겠습니다. 믿음으로 계속 전진하렵니다."

하나님은 우리에게 무엇이 필요할지 다 아신다. 따라서 우리 머리로 다 알려고 할 필요가 없다. '이 빚을 어떻게 청산하지?' '어떻게 해야 다시 건강해질까?' '이 어려운 시기를 어떻게 버티지?'

이런 걱정을 할 필요가 없다. 하나님이 온전히 다스리시니 우리는 그냥 그분을 믿기만 하면 된다. 우리 인생은 하나님의 장중에 있다. 형통의 복이 오고 있다고 믿으라. 「메시지 성경」은 시편 126편을 이렇게 번역하고 있다. "하나님이 시온의 포로들을 돌아오게 하셨을 때 우리는 좋은 꿈을 꾸는 것 같았다. … 이제 하나님이 그 역사를 다시 행하신다. … 무거운 마음으로 나갔던 자들이 복을 한 아름 안고 웃으며 돌아오리라."

이것이 하나님의 꿈이다. 마음이 무거운가? 매서운 바람이 불어오는가? 하나님은 그 바람을 잠재우실 뿐 아니라 당신의 얼굴에 웃음꽃을 피우고자 하신다. 전보다 더 나은 삶이 찾아올 것이다. 복을 한 아름 안고 즐거워할 날이 있을 것이다.

나는 살아오면서 하나님의 놀라운 역사를 많이 목격했다. 한 아름의 복을 직접 경험하기도 했다. 지난 세월을 돌아보면 내 입에서 절로 시편이 흘러나온다. 잊지 마라. 하나님이 나에게 이 복을 부어 주셨으니 반드시 당신에게도 부어 주실 것이다. 그러니 매일 기대감으로 눈을 뜨고 믿음으로 선포하라. "하나님, 제게 주실 형통과 순적함의 복이 어떠할지 정말 기대가 됩니다. 당신이 제 길에 예비하신 한 아름의 복을 어서 보고 싶습니다."

오늘은 새날이다. 당신을 위한 순적함의 기름 부음이 오고 있다. 하나님이 고난을 이겨낼 은혜를 주실 것이다. 분에 넘치는 복을 경험하게 될 것이다. 고질적인 문제가 순식간에 사라질 것이다!

5

최고의 삶
나는 비전에 전부를 건다

IT'S YOUR TIME
믿음이 이긴다
최고의 삶

Chapter 01

열정의 불씨를 되살리라

당신 안에는 위대함의 씨앗이 있다. 하나님이 주신 잠재력을 온전히 이룰 시간이 아직 충분하다.

불과 몇 년 전까지만 해도 가브리엘라(Gabriela)의 스튜디오는 번창했다. 당시 가브리엘라가 휴스턴 지역에서 촬영한 결혼사진만 해도 한 해에 50건이 넘었다. 돈도 좋지만 많은 일 때문에 지쳐 버린 가브리엘라는 남편과 네 아이를 돌보기 위해 잠시 쉬기로 했다.

2년 후 가브리엘라가 사진업을 다시 시작하려고 했을 때 공교롭게도 경기가 바닥을 내달았다. 미국 전역의 수많은 웨딩 스튜디오들처럼 가브리엘라도 불경기 동안 다른 살길을 모색해야 했다. 가브리엘라는 여장부답게 좌절하지 않고 자신의 꿈을 좇기로 마음먹었다.

"지난 10년간 우리 레이크우드 교회의 전속 사진사를 꿈꾸었습니다. 하지만 그 꿈은 먼지가 쌓일 정도로 방치되어 있었지요."

이전까지는 교회를 위해 일하고 싶다는 뜻을 한 번도 내비친 적이 없던 가브리엘라다. 물론 그녀가 교회 성도들이나 직원들의 결혼사진과 가족사진을 많이 찍어 왔기 때문에 우리는 그녀의 실력을 익히 알고 있었다.

그녀가 프레젠테이션을 마친 후 관리자는 그녀를 전속 사진사로 영입하기로 결정했다. 그리고 이렇게 말했다. "당신이 지금 제 사무실에 있다는 사실이 놀랍군요. 지난주만 해도 조엘 목사님과 전속 사진사 고용 문제를 논의했거든요. 그때 다른 사진사를 고용했더라면 큰일 날 뻔했네요."

현재 가브리엘라가 우리 교회 사진사로 일하고 있는 것은 그녀가 먼저 용기를 냈고 그 후에 하나님이 그녀의 삶 속에서 역사하셨기 때문에 가능한 일이었다.

우리의 재능은 이미 충분하다

누구에게나 위대함의 씨앗이 있다. 남몰래 꿈꾸는 비전과 포부도 있다. 당신에게도 이 세상에 나누어 줄 재능이 있다. 발견되기를 기다리는 보물이 묻혀 있다.

누구도 당신을 대신할 수 없다. 하나님은 당신을 창조하신 후 당신의 주형을 부숴 버리셨다. 그러니 남들과 비교하지 마라. 당신에게 남들의 재능이 필요했다면 하나님이 그 재능을 주셨을 것이다. 당신의 외모와 성격이 남들과 같아야 한다면 하나님이 그렇게 창조하셨을 것이다. 당신의 소명을 이루기 위해 남들의 것은 필요 없다. 당신에게 필요한 것은 이미 당신 안에 다 들어 있다. 그것들만 있으면 충분하다.

자신이 받은 재능을 하나라도 당연하게 여기지 마라. 다른 재능을 부러워하지도 마라. 당신은 경이롭고 멋지게 지음받은 존재다. 가끔 에어컨이나 파워 윈도우, 라디오 같은 옵션을 뺀 차들을 보게 된다. 하지만 하나님은 우리를 창조하실 때 모든 옵션을 넣으셨다. 우리는 풀 옵션이다! 하나님은 우리를 창조하실 때 이렇게 말씀하셨다. "최고급으로 만들어야겠어. 보자. 크롬으로 된 바퀴와 선루프부터 장착해야지. 내비게이션도 장착해야겠어. 참 스테레오 서라운드도 빼먹으면 안 되지."

어떤 사람은 세단이고 어떤 사람은 소형차다. 어떤 사람은 트럭이고 어떤 사람은 SUV다. 하나님이 당신에게 무엇을 주셨든 그것으로 충분하고 완벽하다. 나는 다른 사람이 가진 것을 가지지 못했다. 그들은 페라리이고 나는 포드일지도 모른다. 하지만 나는 누구도 부럽지 않다. 내 목적을 이루기에 충분한 재능이 내 안에 있다.

다른 사람을 따라하려고 하면 반드시 좌절감을 겪는다. 그보다는 나 자신으로 살아가는 것이 행복하다. 연기할 필요가 없다. 그냥 나 자신으로 살아가면 그만이다.

처음 목회를 시작할 때 과연 내가 이 일을 잘 해낼 수 있을까 심히 걱정스러웠다. 설교를 최고로 잘한다는 목사들에 관해 듣고 나서는 더욱 기가 죽었다. 그들은 설교만 잘하는 게 아니라 노래도 수준급이란다. 그들이 설교 끝 무렵에 노래라도 한 곡 뽑으면 그야말로 소름이 돋을 정도다.

"하나님, 왜 제겐 그런 재능을 주지 않으셨나요?" 처음에는 살짝 원망하는 마음도 들었지만, 어느 날 하나님이 내게 꼭 필요한 것을 주셨다는 것을 깨달았다. 남들에게 있고 내게는 없다면 그것은 내게 필요 없다는 뜻이다. 맞다. 그 목사들은 노래를 기가 막히게 잘한다. 하지만 내 개그 실력만큼은 아무도 못 따라올 것이다!

최고의 삶을 위한 TIP

소명을 이루는 데 필요한 것이 이미 당신 안에 있다. 당신 안에 있는 것으로 충분하다.

아주 오래 전 필리스 드라이버(Phyllis Driver)라는 아가씨가 극장에서 너무도 아름다운 노래를 듣고 친구들에게 말했다. "나도 저만큼 노래를 잘했으면 가수로 성공했을 텐데." 이번에는 영화 속 여배우를 보고 생각했다. '나도 저만큼만 연기를 했으면 배우로 성공했을 텐데.'

그러던 어느 날 어떤 사람이 드라이버에게 조언을 했다. 남들을 보며 자신이 가지지 못한 것에 대해 불평하지 말고 자기 안의 보물을 발견하라고 한 것이다. 드라이버는 이 말을 듣고 자신을 돌아보았다. 생각해 보니 학창 시절 자신은 사람들을 웃기는 재주가 남달랐다. 한마디로 그녀에게는 개그 본능이 있었다.

이후 드라이버는 이 재능을 계발하기 시작했고 나중에 필리스 딜러(Phyllis Diller)로 이름을 바꿔 여성 코미디라는 새로운 영역을 개척했다. 그녀의 외모는 영화 속 여배우만큼 아름답지 않았다. 목소리도 극장의 가수만큼 아름답지 않았다. 하지만 하나님은 딜러를 창조하실 때 조금도 실수하지 않으셨다. 우리도 마찬가지다. 남들이 가진 것을 부러워하지 말고 자기 안에 있는 보물을 찾아야 한다.

단언컨대 당신은 평범하지 않다. 당신 안에 숨은 잠재력을 끌어내라. 당신 안에서 잠자고 있는 꿈과 재능, 사업 수완, 아이디어, 발명품, 책, 노래, 영화 등을 깨우라. 잠자고 있는 잠재력을 깨우라.

안전지대를 떠나 믿음의 땅으로 가라

날마다 편안하기만 하다면 그것은 믿음을 진정으로 발휘하지 않은 탓이다. 모험이야말로 믿음의 핵심이다. 우리가 움직이면 하나님도 움직이신다. 우리가 자연적인 일을 하면 초자연적인 일은 하나님이 해주신다. 안전지대에 머물러 있다면 하나님이 주신 옵션 중에 극히 일부만 사용하고 있다는 것이다. 현실에 안주하지 말고 소명을 향해 도전하라.

"그때 모험을 했더라면 지금의 인생이 달라졌을 텐데."

나는 말년에 이렇게 후회하고 싶지 않다. 차라리 도전했다가 실패하는 편을 택하겠다. 안전지대에서 사는 사람이 얼마나 많은지 모른다. 하지만 당신만큼은 거기서 나와 믿음의 땅으로 들어가라. 그곳이 바로 하나님의 놀라운 역사가 일어나는 곳이다.

창세기에는 멸망 직전의 도시, 소돔성에 관한 이야기가 나온다. 멸망의 시간이 임박하자 천사가 롯에게 어서 이곳을 떠나라고 말했다. 롯이 지체하자 천사가 롯과 그의 가족들의 손을 잡아 성 밖에 두었다. "어서 서두르게나. 그대들이 떠나기 전까지는 아무것도 할 수 없다네."

나는 하나님이 우리에게도 똑같은 말씀을 하고 있다고 믿는다. "내가 네 삶으로 들어가고 싶어도 그럴 수가 없구나. 네가 그 땅을 떠나기 전까지는 내가 더 큰 복을 부어줄 수 없단다."

소명의 장소는 꼭 물리적인 장소를 말하지는 않는다. 그것은 정신적인 수준을 의미하기도 한다. 우리는 낮은 자존감을 버리고 더 높은 수준에 이르러야 한다.

"요즘 같은 실업난에 다시 일을 시작할 수 있을까?"

가능하다. 하나의 문이 닫히면 하나님이 또 다른 문을 열어 주신다. 당신의 실패까지도 하나님의 계획 속에 있다. 당신이 문제를 만나기도 전에 하나님은 이미 해답을 마련해 놓으셨다. 하나님은 모든 전투에 필요한 무기들로 당신을 완벽히 무장시키셨다. 그러니 짐을 싸서 믿음의 땅으로 이사를 가라. 하나님이 롯에게 하셨던 말씀을 지금 당신에게도 하고 계신다. "서둘러서 가라. 네가 그곳에 도착해야 내가 더 큰 복을 내려 줄 수 있다."

하나님의 손을 잡고 그분을 따라가라.

하나님이 개입하신다

한 친구가 피아노를 사랑한 다섯 살짜리 꼬마에 관한 이야기를 해주었다. 꼬마는 틈만 나면 키보드 앞에 앉아 건반을 두드렸다. 레슨이나 공식 교육은 받은 적이 없었다. 꼬마가 칠 줄 아는 곡은 '젓가락 행진곡'뿐이었다. 하지만 꼬마는 이 단순한 곡을 치고 또 쳤다. 그러던 어느 날 아버지가 꼬마에게 교향곡 공연 티켓을 깜짝 선물했다. 세계적으로 유명한 이탈리아 피아니스트의 공연이었다.

공연 당일 청중들이 속속 자리를 메우는 사이 꼬마는 커튼 뒤 무대 위의 아름다운 그랜드피아노를 보았다. 그리고 아무도 몰래 커튼 밑으로 기어들어가 피아노 앞에 앉았다. 잠시 후 꼬마는 늘 치던 '젓가락 행진곡'을 치기 시작했다. 때마침 커튼이 올라가기 시작했고, 사람들은 낯선 꼬마가 피아노 앞에 웅크리고 앉아 '젓가락 행진곡'을 치고 있는 광경에 적잖이 놀랐다.

꼬마는 문득 사람들의 시선을 느끼고 도망을 치려하는데 커다란 두 손이 어깨를 두르는 것이 느껴졌다. 이번에는 이 커다란 두 손이 건반 위로 내려와 자신의 작은 두 손 옆에서 멈췄다. 공연의 주인공인 이탈리아 피아니스트의 손이었다. 그가 꼬마에게 속삭였다. "계속 치렴."

이 말에 꼬마가 힘을 얻어 '젓가락 행진곡'을 치는데 이 피아니스트가 베토벤 교향곡의 한 토막을 '젓가락 행진곡'의 박자와 키에 맞춰 연주하기 시작했다. 이윽고 대가의 지시에 따라 오케스트라의 다른 파트들이 차례로 합류했다. 처음에는 목관악기부가 합류했고, 이어서 금관악기부와 마지막으로 타악기부가 합류했다. 청중석에 앉아 있던 아버지는 자신의 귀가 의심스러웠다. 매일 거실에서 듣던 단순한 곡조가 장엄한 베토벤 교향곡으로 변할 줄은 상상조차 못했다.

이유가 뭐였을까? 대가가 개입했기 때문이다. 하나님이 우리의 손 위에 그분의 손을 얹어 주시면 지극히 평범해 보이는 것도 비범하게 사용될 수 있다. 하나님이 우리 삶에 개입하기 시작하시면 전에 없던 용기가 솟아나고 잠자던 능력이 깨어난다. 우리의 단순한 '젓가락 행진곡'이 웅장하고 화려한 교향곡으로 탈바꿈한다.

더는 나아질 수 없다고 생각될 때라도 우리에게 필요한 사람들과 적절한 기회들을 동원해 주실 것이다. 그러면 오래지 않아 아름다운 교향곡이 울려 퍼질 것이다. 우리가 뛰어나서가 아니라 하나님이 개입하셨기 때문이다. 하나님은 우리의 평범한 능력으로 비범한 일을 행하신다.

> **최고의 삶을 위한 TIP**
>
> 현실에 안주해 있다면 자신의 옵션 중 극히 일부만 사용하고 있는 것이다. 모험하라.

줄리아 버니 위더스푼(Julia Burney-Witherspoon)은 위스콘신 주의 한 우범지역에서 근무하는 경찰관이었다. 열두 남매의 맏딸인 위더스푼은 늘 동생들에게 책을 읽으라고 가르쳤다. 아울러 그녀는 다른 아이들도 책을 읽도록 돕고 싶었다. 위더스푼이 신고를 받고 문제 가정을 찾아가 보면 십중팔구 그 집에는 아이들이 읽을 책이 없었다. 그녀는 이런 현실이 너무 가슴이 아팠다. 그래서 이 현실을 바꾸기 위해 뭐라도 하고 싶었지만 그럴 만한 능력이 없었다.

그러던 어느 날 한 거대한 창고에서 경보가 잘못 울렸다. 위더스푼이 그 창고로 출동해 스위치를 켜자 수천 권의 아동도서가 쌓여 있었다. 전부 새 책이었지만 약간의 하자들이 있어 버려진 것들이었다.

"이 책들을 보는 순간 하나님의 응답이라는 것을 알았습니다."

그녀가 이 책들을 줄 수 있냐고 부탁하자 창고 주인은 흔쾌히 허락했다. 위더스푼과 동료 경찰관들은 처음에는 이 책들을 경찰차로 각 가정에 배포하려고 했다. 하지만 계획을 수정하여 기금을 모은 후 부모와 아이들이 이용할 마을 독서 센터를 설립했다. 그 후 위더스푼은 순찰할 때마다 센터를 가득 메운 아이들이 열심히 책을 읽고 있는 모습을 보며 흐뭇해했다.

과감하게 꿈꾸라. 크게 생각하고 크게 믿으라. 버니 워더스푼처럼 자원이 부족해도 상관없다. 하나님께는 자원이 남아돈다. 당신이 소명을 향해 믿음의 발걸음을 떼면 하나님이 넘치는 은혜를 베푸실 것이다.

잠자고 있는 잠재력을 깨우라

어릴 적 우리 옆집에는 거구의 독일산 셰퍼드가 있었다. 비록 옆집 뒷마당에 울타리가 있긴 했지만 옆집 사람들은 이 셰퍼드를 주로 풀어 놓고 키웠다. 여덟아홉 살 즈음 친구들과 함께 우리 집 뒷마당에서 야구를 하고 있었는데 공이 옆집 뒷마당으로 넘어갔다. 나는 아무 생각도 없이 사다리를 가져와 180센티미터가 넘는 울타리를 넘어 그 집 뒷마당에 있던 공을 집었다. 그리고 막 돌아오려는데 저 멀리서 100파운드나 됨직한 셰퍼드가 보였다. 셰퍼드도 나를 발견하더니 곧장 내게로 돌진했다.

그날 이 셰퍼드는 묶여 있지 않았다. 이 사실을 깨닫는 순간 나는 가슴이 철렁했다. 꼼짝없이 죽었다고 생각하면서 몸을 돌려 울타리 쪽으로 줄행랑을 쳤다. 울타리 앞에 도착한 나는 단번에 한 손으로 울타리를 짚고 건너편으로 넘어갔다. 조그마한 꼬마였던 내가 180센티미터나 되는 높이를 뛰어넘은 것이다.

그날 나는 엄청난 높이를 점프했다. 정말이다. 그 거대한 독일산 셰퍼드가 아니었다면 나는 나도 모르는 점프 잠재력을 끌어내지 못했을 것이다. 전에는 그만큼 높이 점프해 본 적이 없다. 사실은 그 후로도 없었다. 하지만 내 안에 그만한 잠재력이 있다는 사실에 자신감 하나는 든든했다. 능력 밖의 일에 도전할 때 이런 기적이 일어난다. 자고 있던 잠재력이 깨어난다. 젖 먹던 힘까지 쏟아내야 하는 상황이 되면 인간은 괴력을 발휘한다.

최근에 그런 상황을 보여 주는 이야기를 들었다. 한 남자가 밤늦게 귀가하는데 문득 공동묘지를 통과하는 샛길 생각이 났다. 조금 더 일찍 집에 도착하고 싶은 마음에 어두컴컴한 길을 택했던 남자는 급기야 누군가 낮에 파놓은 거대한 구덩이 속으로 떨어지고 말았다.

남자는 밖으로 나오려고 안간힘을 썼지만 깊이가 너무 깊어서 여의치 않았다. 발로 차고 비명을 지르며 도움을 청했지만 아무런 소용이 없었다. 그렇게 2시간쯤 지나자 남자는 포기한 채 주저앉아 동이 틀 때를 기다렸다.

몇 시간 후 한 취객이 그 길을 지나다가 역시나 구덩이 속으로 떨어졌다. 구덩이 안이 너무 조용해서 취객은 그 안에 누가 있다고 생각지 못하고 첫 번째 남자처럼 발로 차고 비명을 지르며 도움을 청했다. 취객은 구덩이 옆면을 타고 올라갔다가 떨어지기를 반복했다. 이 모습을 조용히 지켜보던 첫 번째 남자는 이 취객을 놀려 주고 싶은 마음에 지옥에서나 들려올 법한 음산한 목소리로 말했다.

"여기서 벗어날 생각은 꿈에도 하지 마라~."

하지만 취객은 결국 자기 힘으로 구덩이를 빠져나갔다!

우리는 모두 잠재력 덩어리들이다. 그러니 할 수 없다는 식의 자신 없는 말은 입에 담지도 마라. 장담하는데, 커다란 개가 쫓아오면 누

하나님이 롯에게 하셨던 말씀을 지금 당신에게도 하고 계신다.
“믿음의 땅으로 가라. 네가 그곳에 도착해야 내가 더 큰 복을
내려 줄 수 있다.”

구라도 울타리를 뛰어넘을 수 있다.

하나님이 우리를 새로운 차원으로 이끌려 하신다. 우리 스스로도 몰랐던 잠재력을 일깨우려고 하신다. 하나님을 믿고 새로운 일에 과감히 도전하라.

드윗 월리스(DeWitt Wallace)에게는 잡지를 창간하고픈 꿈이 있었다. 그는 어디나 들고 다닐 수 있는 포켓 사이즈의 잡지를 만들고 그 안에 용기를 주는 이야기들을 싣고 싶었다. 하지만 다들 현실성 없는 꿈이라고 말했다. "요즘 사람들은 훈훈한 이야기를 별로 좋아하지 않아. 사람들이 좋아하는 건 뉴스와 흥밋거리야."

다들 포켓 사이즈의 잡지는 팔리지 않을 거라고 했다. 한마디로 월리스가 가려는 땅은 지도에 없었다. 심지어 유명한 출판업자 윌리엄 랜돌프 허스트(William Randolph Hearst)조차 포기하라고 말했다. 하지만 월리스는 모든 부정적인 권유를 정중하게 뿌리치고 소신껏 밀고 나갔다. 그는 여러 가지의 이야기를 모아 먼저 몇백 부만 찍었다. 이렇게 시작된 잡지는 생각 외의 호응을 얻었고 몇백에서 시작한 인쇄 부수는 수천 부를 넘어 수만 부에 이르게 되었다.

현재 〈리더스 다이제스트(*Reader's Digest*)〉는 1천 5백만 명이 넘는 독자층을 확보하고 있다. 그리고 모험을 감행했던 드윗 월리스는 미국 출판 역사의 전설이 되었다. 그는 남들의 말 때문에 자기 꿈을 포기하지 않았다. 그가 내면의 확신에 따라 행동하자 하나님은 그가 구하거나 생각한 것보다 훨씬 더 놀라운 일을 행해 주셨다.

실패 때문에 전진을 멈춰서는 안 된다

사람은 누구나 실패를 겪는다. 나도 장애물에 부딪힌 적이 있다. 당신도 그럴 때가 있었을 것이다. 하지만 그럴 때마다 우리는 툴툴 털고 일어나 다시 시작해야 한다. 하나님이 끝이라고 하시기 전까지는 끝이 아니다. 우리 안에는 여전히 발견되지 못한 잠재력이 숨 쉬고 있다.

이전에 정말 대단한 NFL(National Football League) 플레이오프 경기를 본 적이 있다. 두 팀이 밀고 당기기를 반복하는 박진감 넘치는 경기였다. 경기 후반 뉴욕 자이언츠의 필드골 키커(kicker)는 게임에서 이길 수 있는 기회를 두 번이나 놓쳤다. 한 번 놓치기도 힘든 필드골을 플레이오프 게임에서 두 번이나 놓쳤으니 코치의 마음이 타들어 갈 것은 당연지사다.

어느덧 경기는 연장전에 접어들었고, 자이언츠가 다시 볼을 잡아 터치다운을 시도했다. 연장전에서는 먼저 점수를 얻는 팀이 이긴다. 하지만 이번에도 자이언츠는 터치다운 직전에 저지를 당했다.

이제 네 번째 공격이었다. 여기서 코치는 결정을 내려야 했다. 키커에게 다시 필드골을 시도하도록 할 것인가? 아니면 안전하게 멀리서 펀트를 할 것인가? 이번 거리는 앞서 그가 놓쳤던 두 번의 골보다 훨씬 멀었다. 카메라가 사이드라인에서 고민하는 코치의 표정을 잡았다. 결정할 시간은 겨우 20-30초밖에 남지 않았다. 문득 코치가 사이드라인을 따라 훑어보다가 이미 필드골을 찰 준비를 하고 있는 키커를 바라보았다.

키커의 자신감과 결단력을 본 코치는 필드골을 허락하는 사인을 보냈다. 그러자 훨씬 먼 거리였는데도 키커의 공은 정확히 골대로 빨려 들어갔고 자이언트는 우승컵을 거머쥐었다.

인생의 경기에서 두 번이나 골을 놓쳤는가? 아니 수백 번도 더 놓쳤는가? 나도 그랬다. 하지만 중요한 질문은 이것이다. "골을 놓친 후 인생의 필드로 다시 나갔는가?"

실수와 실패 때문에 전진을 멈춰서는 안 된다. 당신은 하나님이 주신 일을 충분히 해낼 수 있다. 하나님이 주신 꿈과 재능, 약속을 하나라도 그냥 썩혀 두지 마라. 당신이 깊이 묻어둔 씨앗, 미뤄둔 목표, 포기했던 가정 회복의 꿈, 그 불씨를 되살리라. 당신 안에는 아직 사용하지 않은 잠재력이 너무도 많다. 그러니 안락의자에서 어서 일어서는 게 좋을 것이다. 지금은 은퇴할 때가 아니다.하나님이 새로운 기회를 주실 것이다.

93세에 대학을 졸업했다는 어떤 할머니의 이야기를 읽은 적이 있다. 아직 93세가 되지 않았다면 은퇴란 말을 꺼내지도 마라. 열정의 불씨를 되살리라. 당신은 완전무장 풀 옵션으로 이 세상에 태어났다.

Chapter 02

새로운 꿈을 꾸라

하나의 꿈이 죽으면 또 다른 꿈을 꾸면 된다. 새로운 일을 시작하라.
하나님께는 또 다른 계획이 있다.

메리 리 벤돌프(Mary Lee Bendolph)는 목화를 따면서 어린 시절을 보냈다. 그녀는 미국에서도 가장 가난한 지역에서 살았다. 그래서 그녀와 이웃들은 굶기를 밥 먹듯이 했다. 하지만 그렇게 어려운 순간에도 그녀와 친구들은 함께 모여 낡은 바지와 셔츠, 시트, 수건의 조각들을 이어 붙여 사랑하는 이들을 덮혀 줄 퀼트 이불을 만들었다. 벤돌프와 친구들은 퀼트를 꿰매면서 찬송을 부르고 성경책을 읽고 하나님께 기도했다. 그들이 사는 앨라배마 주의 작은 마을 지스 벤드(Gee's Bend)에서는 퀼트 만들기가 삶의 큰 부분이다.

어느 날 예술품 수집가가 퀼트 제작에 관해 물었을 때 벤돌프를 비롯한 마을 사람들은 잔뜩 경계의 빛을 보냈다. 수집가는 마을 사람들이 제작한 퀼트를 보고 입이 마르도록 칭찬한 뒤 수백 달러를 제시하며 그것들을 사고 싶다고 말했다. 하지만 대부분의 마을 사람들은 판매를 거절했다. 반면 벤돌프를 비롯한 몇몇 사람들은 그를 믿어 보기로 했다. 다시 말해 새로운 것에 마음을 열었다.

"더 좋은 삶을 달라고 항상 기도했는데 하나님이 정말로 우리 기도를 들어 주셨습니다."

벤돌프는 나중에 그렇게 고백했다. 예술품 수집가는 벤돌프를 비롯해서 앨라배마 주 지스 벤드의 몇몇 주민들에게서 퀼트를 샀다. 그리고 전 세계를 돌며 그 퀼트들을 전시하고 판매했다. 놀랍게도 지스 벤드의 퀼트들은 '천재적인 작품'으로 찬사를 받기 시작했다. 뉴욕의 한 비평가는 그들의 퀼트를 '미국이 낳은 가장 기적적인 근대 예술 작품'이라고 평가했다. 오늘날 지스 벤드의 퀼트들은 엄청난 값에 팔려 나간다. 그리고 메리 리 벤돌프와 친구들은 위대한 예술가로 대우받고 있다.

변화에 열려 있으라

성공하는 사람들은 날이면 날마다 똑같은 일을 하는 굴레에 갇혀 있지 않다. 그들은 끊임없이 자신의 현주소를 점검한다. 그래서 바꿀 부분은 바꾸면서 개선해 나간다.

5년 전에 통한 방법이 지금도 통하리란 법은 없다. 그러므로 우리는 항상 변화에 대해 열려 있어야 한다. 현재의 방식에 너무 집착하면 새로운 것을 시도할 수 없다. 대부분의 사람들에게 열정이 결여되어 있는 것도 이 때문이다. 그들의 삶에는 신선함이 없다. 변화와 성장의 기회가 나타날 때 그들은 지레 겁을 먹고 꽁무니를 뺀다. 그런 태도 때문에 늘 똑같은 수준을 맴도는 것이다.

하나님이 새로운 기회의 문을 열어 주시거든 지레 겁부터 먹지 마라. 당신의 힘으로 감당하기 어려워 보이는 자리를 제의 받을지도 모른다. 다른 영역에서 일할 기회가 생길 수도 있다. 당신이 미혼이라면 하나님이 새로운 사람을 보내 주실 수도 있다. 그럴 때 처음에는 모험을 피하고 싶은 마음이 들기 쉽다. 아마도 변화를 거부할 온갖 이유가 떠오를 것이다. 과거의 상처나 자신감의 부족, 실패에 대한 두려움 때문에 그럴 수도 있다.

하지만 하나님이 예비하신 최선의 삶을 누리려면 모험을 감행할 용기가 있어야 한다. 우리는 어느 한 가지 방식만 고집하지 말아야 한다. 하나님은 새로운 일을 즐겨 행하신다.

제2차 세계대전 이전에는 스위스가 전 세계 시계 시장의 90퍼센트를 점유했다. 스위스 시계 제조업의 기술은 정확도와 아름다움 면에서 단연 세계 최고였다. 그런데 1960년대 시계 개발자들이 주요 제조업체들에게 신개념의 전자 수정 시계를 제시했다. 전자 수정 시계는 태엽을 감을 필요가 없이 배터리로 돌아가는 시계다. 이것은 태엽 시계보다 훨씬 더 정확하고 유지 보수의 필요성도 적었다.

하지만 주요 시계 제조업체들은 이 혁신을 반가워하지 않았다. 전통에 얽매인 나머지 시대가 변한다는 사실을 받아들이지 않은 것이다. 그러나 시계 개발자들은 포기하지 않았고, 결국 국제 시계 박람회에서 두 아시아 제조업체에게 그 가능성을 인정받게 되었다. 시계와 무관했던 이 제조업체들은 신개념 전자 수정 시계로 순식간에 시계 시장을 장악하게 되었다.

이에 자극을 받은 스위스 시계 제조업체들도 시장의 변화를 받아들였다. 이렇게 통합된 새 복합 기업은 시계 시장에 '스와치'라는 예쁘고 저렴한 시계를 출시하여 재기의 발판을 마련했다.

하나님은 우리가 늘 새로워지기 원하신다. 지나간 성공에 기대어 살아서는 안 된다. 입만 열면 '좋았던 시절'을 이야기하는 사람들이 있다. 물론 나도 좋았던 시절이 있었다. 아마 당신도 그럴 것이다. 하지만 하나님은 우리를 위해 '좋은 새날'도 예비해 놓으셨다. 우리의 가장 큰 성취는 우리의 뒤가 아닌 앞에 있다.

열정을 잃은 지 오래인가? 실망스러운 일을 많이 겪었는가? 일이 뜻대로 풀리지 않는가? 그래서 이제는 모험이 아닌 늘 해 오던 안전한 방식만 고수하고 있는가? 하지만 오늘은 새날이다. 하나님이 새 일을 위해 당신을 준비시키고 계신다.

'무엇'이 아니라 '어떻게'가 중요하다

예전에 도둑질하는 솜씨가 귀신같은 도둑이 있었다. 비록 도둑이기는 했지만 작전을 짜는 능력만큼은 타의 추종을 불허했다. 그는 21년 간 도둑질을 했지만 한 번도 붙잡히지 않았다. 그는 주로 아무도 없는 낮시간에 집을 털었다. 경찰은 이 도둑 때문에 골머리가 썩었다. 패턴도 분명했고 털 동네도 미리 알 때가 많았지만 두뇌 싸움에서 항상 밀렸다.

결국 그는 21년 만에 자신의 실수로 경찰에 붙잡혔다. 그가 인터뷰하는 모습을 본 적이 있는데 겉으로는 평범한 중산층 사업가로밖에 보이지 않았다. 누가 봐도 도둑의 외모는 아니었다. 기자가 질문을 던졌다. "이 좋은 기술로 왜 하필 범죄라는 길을 선택했습니까?"

도둑의 대답을 평생 잊지 못할 것 같다.

"할 줄 아는 게 이것뿐이라서요."

그는 불우한 가정에서 자라서 누구한테도 올바른 길을 배우지 못했다고 했다. 인터뷰를 보는데 문득 이런 생각이 들었다. '생각이라는 것이 우리 인생을 정말 많이 제한하는구나.'

나는 그에게 이렇게 말해 주고 싶었다. "21년 간 세상에서 가장 똑똑하다는 사람들을 바보로 만들 수 있는 재주로 자기 사업을 운영할 생각은 안 해봤소? 좀 더 생산적인 일로도 그만큼 성공할 수 있었을 텐데."

어떤 기술이 있는가도 중요하지만 그 기술을 어떻게 사용하는가는 더더욱 중요하다. 제한적인 생각은 그 생각만큼이나 위험하다. 언젠가 한 청년이 예배 후 나를 찾아와 자기가 할 줄 아는 거라곤 마약을 파는 것뿐이라고 말했다. "목사님, 제가 하는 일이 저도 싫지만 다른 기술이 없습니다. 대학도 나오지 못했는데 굶어죽지 않으려면 이 짓이라도 해야 하잖아요."

나는 그에게 이렇게 말해 주었다. "내 말을 잘 들어 보게. 자신을 과소평가하지 말게. 청년은 생각보다 훨씬 똑똑하다네. 이렇게 생각하면 어떨까? 마약을 팔려면 제품의 시장성을 알아야 하는데 그것이 바로 마케팅이지. 입소문도 퍼뜨릴 줄 알아야 하는데 그것이 바로 광고가 아니겠나. 고객을 챙기려면 고객 서비스도 알아야 하겠지. 팔아야 할 때와 팔지 말아야 할 때도 알아야 하고. 그건 경영자의 판단력이 필요하다는 말이네. 자신을 속이지 말게. 마약을 팔 능력이면 의학 장비와 전자제품, 주식과 채권도 얼마든지 팔 수 있네."

자신을 개혁하라. 새로운 인생 비전을 얻으라. 하나님이 주신 재능을 잘못된 일에 쓰지 마라. 아직 늦지 않았다. 너무 늙지도 않았다. 만회하지 못할 만큼 많은 실수를 저지르지도 않았다. 끊임없이 새로운 기회를 찾으라. 언제라도 안전지대에서 나올 준비를 하라.

하나의 꿈이 죽으면 다른 꿈을 주라

우리 삶은 가끔 신선한 바람을 필요로 한다. 모험을 하라. 하나님이 내면에 주신 열정을 되살리라. 꿈이 없다면 살아도 사는 것이 아니다. 매일 이불을 박차고 나올 이유가 있어야 한다. 열정을 불러일으키는 뭔가가 있어야 한다.

한때는 꿈을 꾸었지만 끝내 그 꿈을 이루지 못했는가? 하지만 무슨 걱정인가? 하나의 꿈이 죽으면 또 다른 꿈을 꾸면 그만이다. 우리 계획대로 풀리지 않았다고 하나님의 계획까지 흐트러진 건 아니다. 한 번, 아니 여러 번 실패를 겪었다 해도 꿈을 포기해서는 안 된다. 토머스 에디슨(Thomas Edison)은 학교에서 "절대로 가르칠 수 없는 학생"이라는 평가를 받았다. 이후에 과학자와 발명가가 되어서 백열전구를 개발할 때는 수없이 많은 실패도 경험했다. 하지만 에디슨은 포기하지 않았고 계속해서 또 다른 꿈을 꾸었다.

"나는 실패한 게 아니다. 만 가지 방법이 틀렸다는 것을 알아냈을 뿐이다."

알다시피 에디슨은 결국 전구를 발명해 냈다. 믿음으로 굳게 서서 변화에 마음을 열면 누구나 그렇게 할 수 있다.

아이폰(iPhone)과 아이튠(iTune)을 만든 애플의 스티브 잡스(Steve Jobs)도 실패를 경험했다. 잡스는 스무 살에 아버지의 차고에서 처음 사업을 시작했다. 그로부터 10년 만에 애플은 20억 달러의 가치를 지닌 기업으로 성장했다. 그런데 이사회는 잡스를 해고해 버렸다!

잡스가 희생자였을까? 전혀 아니다. 그는 애플에서 해고된 것이 자기 인생에서 가장 큰 행운이라고 말했다. 정말 이해할 수 없는 말이지 않은가? 잡스가 두 개의 기업을 다시 키워서 수십 억 달러에 매각하자 애플은 자신들의 실수를 깨달았다. 결국 잡스를 다시 모셔올 수밖에 없었다. 돌아온 잡스는 애플을 세계 최고의 기업으로 회복시켰다.

지금 부정적인 생각에 사로잡혀 있는가? '나는 너무 늙었어. 하는 일마다 실패했어. 기회란 기회는 다 날려 버렸어.' 이런 생각에 빠지지 말고 긍정적인 말만 하도록 하자.

"이제 부정적인 생각은 하지 않겠다. 일이 내 뜻대로 풀리지 않았지만 하나님께는 또 다른 길이 있을 것이다. 패배감에 젖어 주저앉아 있지는 않겠다. 다시 일어나서 새로운 꿈을 꾸겠다."

바로 여호수아가 그랬다. 그의 마음은 새로운 방식을 향해 열려 있었다. 모세가 세상을 떠난 후 이스라엘 백성의 리더로 선택된 여호수아는 이스라엘 백성을 이끌고 약속의 땅을 향해 전진했다. 어느덧 요단강에 이르러 그 땅을 눈앞에 두었는데 안타깝게도 요단강에는 다리가 없었다.

여호수아는 전임자 모세가 지팡이를 들어 홍해를 갈랐던 상황을 떠올렸다. 나는 그가 전임자와 똑같은 방법을 써봤을 것이라 확신한다. 그가 언덕 꼭대기에 올라 지팡이를 쳐들고 외치는 모습이 내 눈에 선하다.

하지만 아무 일도 일어나지 않았다. 여느 사람 같으면 이런 상황에서 분명 자괴감을 느꼈을 것이다. 하지만 여호수아는 흔들리지 않았다. 그것은 새로운 것에 마음이 열려 있었기 때문이다. 여호수아는 제사장들에게 강을 향해 전진하라고 지시했다.

최고의 삶을 위한 TIP

지금까지의 익숙한 방식에 너무 집착하면 새로운 것을 시도할 수 없다.

제사장들이 강물 앞에 가까이 갈수록 부정적인 사람들이 더욱 소리를 높였다. "계속 가지 않는 게 좋겠습니다. 여호수아의 말을 들었다가 큰코다치면 어떡하죠? 틀림없이 물에 빠질 것 같은데요."

하지만 제사장들의 결심은 조금도 흔들리지 않았다. 그들은 하나님의 지시대로 꿋꿋이 걸어갔다. 그러자 아니나 다를까, 그들의 발이 닿자마자 강이 갈라지기 시작했다. 그리하여 이스라엘 백성은 모세의 홍해 사건 때와 같이 요단강을 건너갈 수 있었다.

이처럼 하나님은 여호수아 시대에는 모세 시대와 다른 방식을 선택하셨다. 만약 여호수아가 자기만의 방식을 고집했다면 하나님의 기적을 놓쳤을 것이다.

한쪽 문이 막히면 다른 문이 열린다

당신도 옛 방식만 고집하고 있는가? 한두 번 실패한 뒤 마음을 닫은 탓에 물이 갈라지는 기적을 놓쳤는가? 나는 먼저 문이 닫히는 상황을 견뎌내야 비로소 새로운 문이 열린다는 원칙을 깨달았다. 한 가지 방법이 통하지 않는다고 해서 낙심하고 포기하거나 안주하지 마라. 계속해서 문을 두드리라. 계속해서 믿고 소망하며 꿈을 꾸라. 여러 번 노(No)를 들은 후에야 한 번의 예스(Yes)를 들을 수 있는 법이다. 하지만 이 한 번의 예스는 모든 노를 보상하고도 남는다.

대여섯 살 먹은 꼬마가 야구공과 야구방망이를 들고 타석으로 나왔다. 꼬마는 방망이를 보며 혼잣말을 했다. "나는 세계 최고의 타자야. 누구도 나처럼 잘하지는 못해."

그러면서 공을 던져 스윙을 했으나 빗나가고 말았다. 꼬마는 공을 집어 더욱 결연한 표정으로 말했다. "나는 세계 최고의 타자야."

그러면서 공을 던져 스윙을 했으나 또 빗나가고 말았다. 꼬마는 공을 집어 모자를 똑바로 한 뒤 비장한 어조로 다시 말했다. "나는 세계 최고의 타자야." 그러면서 온 정신을 집중하여 스윙을 했다. 하지만 볼 카운트는 쓰리 스트라이크가 되었다. 마침내 꼬마는 배트를 내려놓고 공을 주운 뒤 아무렇지도 않게 말했다. "그거 알아? 나는 세계 최고의 투수야."

이것이 바로 우리가 본받아야 할 태도다. 우리 삶을 향한 하나님의 꿈은 우리의 꿈보다 훨씬 더 크고 위대하다. 그러니 하나의 문이 닫혔다고 주저앉지 마라. 일이 뜻대로 풀리지 않는다고 한탄하지 마라. 하나님이 여전히 다스리시니 걱정하지 마라. 하나님께 더 좋은 계획이 있다. 일이 뜻대로 풀리지 않으면 어서 털어 버리고 하나님이 행하실 새로운 일을 기대하는 게 현명하다.

메리 맥로드 베튠(Mary McLeod Bethune)은 1800년대 말 사우스캐롤라이나 주의 노예 집안에서 17남매 중 막내로 태어났다. 그녀는 모든 악조건 속에서도 열심히 공부해서 대학까지 졸업했다. 그녀의 어릴 적 꿈은 아프리카에 가서 아이들을 가르치는 것이었다. 이 꿈을 고이 간직해 오던 그녀는 대학을 졸업할 무렵에 한 선교 단체에 지원서를 냈다. 공부하는 내내 A학점을 받았기 때문에 합격은 따 놓은 당상이라고 생각했다. 하지만 어떤 이유인지는 몰라도 불합격되었다는 소식이 왔다. 베튠은 망연자실했다.

아프리카 아이들을 돕는 것은 베튠이 평생 간직해 온 꿈이었다. 하지만 명심하라. 하나의 문이 닫혀도 믿음으로 굳게 서면 하나님이 반드시 다른 문을 열어 주신다. 베튠은 뜻대로 풀리지 않은 일을 곱씹으며 불평하는 대신 새로운 태도를 품었다. "그곳의 아이들을 가르칠 수 없다면 이곳의 아이들을 가르치면 되잖아."

베튠은 직접 학교를 설립하기로 결심했다. 돈도 건물도 장비도 없었지만 뜻이 있는 곳에 길이 있다고 했던가, 베튠은 판지 상자들을 구해 책상을 삼고 레드베리를 짜서 잉크를 만들었다. 또 매주 학생들과 함께 수천 킬로그램의 쓰레기를 지역 쓰레기장까지 가져가 책 살 돈을 마련했다.

몇 년이 지난 어느 날, 근처의 대학에서 베튠의 소식을 듣고 두 학교를 합치자는 제안을 했다. 그리하여 플로리다 주 데이토너 비치(Daytona Beach)의 베튠 쿡맨 대학(Bethune - Cookman University)이 탄생했다. 나중에 메리 베튠은 흑인 여성 최초로 대학 총장이 되었다. 그리고 1932년 프랭클린 루스벨트 대통령은 베튠을 최초의 흑인 여성 백악관 고문으로 임명했다.

새로운 꿈을 꾸라. 일이 뜻대로 풀리지 않는다고 불평만 하고 있어서는 곤란하다. 새로운 꿈을 꿔야 한다. 그깟 시련 좀 겪었다고 주저앉아야 되겠는가? 원하던 직장에 들어가지 못했다면 또 다른 직장에 지원하면 그만이다. 해외에서 학생들을 가르치지 못하면 지금 있는 곳에서 가르치면 된다. 새로운 태도를 가지라.

일어나 빛을 발하라

젊은 시절 우리 아버지는 텍사스 주 포트워스(Fort Worth)의 이시스 극장(Isis Theatre)에서 팝콘을 팔았다. 아버지는 지독한 가난 속에서 자랐다. 그러다가 17세에 예수님을 영접한 뒤 설교자로 부름을 받고 감옥, 요양소, 거리 등 가는 곳마다 사역을 했다. 아버지는 이른 나이에 결혼했지만 행복한 가정의 꿈은 산산이 부서지고 말았다. 이에 아버지는 자신이 목회하고 설교할 자격을 잃었다고 생각했다.

그 후 몇 년간은 보험 업계에서 일했다. 그 일로 돈은 많이 벌었지만 마음 깊은 곳에서는 하나님의 부르심이 여전히 느껴졌다. 하지만 자신이 없었다. 주위 사람들도 아버지를 말렸다. 이상하게도 가까운 사람들이 넘어진 우리를 짓밟을 때가 많다. 그래서 나는 하나님이 좋다. 하나님은 넘어진 자를 일으키고 절망의 그늘에 희망의 빛을 비추신다. 하나님의 자비는 우리의 어떤 실수도 덮고도 남을 만큼 크다.

이혼이 최선의 길은 될 수 없다. 하지만 이미 이혼했다면 어쩔 수 없다. 그렇다고 이혼에 찬성하는 건 아니다. 단지 이혼한 사람들까지도 사랑할 뿐이다. 하나의 관계가 끝났다고 인생 전체가 끝난 것은 아니다.

하나님께는 또 다른 계획이 있다. 그러니 일어나 빛을 발하라. 절망에서 일어나라. 죄의식을 떨쳐내고 하나님의 긍휼을 받아들이라.

일어나라. 이것이 첫 번째 단계다. 두 번째 단계는 빛을 발하는 것이다. 다시 말해, 얼굴에 미소를 띠라. 열정을 되살리라. 웃음을 되찾으라. 인생을 즐기라. 새 취미를 찾고 새 친구를 사귀고 새 옷을 사라. 일어나는 것만으로는 부족하다. 빛을 발해야 한다.

부정적인 생각들은 끊임없이 우리 아버지를 공격했다. '너는 목회를 하면 안 돼. 다시 가정을 이룰 생각은 꿈에도 하지 마.'

하지만 하나님은 회복의 하나님이다. 몇 년 후 아버지는 보험 업계를 떠나 목회로 돌아왔다. 그때부터 복의 계절이 시작되었다. 아버지는 지금의 어머니를 만나 결혼했고 나를 비롯하여 다섯 자녀의 아버지가 되셨다.

우리 아버지가 하나님의 또 다른 계획에 마음을 열지 않았다면 오늘의 나는 없었을 것이다. 아버지가 과감하게 새 꿈을 꾸지 않았다면 우리 어머니를 만나지 못했을 테고, 지금의 레이크우드 교회도 없었을지 모른다.

> **최고의 삶을 위한 TIP**
>
> 하나의 꿈이 죽으면 또 다른 꿈을 꾸면 그만이다. 실패해도 포기는 금물이다.

살다보면 부정적인 소리들이 들리기 마련이다. "너는 망했어. 더는 기회가 없어. 끝이야. 그냥 있는 그대로 살아."

이런 거짓말을 믿지 마라. 넘어졌어도 다시 일어나면 그만이다. 하나님이 끝이라고 하시기 전까지는 끝이 아니다. 우리 아버지는 팝콘 장사에서 목사를 거쳐 보험 판매인이 되었다가 다시 목사로 돌아오셨다. 점들을 연결하시는 하나님의 솜씨가 이 얼마나 기묘한가! 하나님은 최종 목적지로 가는 길을 정확히 아신다.

일이 뜻대로 풀리지 않았는가? 심지어 자신의 잘못 때문에 그런 일이 생겼는가? 하지만 하나님께는 또 다른 계획이 있다. 그러므로 새로운 꿈을 꾸고 열정의 불씨를 되살리라. 한 가지 방법이 실패했다고 해서 끝은 아니다. 지금은 일어나 빛을 발할 때다.

다른 길이 있다

1900년대 초 남부의 농부들에게 엄청난 시련이 닥쳐왔다. 남미에서 들어온 목화다래바구미라는 미세한 곤충이 농작물을 초토화시키기 시작한 것이다. 농부들은 갖은 수를 써 가며 농작물을 지키려 했지만 소용없었다. 살충제란 살충제는 죄다 뿌려 보고, 심지어 새로운 살충제를 개발해서 뿌렸지만 피해는 줄어들지 않았다. 농부들은 완전히 좌절했다. 모든 게 끝난 것만 같았다.

농부들이 극심한 절망감에 빠져 있을 때 조지 워싱턴 카버(George Washington Carver)라는 과학자가 아이디어를 내놓았다. "목화 대신 다른 농작물을 심는 게 어떨까요? 땅콩을 심어 봅시다."

그러자 농부들이 황당하다는 표정으로 카버를 쳐다보았다. "땅콩이요? 땅콩으로는 우리가 먹고 살 수 없어요."

하지만 식물학자 카버는 땅콩기름이 화장품에서 페인트, 플라스

틱, 니트로글리세린까지 수백 가지 제품에 사용될 수 있다면서 농부들을 설득했다. 무엇보다도 그는 목화다래바구미가 땅콩 냄새를 좋아하지 않는다는 사실을 발견했다. 농부들이 처음 땅콩을 심은 해에 전에 없던 풍년이 찾아왔다. 덕분에 농부들은 한 해 전체에 벌던 만큼의 돈을 단 몇 달 만에 벌 수 있었다. 그때부터 농부들은 땅콩에 주력하여 전국 어느 지역보다도 많은 양의 땅콩을 수확했다.

이런 상황을 보면 하나님의 계획이 언제나 우리의 계획보다 낫다는 것을 실감할 수 있다. 보다시피 목화다래바구미가 아니었다면 농부들은 땅콩 재배를 시도하지 않았을 것이다. 죽을 때까지 똑같은 작물만 키우다가 그들에게 속한 풍요함을 놓치고 말았을 것이다.

역경이나 실패, 실망스러운 사건을 나쁘게만 보지 마라. 그런 시련은 당신을 성장시키기 위한 도구다. 목화다래바구미가 우리의 농작물을 먹어 치울 때 하나님이 하늘에서 발만 동동 구르실까? "저런, 어떻게 하지? 누가 이 목화다래바구미 좀 없애 줄래?"

그렇지 않다. 하나님이 온전히 다스리신다. 우리 눈에는 길이 보이지 않아도 하나님께는 언제나 길이 있다. 그 무엇도 당신의 미래를 파괴할 수 없다. 하나의 꿈이 죽으면 또 다른 꿈을 꾸면 된다. 새로운 일을 시도하라. 하나님께는 또 다른 계획이 있다. 용기를 내어 안전지대에서 빠져나오라. 과거의 성공에만 젖어 있어서는 안 된다. 하나님이 새로운 승리를 예비해 놓으셨다.

이제는 일어나 빛을 발할 때다. 새로운 꿈을 꾸고 다시 믿어야 할 때다. 하나님이 반드시 더없이 밝은 빛으로 회복시켜 주실 것이다.

Chapter 03

축복의 장소를 찾으라

첫째도 위치요, 둘째도 위치다! 하나님은 피조물과 그 피조물이 번성할 장소를 세심하게 연결시키셨다.

내 친구 루벤(Reuben)은 카센터를 운영하는 정비사다. 그의 카센터는 오랫동안 외딴 산업 지대의 좁은 골목 안에 위치하고 있었다. 그래서 몇몇 단골손님들이 있음에도 그다지 잘되지 않았다. 어떤 때는 청구서를 처리하기도 빠듯했다.

그러던 어느 날 루벤은 휴스턴의 간선도로를 달리다가 근처 큰 건물에 걸린 건물 임대 광고를 보았다. 순간 마음속에 느낌이 왔고, 그 즉시 거기에 적힌 전화번호를 받아 적었다. 그리고 그날 오후 전화를 걸어 입주가 가능하다는 부동산 중개업자의 대답을 받았다. 루벤은 그 건물의 안팎을 자세히 살펴본 후 집으로 돌아와 하나님의 인도하심을 구했다. 이윽고 마음이 평온해지면서 그 건물을 사는 것이 하나님이 뜻이라는 확신이 들었다. 그래서 루벤은 새 건물로 사업장을 옮겼다. 그곳은 전에 있던 장소에서 채 1.5킬로미터도 안 되는 곳이었지만 이듬해 루벤의 사업은 10배나 성장했다!

당신은 어떤가? 시기는 적당한데 장소가 적당하지 않은가? 혹여 이전의 루벤처럼 잠재력을 온전히 실현할 수 있는 곳을 코앞에 두고 엉뚱한 곳에서 고군분투하고 있는가?

이것은 단지 사업이나 주거하는 장소만을 말하는 게 아니다. 어쩌면 그곳은 잘못된 관계의 땅일 수도 있다. 아니면 몸이 거하는 곳은 괜찮은데 마음의 장소가 스트레스나 분노의 땅일 수도 있다. 형태야 어떠했든 그곳이 진정한 축복의 장소가 아니라면 속히 그곳을 떠나야 한다.

당신의 축복의 장소를 찾으라

하나님이 당신을 위해 예비하신 곳이 있다. 그곳으로 가면 기회가 나타나고 하나님의 복이 찾아온다. 하나님은 사람을 창조하시기 전에 그들이 살 곳부터 만드셨다. 바다를 먼저 창조하신 후 그곳에서 헤엄칠 물고기들과 바다 생물을 창조하셨다. 그리고 땅을 먼저 창조하신 후 그곳에 거할 식물과 동물과 인간을 만드셨다.

첫째도 위치요, 둘째도 위치다! 이것은 단지 부동산 중개업자만의 슬로건이 아니다. 하나님은 피조물과 그 피조물이 번성할 장소를 세심하게 연결시키셨다. 이를테면 하나님은 북극곰을 모하비 사막에 두지 않으셨다. 상어와 가오리를 로키산맥에 두지도 않으셨다.

동물만이 아니다. 하나님은 우리 각자가 인생의 목표를 이루고 번영하여 하나님의 위대하심을 드러낼 수 있는 장소를 정해 놓으셨다. 우리에게 꼭 맞는 직업이 따로 있다. 우리에게 꼭 필요한 사람들이 있는 일터가 있다. 이 직장에 들어가면 너도나도 우리를 도와주는 상황이 연출된다.

위치는 더할 수 없이 중요하다. 하나님은 아무 데나 복을 주시지 않는다. 우리가 육체적, 감정적, 정신적, 영적으로 있어야 할 곳에 있을 때 복을 주신다. 그저 대충 괜찮아 보이는 자리가 아니라 최고의 자리로 가서 최고의 복을 받으라. 당신의 축복의 장소가 어떤 느낌인지는 스스로 판단할 수 있을 것이다. 당신의 감각과 영이 그것을 알려 줄 것이다. '이곳이 내가 있어야 할 곳이야.'

이것은 예전에 나와 아내가 우리 아이들과 한 게임과 비슷하다. 우리가 책이며 장난감과 사탕 등을 집안 어딘가에 숨겨 놓으면 알렉산드라와 조나단이 그것을 찾곤 했다. 아이들이 '숨은 보물' 쪽으로 가면 우리 부부는 애들이 점점 따뜻해지고 있다고 말했다. 그리고 마침내 애들이 보물 앞에 도착하면 우리는 "새빨갛게 뜨거워"라고 말했다. 하지만 숨은 보물에서 점점 멀어지면 우리는 애들이 점점 차가워져서 얼어가고 있다고 말했다.

우리는 언제나 영을 따뜻하게 해주는 곳으로 가야 한다. 영을 얼어붙게 만드는 곳에서는 최대한 멀어져야 한다. 느낌이 오는 곳으로 가라. 그곳에 하나님의 복이 기다리고 있다.

'믿음으로 굳게 서면 어디를 가나 하나님이 복 주신다'는 말은 어떤

면에서 진실이다. 하지만 다른 한편으로는 하나님이 문을 열어 주셨지만 엉뚱한 장소에 있는 바람에 그 기회를 놓치는 일도 있다. 잘못된 친구와 어울리거나 그릇된 태도를 품으면 하나님이 주신 기회를 놓칠 수밖에 없다. 하나님의 완벽한 뜻 가운데 있으면 평안이 찾아온다. 여전히 시련이 닥칠 수 있지만 삶이 더 이상 힘겹지 않고 전반적으로 인생이 즐거워진다. 그리고 성취감을 경험하게 된다.

애굽에서 나온 이스라엘 자손들은 낮에는 구름 기둥을 밤에는 불기둥을 따라다녔다. 그런데 가끔 구름 기둥이 한 장소에 두세 달 간 머무를 때면 그들은 징조가 변할 때까지 그곳에 캠프를 치고 기다렸다. 그런가 하면 구름 기둥이 계속해서 움직일 때도 있었다.

아마 이스라엘 자손들은 현재의 장소가 싫거나 적에 둘러싸여 있을 때는 이동하고 싶었을 것이다. 하지만 구름이 움직이기 전까지는 이동할 수 없었다. 구름이 움직일 때는 반대로 이런 생각이 들었을 수도 있다. '방금 캠프를 쳤는데 또 이동이야? 그냥 이곳에 머물면 좋겠다.'

하지만 복의 장소로 가야 하나님의 은혜를 누릴 수 있었다. 구름 기둥이나 불기둥 혹은 내면의 속삭임, 이런 징조를 놓치면 그릇된 장소에 갇힐 수 있다. 부정적인 환경에 머물면 끊임없이 제자리걸음을 하게 된다. 죄악이나 나쁜 태도에 머물러 있는 사람도 마찬가지다. 우리는 그곳에 머물지 말고 계속해서 전진해야 한다. 하나님의 복이 없는 곳에서 시간을 낭비

최고의 삶을 위한 TIP

형태가 어떠했던 그곳이 진정한 축복의 장소가 아니라면 속히 떠나야 한다.

하기에는 인생이 너무 짧다.

우리와 오랫동안 가깝게 지냈던 한 부부는 겨우 이십대 때 하나님의 인도하심을 따라 앨라배마 주 몽고메리로 이사했다. 방송에 관한 경험이 전혀 없던 이 믿음의 부부는 그곳에 기독교 텔레비전 방송국을 설립했다.

이는 쉬운 일이 아니었다. 자금이 부족해서 다른 방송국들이 길가에 버린 낡은 장비를 주워 와야 했을 정도다. 에어컨도 없었고 자금을 아끼기 위해 수리나 페인트칠도 직접 해야 했다. 그럼에도 불구하고 그들의 텔레비전 목회는 5년이 넘도록 순조롭게 진행되었다. 부부는 행복했고 보람을 느꼈다.

그런데 약 6년 후 더 큰 복이 있는 다른 장소로 가라는 하나님의 부르심이 느껴졌다. 방송국을 매각하고 더 큰 시장으로 가야 한다는 생각이 들었다. 그러나 탄탄하게 자리를 잡은 방송국을 아무 대책도 없이 매각한다는 것은 누가 봐도 말이 되질 않았다. 더 큰 도시에 방송국이나 자금줄이 이 부부를 기다리고 있는 것도 아니었다. 부부가 가진 거라곤 믿음뿐이었다. 부부는 안개에 쌓인 미래를 향해 믿음의 발걸음을 떼었다.

그러자 갑자기 일이 하나씩 풀리고 특별한 사건들이 연속해서 일어나더니 어느새 이 부부는 독립 방송국의 소유자가 되었다. 그리고 7년 만에 하나의 방송국이 아니라 방송 네트워크 전체를 운영하게 되었다. 이 부부는 징조를 따라갔고 그 열매들을 거두었다. 그들이 복의 장소가 이동할 때 그 상황에 민감하게 반응하지 않았다면 아마도 틀에 갇혀 하나님의 가장 큰 복을 놓쳤을 것이다. 하나님은 우리 각자를 위해 승리의 장소를 마련해 놓으셨다. 하지만 그곳을 찾는 일은 우리의 몫이다.

하나님의 스위트스폿을 찾아라

아버지는 자신의 스위트스폿(sweet spot) 안에 머물라는 말씀을 자주 하셨다. 스위트스폿은 야구와 골프에서 야구 배트나 골프 클럽으로 공을 칠 때 맞아서 가장 잘 날아가는 지점을 말한다. 우리 아버지는 스위트스폿 개념을 고차원적인 문제에까지 적용하면서, 내게 하나님이 정해 주신 지점을 찾으라고 촉구하셨다. 이 지점이야말로 하나님의 복을 받을 수 있는 장소다.

자신의 스위트스폿 곧 축복의 장소가 나타나면 깊은 목적의식과 성취감이 나타난다. 돈과 재물이 전부는 아니지만 물질이 있는 곳이 복의 장소일 수도 있다. 스위트스폿으로 가야 하나님의 복을 온전히 누릴 수 있다.

한편 물질적으로 더 좋은 삶도 좋지만 균형 또한 중요하다. 현재의 직장이 연봉도 높고 혜택도 많은가? 그런데 환경이 나쁜가? 자주 가족과 떨어져 출장을 가야 하는가? 부정적인 사람들이 득실대는가? 그렇다면 그 직장은 하나님이 예비하신 곳이 아닐 가능성이 높다. 자신의 감정에 관심을 기울이라. 성취감이 없고 불안하다면 다른 장소로 이동하라는 징조일 수도 있다.

우리 교회에 다니는 휴(Hugh)라는 성도는 회사의 고속 승진 제안을 거절했다. 새로운 자리를 받아들이면 다른 도시로 이사해야 했기 때문이다. 휴는 이 문제를 놓고 기도했지만 이 제안이 아무래도 내키질 않았다. 휴스턴에 있는 친구들, 특히 우리 교회를 떠나고 싶지 않았기 때문이다. 휴가 승진 제안을 거절하자 동료들은 믿을 수 없다는 반응을 보였다. 더 많은 돈을 받고 높은 자리로 승진하는 것을 마다했으니 그럴 만도 했다. 하지만 휴는 휴스턴을 떠나고 싶지 않았다.

"목사님도 제가 실수하는 거라고 생각하세요?"

나는 아무리 좋은 제안이라도 마음이 내키지 않는다면 받아들이지 않는 게 현명하다고 대답했다.

최근 보츠와나에서 온 부부를 만난 적이 있다. 이 부부는 에어컨과 텔레비전, 수도가 없는 작은 오두막집에서 살았다. 집안은 무덥고 더러웠다. 게다가 근처에는 식료품점이나 병원도 없었다. 하지만 이 부부가 하는 모든 말에서는 말할 수 없는 행복감이 묻어 나왔다. 내가 이들에게 사는 것이 힘들지 않느냐고 묻자 그들은 이해할 수 없다는 표정으로 내게 되물었다. "목사님이야말로 힘들지 않으세요? 소음이 가득한 이 교통지옥에서 어떻게 사세요?"

부부는 지금 이대로가 너무나 행복하다고 말했다. 현재의 자리가 이 부부의 복의 장소인 셈이다.

축복의 장소로 떠나라

열왕기상 17장에 보면 하나님이 엘리야에게 지금 있는 곳을 떠나 동쪽의 그릿 시냇가로 가라고 말씀하셨다. "내가 까마귀들에게 명령하여 거기서 너를 먹이게 하리라"(4절).

하나님은 엘리야의 끼니를 챙겨 놓겠다고 말씀하셨다. 하지만 끼니가 있는 장소로 가는 일은 엘리야의 몫이다. 까마귀가 날라다 주는 음식을 먹으려면 그릿 시냇가로 가야 했다. 놀라운 복이 준비되어 있는데도 그곳에 가지 않아서 받지 못하는 사람이 얼마나 많은지 모른다. 떠나라는 작고 고요한 내면의 목소리를 무시하고 있는가? 복을 받지 못하도록 방해하는 친구들과 계속 어울리고 있는가? 그곳은 당신이 있어야 할 곳이 아니다.

하나님의 축복을 받고 싶지만 그곳까지 갈 용기가 생기지 않는가? 용기를 내서 축복의 장소로 떠나라. 다른 사람들을 섬길 기회가 당신의 축복일 수도 있다. 하나님이 이웃 노인들을 돌보거나 어린이나 청년 사역에 참여하라는 메시지를 자꾸만 보내시는데 그것을 계속해서 모른 체하고 있는가? 남들을 섬기다 보면 꿈도 꾸지 못했던 기회의 문이 열릴 수 있다. 삶에 결정적인 도움이 되는 사람을 만날 수도 있다.

사무엘(Samuel)과 그 아내 샤리(Shari)는 늘 자기 사업을 꿈꾸었다. 하지만 사무엘은 연봉이 높은 대기업의 관리자 자리를 쉽게 포기하지 못했다. 그리고 실패하지나 않을까 하는 두려움 때문에 그 꿈을 계속해서 미루었다. 그러던 어느 날 사무엘이 '내면의 목소리'에 관한 내 설교를 들었다. 그날 나는 안전지대에서 벗어나 모험을 하라고 강하게 선포했다. 나중에 사무엘은 내게 쓴 편지에서 죽어 있던 꿈의 불씨가 되살아났다고 말했다.

> **최고의 삶을 위한 TIP**
>
> 그저 괜찮아 보이는 곳이 아니라 최고의 자리로 가서 최고의 복을 받으라.

마침내 사무엘은 다니던 대기업을 나왔고 아내 샤리도 직장을 그만두었다. 부부는 퇴직금이며 있는 돈을 모두 끌어모아 컨설팅 회사를 차렸다. 그렇게 부부는 하나님의 놀라운 복을 받을 자리로 갔다. 사업은 착실하게 성장해 나갔다. 하나님의 은혜가 날마다 더해졌다. 한편, 사무엘이 아직 대기업에 다닐 때 직장 상사들은 사업이 쉬운 일이 아니라며 그를 계속해서 만류했다. 하지만 그렇게 말리던 그들은 결국 사무엘의 가장 큰 고객들이 되었다. 2년 후 사무엘의 수입은 3배로 뛰었다. 사업 투자금도 이미 회수했다.

사무엘 부부는 복의 장소를 찾았다. 하나님이 복을 주시려고 정하신 시냇가에 도착했다. 사무엘 부부는 한동안은 힘들었지만 노력의 열매를 거둘 줄 확신했기 때문에 기쁜 마음으로 고생했다고 말했다. 하나님은 이 부부를 위해 최상의 방법으로 모든 조각을 맞춰 주셨다.

때로 우리는 직감을 따라가야 한다. 물론 이성을 무시해서는 안 된다. 변덕스러운 감정에 따라 가정을 이끌면 식구들이 불행해진다. 돌봐야 할 가족이 있는 만큼 조심히 행동해야 한다. 하지만 하나님의 인도하심을 구한 후, 행동해야 한다는 느낌이 오면 과감히 행동할 줄도 알아야 한다. 과감히 믿음의 발걸음을 떼지 않으면 평생 후회할 거리를 남길 수도 있다.

엘리야가 하나님의 말씀에 순종하여 그릿 시냇가에 도착하자 하나님은 그를 축복하시고 그의 모든 필요를 채워 주셨다. 하지만 어느 날 시내가 말라 버렸다. 물이 더 이상 흐르지 않고 까마귀도 더 이상 오지 않았다. 그러자 하나님이 다시 말씀하셨다. "너는 일어나 시돈에 속한 사르밧으로 가서 거기 머물라 내가 그곳 과부에게 명령하여 네게 음식을 주게 하였느니라"(왕상 17:9).

이번에도 하나님은 엘리야의 필요가 충족될 장소를 구체적으로 말씀하셨다. 여기서 핵심은 엘리야가 복을 받기 위해서는 계속해서 축복의 장소로 가야 했다는 사실이다. 때로는 시내가 말라서 새로운 땅으로 가야 할 상황이 될 수도 있다. 그럴 때 우리는 기꺼이 하나님의 지시를 따라 이동해야 한다.

앞서 그릿 시냇가로 갈 때 엘리야는 자신을 잡으려는 이세벨 왕비를 피해 숨은 것이었다. 그런데 하나님이 이세벨의 고향인 사르밧으로 가서 머물라고 명하신다. 아마 엘리야는 적잖이 당황했을 것이다. 하필 적의 땅이라니!

이처럼 하나님이 우리를 얼핏 말도 되지 않는 곳으로 이끄실 때가 있다. 안전한 직장을 나와 얼핏 불안해 보이는 직장으로 가라고 하신다. 편안한 관계를 뒤흔들어 우리를 왠지 싫은 사람에게로 이끄신다. 하지만 하나님이 지시하시는 곳으로 가면 절대 후회할 일이 없다. 우리의 머리로는 이해할 수 없지만 하나님이 가리키는 곳이면 그곳이 곧 축복의 장소다.

나의 형 폴은 17년 간 리틀 록(Little Rock)에서 외과의사로 일했다. 그런데 아버지의 장례식 후 형의 마음속에 휴스턴으로 돌아가 아버지의 교회를 도우라는 음성이 작고도 고요하게 들려왔다.

가족 전체를 이끌고, 외과의사로서 자리 잡은 곳을 떠난다는 것은 보통 일이 아니었다. 하지만 고향으로 돌아가야 한다는 확신이 너무도 강했다. 그래서 형은 결국 휴스턴으로 돌아왔다. 하나님의 지시에 따른 결과 형은 큰 복을 받았다. 외과의사로 있을 때보다 이곳의 의료 선교를 통해 훨씬 더 많은 사람을 섬기게 되어 성취감도 컸다. 물론 형은 리틀 록에 있었어도 행복하게 살았을 것이다. 하지만 형이 그곳에서도 여기에서만큼 큰 기쁨과 성취감을 누렸을지는 장담할 수 없다.

좋은 리더와 연결되라

우리는 직업과 관계, 믿음의 문제에서도 우리를 인도하는 내면의 목소리에 귀를 기울일 줄 알아야 한다. 내가 아는 어떤 가족은 집안 대대로 다니는 교회라는 이유만으로 부정적인 기운이 감도는 교회를 떠나지 못하고 있다. 의심과 불신으로 가득한 교회를 계속해서 다니는 것은 바람직하지 않다. 우리는 더 높이 비상하도록 용기를 주는 곳에서 예배를 드려야 한다. 하나님이 주신 잠재력을 다 이루도록 격려하고 때로는 따끔한 충고도 해주는 곳을 찾으라. 리더들이 생명과 승리의 말을 해주는 교회를 찾으라.

시편 133편을 보면 아론의 머리에 기름을 붓는 장면이 나온다. 아론은 제사장이요 리더였는데 그가 기름 부음을 받을 때 기름이 머리에서 수염을 타고 흘러내려 온몸을 적셨다. 이것은 기름 부음이 리더에게서 사람들에게 전해지는 것을 상징한다. 우리의 기름 부음을 보면 우리의 영적 리더가 어떤 사람인지를 알 수 있다. 리더가 위압적이고 비판적이며 교만하면 그런 성품이 성도들에게로 흘러내린다. 좋은 리더를 찾으라. 사랑이 많고 인품이 훌륭한 목사가 있는 곳에서 신앙의 둥지를 틀라.

구약 성경에서 엘리사는 스승 엘리야에게 두 배로 많은 기름 부음을 청했다. 이에 엘리야는 하나의 조건을 달아 그 요구를 들어 주었다. "네가 어려운 일을 구하는도다 그러나 나를 네게서 데려가시는 것을 네가 보면 그 일이 네게 이루어지려니와 그렇지 아니하면 이루어지지 아니하리라"(왕하 2:9).

이에 엘리사는 스승인 엘리야 곁에서 절대 떨어지지 않았다. 엘리사의 일은 나이 많은 엘리야를 돌보며, 음식과 물을 구해 오는 것이었다. 그것은 누가 봐도 하찮은 일이었다. 하지만 엘리사는 그것이 얼마나 중요한지를 잘 알고 있었다. 때가 되면 하나님이 두 배로 복을 주시리라는 확신이 그의 안에 있었다. 엘리사는 엘리야 곁에 붙어 있으면 그의 기름 부음이 자신에게 이어질 것을 알고 있었다.

하나님의 기름 부음은 반드시 우리에게 흘러내린다. 약속의 장소에 끈덕지게 붙어 있던 엘리사는 약속하신 대로 두 배의 기름 부음을 받았다. 적절한 장소에 있거나 적절한 사람들과 연결되어 있어야 하나님의 놀라운 복을 받을 수 있다. 당신 삶의 징조들을 유심히 살피라. 가장 큰 복이 있는 곳으로 과감히 떠나라. 하나님의 인도하심에 순종하라.

당신의 복은 육체적, 감정적, 정신적, 영적으로 적절한 장소와 연결되어 있다. 늘 하나님의 완벽한 뜻 안에 거하면 그분이 예비하신 승리의 삶을 넉넉히 누릴 수 있을 것이다.

Chapter 04

최고의 삶이 기다리고 있다

하나님이 주시려는 복은 겨우 살아남게 해주는 수준이 아니라 탄성을 자아낼 만큼 대단한 축복이다.

진공청소기 판매원인 제이미(Jamie)는 제품을 팔기 위해 아이다호 주 트윈 폭포에 있는 어느 집 문을 두드렸다. 안주인인 앤디(Andi)는 남편이 많이 아파서 진공청소기를 살 여력이 없다고 말했다. 남편인 폴의 신장은 1년 넘게 제 기능을 하지 못하고 있었다. 속히 이식을 받아야 했지만 대기하고 있는 환자만도 500명이 넘었다. 친구나 가족 중에는 같은 O형이 없었다. 이 말을 들은 제이미는 별다른 생각 없이 자신이 O형이라고 말했다. 그러자 앤디가 물었다. "혹시 기증자가 될 수 있는지 검사에 응해 주실 수 있을까요?"

앤디의 간절한 눈빛을 본 제이미는 생각해 보겠다고 대답한 뒤 차로 가서 기도를 드렸다. 그리고 나서 아내와 의사인 아버지에게 전화를 걸었다. "이 일을 내가 꼭 해야 한다는 확신이 섰어요."

고요한 감정이 제이미를 감쌌다. 사실 제이미는 폴을 알기는커녕 만나본 적도 없었다. 그저 폴이 자신과 같은 O형이며 기증자를 찾지 못하면 죽을지도 모른다는 사실만 알 뿐이었다.

제이미는 다시 그 집 문을 두드렸다. 이번에는 판매원이 아니라 기증자로서 두드리는 것이었다. "제가 할 수 있는 일이라면 뭐든 돕겠어요."

다행히 제이미와 폴의 신장조직은 정확히 일치했다. 몇 달 간의 검사와 조율 끝에 제이미는 신장을 기증하여 폴의 생명을 구했다. 현재 두 사람은 모두 건강하게 잘 살고 있다.

폴은 생면부지의 사람에게 그렇게 큰 빚을 질 줄은 꿈에도 생각지 못했다. 하나님이 진공청소기 판매원을 보내 신장을 기증하게 하실 줄 그 누가 알았겠는가?

하나님의 시각을 믿으라

우리는 좁은 생각의 틀에 갇혀 있을 때가 많다. 그래서 난관을 극복할 힘도, 능력도, 재능도, 인맥도, 자금도 가지고 있지 않다고 생각한다. 하지만 그것은 자연적인 세상에서만 답을 찾기 때문에 가지는 시각이다. 하나님은 초자연적인 분이다. 우리 눈에 보이지 않는다고 해서 하나님께도 방법이 없는 것은 아니다.

"빚이 하도 많아서 지금 이 상태로 갚아 간다면 122세가 되어야 다

갚을 수 있대."

그게 무슨 말인가? 우리에게는 초자연적인 하나님이 계시지 않은가? 하나님의 축복 한 번이면 빚이 단번에 사라질 수도 있다.

일전에 한 부인이 내게 말했다. "의사들 말로는 제가 낫기 힘들 거래요."

하지만 나는 그 부인에게 하나님의 시각을 말해 주었다.

"하나님은 부인이 죽지 않고 살 거라고 말씀하십니다. 하나님이 부인의 건강을 회복시키실 겁니다."

문제는 우리가 누구의 시각을 믿느냐다. 사람에게는 불가능한 일이 많지만 하나님께는 모든 것이 가능하다. 평범한 해를 계획하고 있는가? 하지만 하나님은 당신을 위해 특별한 해를 예비해 놓으셨다. 올해도 근근이 살아갈 계획인가? 그러나 하나님은 풍요로운 삶을 준비하고 계신다.

올해는 더 이상 평범한 해가 되지 않을 것이다. 그저 그런 해가 아니라 초자연적인 해가 될 것이다. 우리의 꿈이 이루어지는 해, 숨은 재능이 발휘되는 해, 우리가 더 건강해지고 부요해지는 해가 될 것이다. 작년의 성공이 하찮아 보일 정도로 대단한 한 해가 될 것이다. 이런 진리를 듣거든 그저 한마디만 하라. 복잡하게 머리를 굴리지 말고 불가능한 온갖 이유를 떠올리지도 말고 한마디만 말하라. "주님, 믿습니다!"

지금 몸이 아픈데 나을 거라고 말씀하시는가? 그렇다면 이렇게 말하라. "주님, 믿습니다."

빚이 산더미처럼 쌓였는데 문득 하나님의 음성이 들리는가? "빚의 굴레에서 벗어나게 될 것이다. 빌리지 않고 빌려 주는 사람이 될 것이다." 이때도 한마디만 하라. "주님, 믿습니다."

어딜 가나 부정적인 말을 하는 사람들이 반드시 있다. "말도 안 돼. 복된 해는 무슨, 입에 풀칠이나 하면 다행이지."

그런 부정적인 말은 입에 담지도 마라. 하나님의 시각을 받아들이라. 씨앗이 뿌리를 내리게 하라. 하나님은 이렇게 말씀하고 계신다. "올해는 차고 넘치는 은혜의 해가 될 것이다. 꿈이 이루어지고 기적적인 기회가 찾아오는 해가 될 것이다."

우리 머리로는 이해가 되지 않아도 상관없다. 하나님께는 우리의 꿈을 이루는 데 사용하실 수만 가지 방법이 있다. 우리는 자연적으로 생각하지만 하나님은 초자연적으로 생각하신다.

건강 진단서 내용이 암울한가? 하지만 걱정하지 마라. 하나님은 의학에 제한을 받지 않으신다. 하나님의 능력은 자연의 법을 초월한다. 떡 다섯 덩어리와 물고기 두 마리로 수많은 무리가 먹고도 남았던 일을 기억하는가? 하나님은 당신이 실제보다 더 크게 보이도록 만드실 수 있다. 당신이 실제보다 더 강하게 보이도록 만드실 수도 있다. 하나님은 당신의 영향력과 힘, 재능, 수입을 몇 배로 더하실 방법을 알고 계신다. 우리 머리로 다 알아낼 필요는 없다. 우리는 그저 믿기만 하면 된다. 초자연적인 해가 올 줄 굳게 믿으라. 하나님의 넘치는 은혜를 기대하며 매일 눈을 뜨라. 그러면

최고의 삶을 위한 TIP

우리는 좁은 생각의 틀에 갇혀 좌절하지만 하나님께는 수만 가지 해법이 있다.

하나님이 당신 삶 속에서 놀라운 역사를 행하시리라.

믿음이 기적을 부른다

어떤 교회가 대규모 교회 건축을 시작했는데 2백만 달러가 부족해서 마무리를 못하고 있었다. 목사는 성도들에게 최선을 다하라며 이렇게 물었다.

"만약 하나님이 여러분에게 공사 잔금만큼의 돈을 주신다면 그것을 하나님께 드리겠습니까? 그러실 분은 손을 들어 보십시오."

이에 스테파니라는 여인이 번쩍 손을 들었다. 그녀는 당장은 돈이 없었지만 돈이 생기면 기꺼이 교회에 바치겠다고 말했다. 그런데 며칠 후 친구 제시카한테서 전화가 왔다. 소송에서 이겨 수백만 달러를 받았다며 스테파니에게 2백만 달러를 주고 싶다고 한 것이다.

스테파니는 기뻐서 어쩔 줄 몰랐다. "기도가 응답됐어. 이 돈을 쓸 데는 한 군데뿐이야. 드디어 교회 건축 잔금을 치를 수 있게 되었어."

며칠 후 제시카에게서 다시 전화가 걸려왔다. "너한테 꼭 2백만 달러를 주고 싶었어. 그런데 교회에 2백만 달러를 내고 나면 너한테 남는 게 없잖아. 그래서 말인데, 2백만 달러를 더 줄게."

선행은 더 큰 복을 부르는 법, 그로부터 몇 주 후 제시카는 변호사로부터 판사가 같은 소송에 대해 추가 판결을 내렸다는 말을 들었다. "상대편에서 벌금과 이자까지 내야 한대요. 그래서 4백만 달러를 더 받게 됐어요."

이것이 차고 넘치는 은혜다. 결국 스테파니도 축복을 받았고 교회도 공사 잔금을 치렀으며 제시카 또한 한 푼도 잃지 않았다. 한마디로 관련된 모든 당사자가 복을 받았다.

이런 기적이 어디에서 시작되었는가? 그 출발점은 스테파니가 초자연적인 복을 믿기 시작한 순간이었다. 목사의 질문에 대부분의 성도들은 부정적으로 생각했을 것이다. '그런 일이 생길 리가 없어. 말도 안 되는 질문이야.' 하지만 스테파니는 놀라운 믿음으로 말했다. "주님, 믿습니다. 기적을 믿습니다."

우리가 믿을 때 하나님이 개입하셔서 놀라운 역사를 행해 주신다. 우리 어머니는 실로 대단한 믿음의 소유자였다. 내가 어릴 적 어머니는 수영장을 갖겠다는 믿음을 품고서 아버지께 계속해서 졸랐다. 하지만 아버지는 수영장 얘기는 꺼내지 말라고 딱 잘라 말했다. "수영장을 만드는 게 얼마나 비싼지 알기나 하오? 유지비도 엄청나요. 지금 우리에겐 그만한 돈도 시간도 없소."

어머니를 설득시키느니 나무를 잡고 얘기하는 편이 낫다. 어머니는 조금도 흔들리지 않고 계속해서 이렇게 말하고 다녔다. "언젠가 뒤뜰에 수영장을 만들 거야. 수영장에서 함께 물놀이를 하면 정말 재미있겠지?"

아버지는 그런 어머니를 보면서 이렇게 말하셨다. "아직도 수영장 타령이요? 수영장은 만들지 않을 거라고 하지 않았소?"

하지만 몇 달, 아니 몇 년이 지나도 어머니의 믿음은 흔들리지 않았다. 어머니의 마음속에는 언젠가 수영장이 생길 거라는 잔잔한 확신이 있었다. 하루는 뒷마당에서 줄자를 들고 있는 어머니를 보고 아버지가 물었다. "여보, 거기서 뭐하는 거요?"

"방금 어디에 수영장을 만들지 결정했어요."

'정말 못 말리는 사람이군' 하고 아버지는 생각했다. 약 6개월 후 한 부부가 아버지 교회에 왔다. 다른 주에서 온 이 낯선 부부는 예배가 끝나고 우리 부모님을 만나 뜻밖의 말을 꺼냈다. "저희는 각 집에 수영장을 설치해 주는 일을 하고 있습니다. 꽤 큰 회사지요. 우리 부부가 여기까지 온 것은 다름이 아니라 목사님께 수영장을 선물하고 싶어서입니다."

우리 아버지는 거의 기절할 뻔했다. 하지만 어머니는 당연하다는 듯 이 부부를 미리 정해 놓은 수영장 자리로 데려갔다. 그리하여 몇 달 후 어머니가 찜해 놓은 자리에 아름다운 수영장이 생겼다.

그곳에서 처음 수영했을 때가 지금도 생생하다. 우리는 어머니와 함께 신나게 물장구를 치며 놀고 있었다. 그런데 몇 분 후 아버지가 수영복 차림으로 나타나셨다. 아버지가 환하게 웃으며 막 다이빙하려는 순간, 어머니의 일갈이 터져 나왔다. "여보, 내 수영장에 들어올 생각은 꿈에도 하지 말아요."

하나님을 제한하지 마라

좁은 틀에서 나와 과감하게 믿음을 선포해 보라.

"하나님, 폭발적인 복을 받을 준비가 됐습니다. 넘치는 은혜를 받을 준비가 됐습니다."

하나님이 아브라함과 사라에게 아들을 약속해 주셨을 때 사라는 그것을 믿지 않았다. 자신이 너무 늙었다고 생각했다. 이에 하나님은 사라의 의심을 단번에 날릴 만큼 강력한 메시지를 주셨다.

"여호와께 능하지 못한 일이 있겠느냐?"(창 18:14)

지금도 하나님은 우리 각자에게 동일한 말씀을 하고 계신다. 당신의 꿈이 너무 커서 하나님이 이뤄 주실 수 없다고 생각하는가? 하나님이 손을 쓰기에는 관계가 너무 막장으로 치달았는가? 지금의 병을 평생 안고 살아야 할 것 같은가?

그렇지 않다. 오늘 새로운 비전을 얻으라. 새로운 태도를 품고 하나님의 말씀을 받아들이라. 인간의 눈에 어떻게 보이는지는 중요하지 않다. 하나님은 초자연적인 분이다. 「확장 번역본(*Amplified Bible*)」은 이 구절을 이렇게 번역하고 있다. "여호와께 너무 어렵거나 너무 놀라운 일이 있겠느냐?"

초자연적인 복이 임한 이야기를 들으면 의심부터 하는 사람들이 많다. "나더러 그 말을 믿으라고? 친구가 네게 건축 잔금을 치를 돈을 줬다고? 알지도 못하는 사람들이 수영장을 선물했다고? 말도 안 돼."

하지만 우리가 섬기는 하나님이 어떤 분이신가? 그분께 너무 놀라운 일은 없다. 그분은 말씀하신다. "네가 나를 제한하지 않는다면 내가 놀라운 복을 부어 주겠다. 네 필요를 채워 줄 뿐 아니라 네 마음의 소원까지 들어 주마."

> **최고의 삶을 위한 TIP**
>
> 올해는 그저 그런 해가 아니라 작년의 성공이 하찮아 보이는 대단한 해가 되리라.

대부분의 부모들은 자녀들에게 최대한 잘해 주고 싶어 한다. 우리의 하늘 아버지도 그러시다. 복된 일로 우리를 놀라게 하고 싶은 것이 우리 하나님의 마음이다. 진정한 믿음이 있는 곳에는 일련의 사건들이 발동한다. 하나님은 다른 주에서 온 부부의 마음에 수영장을 선물할 마음이 생기게 하셨다. 제시카에게 친구 스테파니를 위하는 마음을 주신 분도 하나님이시다.

하나님은 우리 마음의 소원을 들어주기 원하신다. 우리가 "주님, 믿습니다"라고 고백하는 순간 우리를 위해 만사를 조율하신다. 적절한 사람들과 적절한 기회들을 우리 삶 속에 배치하신다. 사라가 받은 복이 그랬다. 사라는 잉태할 수 있는 나이를 훌쩍 넘겼지만 기적적으로 임신을 했다. 그렇게 태어난 아들 이삭은 사라에게 넘치는 복이었다. 사라는 "내가 이 나이에 아기를 낳을 줄 그 누가 생각이나 했겠는가!"라며 기쁨을 감추지 못했다.

하나님은 우리 모두에게 이런 기적을 행하고자 하신다. "생판 모르는 사람이 내게 수영장을 선물할지 그 누가 생각이나 했겠는가!" "우리가 컴팩 센터에서 예배할 날이 올 줄 그 누가 생각이나 했겠는가!" "친구가 그렇게 큰돈을 줄 줄 생각이나 했겠는가!" "올해가 내 인생 최고의 해가 될 줄 그 누가 생각이나 했겠는가!" "의사 소견서대로라면 나는 지금쯤 죽었어야 하는데 이렇게 건강하게 돌아다닐 줄 그 누가 생각이나 했겠는가!"

하나님은 우리 입에서 이런 고백이 나오게 만들 참이시다. 그분이 주시려는 복은 '겨우 살아남게 해주는' 복이 아니다. "그 누가 생각이나 했을까"라는 탄성을 자아낼 만큼 대단한 복이 오고 있다. 하나님은 엄청난 복으로 우리를 놀라게 하길 원하신다.

당신이 방법을 찾을 필요는 없다. 그것은 당신의 일이 아니다. 당신은 그저 믿기만 하면 된다. 하나님께는 당신의 꿈을 가능하게 할

yours

바야흐로 당신의 시간이 왔다! 우리는 베드로처럼 말해야 한다.
"예수님, 주님과 함께 걷고 싶습니다. 지금이 저를 위한
시간인 줄 믿습니다."

수만 가지 방법이 있다. 하나님은 당신이 절대 생각해 낼 수 없는 방법을 알고 계신다. "너는 마음을 다하여 여호와를 신뢰하고 네 명철을 의지하지 말라"(잠 3:5).

때로는 논리적인 해법이 없는 경우도 있다. 인간의 눈으로는 빠져나갈 구멍이 보이지 않는다. 이때 계속해서 방법을 알아내려고 하면 좌절하기 쉽다. 다시 말하지만, 우리 눈에 방법이 보이지 않는다고 해서 하나님께 방법이 없는 것은 아니다.

하나님의 놀라운 방식을 기대하라

어린 린지(Linsey)는 새끼 고양이가 너무도 갖고 싶었다. 그래서 몇 주간 엄마를 졸라댔다. 하지만 엄마는 계속해서 딸의 부탁을 외면했다. 몇 달이 지나도 린지가 포기하지 않자 마침내 엄마가 조건을 달았다. "좋다, 얘야. 하나님이 새끼 고양이를 떨어뜨려 주시면 키우게 해줄게. 대신 나한테 사 달라고는 하지 마렴."

린지는 방법이 생각나지 않아 무작정 뒷마당으로 가서 무릎을 꿇었다. "하나님, 제발 고양이를 주세요."

그런데 린지가 기도를 마친 순간, 어디선가 새끼 고양이 한 마리가 날아와 린지 앞에 뚝 떨어졌다. 이 모습을 지켜본 엄마는 자기 눈을 믿을 수 없어 잠시 헛것을 봤다고 생각했다.

린지는 얼른 새끼 고양이를 안으며 엄마에게 말했다. "엄마, 봤죠? 하나님이 고양이를 주셨어요." 엄마는 어안이 벙벙한 채로 가만히 서 있었다.

몇 달 후 사건의 진실이 밝혀졌다. 린지네에서 몇 집 떨어진 곳에 사는 이웃 남자의 새끼 고양이가 나무에 올라갔는데 나무가 너무 높아 고양이를 내릴 수 없었다. 그래서 남자는 나무에 로프를 묶은 다음 그것을 자기 차의 범퍼에 연결했다.

남자는 차와 로프를 이용해 나뭇가지를 구부릴 요량으로 차를 천천히 몰았다. 그런데 적당히 가지가 구부러졌다 싶은 순간 로프가 풀리고 말았다. 그 바람에 마치 새총에서 총알이 튕기듯 새끼 고양이가 린지의 발치까지 오게 된 것이다.

깜짝 놀란 남자는 급히 나가 새끼 고양이를 찾았지만 찾을 수가 없었다. 남자는 고양이가 죽은 줄만 알았지 자기가 어린 소녀의 소원을 들어 줬다고는 꿈에도 생각하지 못했다. 이처럼 하나님의 역사는 오묘하고 불가사의하다.

결혼할 상대가 없어 걱정인가? 하나님이 당신에게 천생연분을 보내 주실 것이다. 그렇다고 린지처럼 하늘에서 배우자가 뚝 떨어지길 기대하지는 마라. 아무튼 하나님은 당신에게 딱 어울리는 사람을 보내 주실 수 있다. 믿음의 말만 선포하라. "하나님, 좋은 인연이 찾아오리라 믿습니다. 하나님께서 제 발걸음을 인도하고 계신 줄 압니다."

얼마 전 맨해튼의 한 서점에서 사인회를 하고 있을 때다. 거기서 한 부부를 만났는데 그들은 내게 그날이 결혼 1주년 기념일이라고 말했다. 더 없이 행복해 보이는 이 신혼부부에게 나는 축하한다고 말해 주었다.

그런데 사연을 들어 보니 그들은 1년 전 바로 그곳에서 열린 내 사인회에서 서로를 처음 봤다고 했다. 당시 서로를 전혀 모르던 두 사람은 같이 줄을 서게 되었고 서로에게 호감을 느껴 결국 결혼에 골인했던 것이다.

내 책 사인회에 오면 좋은 일이 생긴다! 나는 그 부부에게 이런 농담을 건넸다. "소개비라도 받아야 할 것 같네요."

온 우주를 온전히 다스리고 계신 바로 그분이 당신의 발걸음을 적시에 적소로 이끌고 계신다. 그분은 당신에게 무엇이 필요한지, 그리고 그것을 어떻게 얻을 수 있는지 다 알고 계신다. 하나님이 움직이시면 낯선 판매원이 당신의 집으로 찾아와 신장을 기증하게 된다. 친구가 전화를 걸어 당신의 주택 대출금을 대신 갚아 주겠다고 한다. 하늘에서 새끼 고양이가 뚝 떨어지게 된다.

오늘부터 기적의 해가 올 줄로 믿으라. 이미 남부럽지 않은 성공을 거두었는가? 하지만 하나님이 지금부터 벌이시려는 일은 그보다 훨씬 더 엄청나다. 올해가 당신을 위한 놀라운 복의 해가 되리라. 올해가 당신을 위한 초자연적인 기회와 인연의 해가 되리라.

당신의 머리로는 도저히 답이 나오질 않는가? 하지만 하나님께는 답이 있다. 하나님은 당신의 필요만 채워 주시는 게 아니라 당신 마음의 소원까지도 들어주실 것이다. 하나님이 당신을 얼마나 위하시는지 깨닫게 되기를 기도한다. 매일 기적의 해와 최상의 은혜를 기대하며 밖으로 나가라. 분명 하나님이 놀라운 방식으로 개입하실 것이다. "그 누가 생각이나 했겠는가?" 이렇게 말하며 감탄할 복을 경험하게 되리라. 일 년 후, 한 해를 돌아보며 뿌듯한 미소를 짓게 될 것이다. "올해는 평범한 해가 아니었어. 기적의 한 해였어."

당신의 시간이 오고 있다!

에필로그

급격한 변화와 초고속 인터넷의 시대에 느리게 진행되는 글쓰기는 매우 흥미로운 작업이다. 「최고의 삶」을 쓰기 시작했을 때 불경기는 극에 달했다. 월스트리트가 해체되고 전국의 은행이 휘청거렸으며 경기 몰락의 두려움이 만연했다. 전문가들은 이 불경기가 수년을 갈 수도 있다고 말했다. 하지만 나는 이미 새로운 계절이 도래했다고 믿는다. 폭풍우가 가라앉고 새날의 동이 텄다.

이 책을 읽는 동안 당신의 믿음이 성장하고 비전이 커지길 바란다. 생각보다 고지가 가깝다는 사실을 깨닫기를 바란다. 꿈을 이루고 문제를 해결하고 하나님의 새로운 복을 경험할 날이 멀지 않았다. 잊지 마라. 당신 안에는 전능하신 하나님의 DNA가 있다. 하나님은 당신에게 소명을 이루기 위해 필요한 모든 능력을 주셨다. 당신은 지혜와 힘, 재능, 창의력으로 가득하다. 당신의 미래는 목적과 은혜, 좋은 일, 좋은 인연, 적절한 기회로 가득하다. 여태껏 복을 구경도 하지 못했는가? 하지만 오늘은 새날이다.

매일 아침 믿음과 기대감으로 눈을 뜨라. 하나님께 영광을 돌리며 살면 반드시 은혜의 순간을 맞게 되리라. 꿈을 꾸기만 하는 게 아니라 꿈을 이루고 하나님의 풍성한 복 가운데 걷게 되리라.

지금은 당신의 때다!